Porte de la Chapelle
Simplon
PANTIN
Marcadet
Torcy
Riquet
Château Rouge
Barbès
Rochechouart
Chapelle
Villette
Jean Jaurès
Louis Blanc
Gare du Nord
Gare de l'Est
Poissonnière
PRE-ST-GER
Combat
Pl. de Danube
Botzaris
LES LILAS
ROMAIN
Pré St Gervais
Porte des Lilas
Château d'Eau
St Fargeau
Télégraphe
Jourdain
Pyrénées
Belleville
Lancry
St Denis
Strasbourg
St Martin
Sentier
Temple
République
Parmentier
Ménilmontant
Gambetta
Pelleport
Père Lachaise
Halles
Châtelet
Oberkampf
Filles du Calvaire
Richard-Lenoir
St Sébastien
Voltaire
Philippe-Auguste
Bagnolet
Hôtel de Ville
Pont Notre Dame
St Paul
Bréguet-Sabin
Charonne
Avron
Maraîchers
Buzenval
Bastille
Ledru-Rollin
Chaligny
Nation
Cité
Pont Marie
Arsenal
Reuilly
Diderot
St Mandé
Clany
Maubert Mut
Gare de Lyon
Montgallet
Bel-Air
Jussieu
SEINE
Gare d'Orléans
Bercy
Charenton
Michel-Bizot
Pte Dorée
Monge
Quai de la Gare
Pte de Charenton
Censier Daubenton
St Marcel
Chevaleret
Gobelins
Campo Formio
Nationale
BOIS
VINCENNES
Italie
Glacière
Tolbiac
Corvisart
Bd d'Ivry
Mme Blanche
Pte de Choisy
IVRY
Pte d'Italie
CONFLANS
CARRIÈRES

ASNIERES
CLICHY
FLEUVE
COURCELLES
LEVALLOIS-PERRET
PERRET
Porte de Clichy
Brochant
St Ouen
Championnet
Pl. Jules Joffrin
Lamarck
Abbesses
Blanche
Pigalle
St Georges
Clichy
Rome
Villiers
Malesherbes
Wagram
Monceau
Pereire
Champerret
Courcelles
Ternes
St Augustin
St Lazare
Liège
Trinité
N.-D. de Lorette
Havre Caumartin
Haussmann
Opéra
Richelieu Drouot
4 Septembre
Bourse
Madeleine
La Madeleine
Miromesnil
St Ph. du Roule
Arc de Triomphe
Place de l'Etoile
Etoile
Porte Maillot
Obligado
Avenue Dauphine
Kléber
Victor Hugo
Georges V
Marbeuf
Champs Elysées Clemenceau
Concorde
Tuileries
Pyramides
Palais Royal
Jardin des Tuileries
Place de la Concorde
Obélisque
Grand Palais
Petit Palais
Seine
Boissière
Alma
Trocadéro
Invalides
Chambre des Députés
Ch. des Députés
Solférino
Bac
St Germain des Prés
Mabillon
Odéon
Croix Rouge
St Sulpice
Rennes
Babylone
Varenne
Sevres
Vaneau
St Fr. Xavier
Duroc
Latour Maubourg
Ecole Militaire
Ch. de Mars
Tour Eiffel
Passy
Grenelle
Dupleix
Cambronne
Lecourbe
Sèvres
Falguière
Montparnasse
St Placide
N.D. des Champs
Vavin
Port-Royal
Raspail
Edgar Quinet
Pasteur
Volontaire
Emile Zola
Commerce
Javel
Mirabeau
Félix Faure
Boucicaut
Lourmel
Balard
Convention
Pl. Vaugirard
Gaité
Pernety
Plaisance
Porte de Versailles
Pte Vanves
Denfert
Mouton Duvernet
Alésia
Porte d'Orléans
Institut Pasteur
Parc des Expositions
Petits Ménages
Mairie d'Yssy
ISSY
VANVES
Champ de Manœuvres

カフェから時代は創られる

飯田美樹

クルミド出版
KURUMED PUBLISHING

本書は、2008年8月30日にいなほ書房より刊行された単行本『caféから時代は創られる』の増補改訂版です。本編を再編集し、新たにコラム、あとがき、解説を書き下ろし、地図を付しました。また書名の表記を変更しました。

はじめに

カフェから時代は創られる？　カフェなんてただお茶をしに行く場所ではないのだろうか？
二〇〇〇年頃に始まったカフェブームのお陰もあって、日本のカフェの多くは男性好みの喫茶店から女性たちがお茶するオシャレな場所へと変化した。私はちょうど東京がカフェブームに涌いていた頃、パリに留学し、自分が日々通っていたようなパリのカフェから様々な芸術運動や社会変革が始まったと知ってこの研究を開始した。以来これまで機会があるごとに語ってきたのは「カフェはただお茶をするための場所ではない」ということである。

フランス革命はカフェから始まったと言われ、様々な芸術運動の中心地となっていたのもパリのカフェである。また、イギリスの市民革命や保険会社、新聞の創刊とカフェは密接に結びついている。アメリカ独立運動にしても、それに関わった者の多くがパリのカフェ・プロコープの常連である。このように、ヨーロッパ、特にパリのカフェは、そこを舞台として新しい時代が創られていく場所であり、社会変革の発端となる場であった。カフェは、そこに集う人たちと場とが絶妙に相互作用をしたときに、新しい価値を創造しうる場なのである。

ところで何故私がこの研究を始めたかといえば、カフェと天才たちの関係性が不思議に思えたからである。留学先の学校はパリのサン＝ジェルマン・デ・プレという地区にあり、ガイドブックを開いてみると、同地区の名所として筆頭に挙がるのはカフェ・ド・フロール（図1）とドゥ・マゴ（図2）である。カフェが名所になるとは一体どういうことだろう？　ここに来たと書かれている天才たちは一体何故、そのカフェに集まっていたのだろうか？　またパリのモンパルナスという地区も、ロトンド（図3）、ドーム（図4）、クーポール、セレクトという有名なカフェの他には特に見所は存在しない。それなのにどうしてこれらの地区は世界にその名を知られているのだろう？　試しにフロールの椅子に腰掛け、カフェ・クレームを注文し、通りを眺めてみたところで疑問は解決しないままである。カフェに来て、その使い方を知らない者にはカフェはただコーヒーを飲む場でしかなく、一人だと手持ちぶさたなものである。

図2
現代のドゥ・マゴ

図1
現代のカフェ・ド・フロール

しかし、実は歴史に名を残したカフェは、何者かを目指していた者が、人生の階段を上っていける場所だったのだ。とはいえ、それは誰かに教えてもらわない限りなかなか気付かぬものである。おそらく、それは先輩から後輩へと口承で伝えられてきたものなのだろう。次世代に何かを伝えることは非常に重要だといえ、同時に面倒であり荷が重いことでもある。あるとき誰かが伝えることをやめたとき、脈々と受け継がれていた文化は流れを止めてしまう。けれどももし後世になり、新しい世代がそれを欲していたら、その文化は息を吹き返すことができるのだろうか？　ある時代に廃れたとしても、後世にまた見直されるべき文化はあるものだ。パリにおけるカフェ文化も、モンパルナスやサン＝ジェルマン・デ・プレの黄金期に比べると廃

図3
現代のロトンドから見える
ヴァヴァン交差点

図4
現代のドームのテラス

れつつあるようである。とはいえ、一人でも多くの人がカフェという場のポテンシャルに気付き認識が変わっていけば、カフェの使われ方も変化してゆくだろう。カフェを使い歴史にその名を残した者たちは、カフェに内在するダイナミックな力を知っていた。カフェという場は人生を変えうるほどの力を持っていた。カフェは街の自由なアカデミーであり、大学よりもよほど自発的に学んでいける場であった。そこから生まれ、新たな時代を担った動きというのは数知れない。

では、そのような特別な場はどうしたら生まれるのだろう？　それにはカフェという場とそこに集った人々との絶妙な相互作用が必要である。本書は、歴史にその名を残す様々な人物や運動を生み出していった二十世紀前半のパリのカフェを中心に、そこに集い、後に天才とまで呼ばれるようになった人物に焦点をあて、何故カフェが様々なものを生み出す場となりえたのかを分析したものである。カフェという場のポテンシャルを現代の私たちが認識し直すことで、再びカフェから時代が創られることを願って。

Contents

Contents

Contents

column

1

カフェと「天才」たちとの不思議な関係

パリのカフェの歴史をひもとくことは、フランスの近代芸術・文化史をたどることとほぼ同意語のようである。詳しい歴史は他のカフェ研究書にお任せすることにして、ここでは二十世紀前半のモンパルナスを中心とする簡単な歴史をたどってみよう。

パリのカフェの歴史はカフェ・プロコープとともに始まる。プロコープは、一六八六年にイタリア人のフランチェスコ・プロコピオによって開かれたカフェである。彼はここでコーヒーという未知の飲み物を飲ませただけでなく、イタリア風のアイスクリームを提供することで評判を高めていった。また、プロコープの鏡や大理石を多用した室内装飾はパリのカフェの原型となる。ここにはヴォルテール、ディドロ、ルソー、ダントン、マラー、カミーユ・デムーラン、ロベスピエール、ベンジャミン・フランクリンなどが通い、同店では啓蒙思想やフランス革命が議論されていた。

また実際に、一七八九年にフランス革命が起こった時には、カフェ・ド・フォアを初めとする、パレ・ロワイヤルの多くのカフェで非常に活発な議論が行われた。

時代が変わって一八七〇年頃のパリの北部、モンマルトルではのちに「印象派」と呼ばれることになるロートレック、ドガ、セザンヌ、ルノワール、モネなどがヌーベル・アテヌというカフェに集った。マネは同じくモンマルトルのカフェ・ゲルボワでも毎週集いを開催し、ここにもマネ、ファンタン゠ラトゥール、モネ、ルノワール、シスレー、ドガ、ゴーギャン、セザンヌなどが集って活発な議論を交わしていた。ドガの有名な絵画「カフェにて（アプサントを飲む人）」はここでデッサンされたものである。

その後のモンマルトルにはシャ・ノワールやラパン・アジルなどに芸術家たちが集まっていた。しかし、有名になり観光化されてきたモンマルトルは、次第に貧乏芸術家たちにとって居心地のいい場所ではなくなってゆく。

貧乏芸術家たちがセーヌ右岸のモンマルトルにいた間、すでに名の知られた作家たちは、同じく右岸のグラン・ブルヴァールという大通りに軒を連ねる豪華なカフェに通っていた。当時はまだ右岸が主流だった時代だが、十九世紀末になると芸術、文化の中心地がどこであるかという「右岸と左岸の戦争」が次第に始まって、一九一〇年代にはついに左岸が勝利する。

パリの左岸、モンパルナスのカフェの歴史は一九〇三年に始まった。ダダの創始者であるトリスタン・ツァラが、「すべてのことはモンパルナスの異なるカフェで企てられた」と語るほど、モンパルナスのカフェは芸術、文化の中心地となっていく。[1]

一九〇三年からモンパルナスの緑豊かなカフェ、クロズリー・デ・リラ（図5）に通い始めた象徴派詩人のポール・フォールは、毎週火曜の晩に詩人たちの集いを開催し始める。一九〇五年に『詩と散文』誌を発行したことで、以前から行われていた詩の集いには、詩人だけでなく、世界中から芸術家、音楽家たちが次々にやってきた。この会の参加者にはポール・フォールを初め、ジャン・モレアス、アルフレッド・ジャリなどがおり、若き日のピカソ、アポリネール、アンドレ・サルモンも参加して大いに刺激を受けている。この集いをきっかけとして、当時モンマルトルの共同アトリエ「洗濯船」に住んでいたピカソら若き前衛芸術家たちは、次第にパリの南のモンパルナスへと通い始めるようになる。アルデンゴ・ソフィッチは、『詩と散文』の夕べは、文化的展望の中である一定の重みを持っていたと語っている。

――ここは一つの卵のようだった――フランスの首都において、いや世界においてと言っていいほど、この時代に生きる、精神的に最も活気があり、最も生産的な者たちでこの有名なカフェは満員だった。すでに偉大で

図5　クロズリー・デ・リラのテラス

名声のある、もしくはそうなっていくであろう画家、彫刻家、小説家、思想家たちが、明るく照らされた広い店内のテーブルの前に腰かけたり、一つのテーブルからまた別のテーブルへと移動したりしていた。ある人たちは、外のテラスで、夜空の方向に剣をふりかざしているネイ元帥像のまわりに植えられたマロニエの木の下で涼んでいた。最も大胆な雑誌や、古い雑誌や新しい雑誌等、すべての雑誌編集部が、この時間にこの場所で待ち合わせをしているかのようだった。[2]

一九一一年には、モンパルナスのヴァヴァン交差点にあった慎ましいビストロをヴィクトール・リビオンが買い取って拡張し、伝説のカフェ、ロトンドがオープンする。ロトンドには日当たりの良い南向きのテラスがあったため、スペイン人や南米の画家たちがすばやくこれに目をつけた。これを機に若き芸術家たちはロトンドに通い始め、モンパルナスの時代が始まってゆく(図6)。ロトンドが栄えていた頃のモンパルナスの様子をレオン＝ポール・ファルグは次のように描写している。

モンパルナスには中心があった。この真珠は核を持っていた。その核こそがロトンドである。すべての人がここを通った。この場所の記憶……アレクサンドルの図書館のように、この地にはあまりにも短期間にあまりにも多くの物語があったと後世にも言い渡されることだろう。あまりに有名な数多くの客たち、革命的な思想を持った女性たち、恋人たち、強い者、あまりに多くの天才に警

察官、中傷者に経済学者、たくさんの画家に詩人たち。デンマーク人にロシア人、そしてたくさんの生と死と……[3]

ロトンドに通った人としてはモディリアーニ、藤田嗣治、キスリングなどいわゆるエコール・ド・パリの画家や、ピカソ、アンドレ・サルモン、フェルナン・レジェ、イリヤ・エレンブルグ、革命家のレーニン、トロツキーなどが挙げられる。

また、ロトンドの真向かいのカフェ・ドームは一八九八年に開店し、ドイツ人や中欧の芸術家たちが多く集った(図7)。ここにはブルガリア人画家のパスキン、彫刻家のザッキンをはじめとする芸術家たち、また一九三〇年代にはサルトルやボーヴォワール、ジャコメッティらも足

図6
ガブリエル・フルニエが描いた1916年頃のロトンド
戦時中とはいえ人でにぎわう。向かいにはドームが見える

繁く通っている。アンドレ・ワルノーは一九二〇年代のドームをこのように描写している。

ドームは共通の家であり、公共空間であり、宿でもあり、公共の問題の論じられるフォーラムであり、競売所であり、ゲットーであり、奇跡の中心地だった。テーブルの上のスプーン、グラスやソーサーがカチャカチャと音を立て、ギャルソンの呼び声や数多くの会話のどよめきの中で、すべての客が喋っているのだった。ドームは避難所であり、出発口であり、決して到着することのない汽車を待つ鉄道の駅だった(図8)。[4]

一九二〇年代の「狂乱の時代」をよりいっそう華々しくさせたのは、一九二七年十二月にモ

図7 20世紀初頭のドーム

ンパルナスにオープンした巨大なカフェ、クーポールである。このカフェのオープニングパーティには三〇〇〇人が招待され、一五〇〇本のシャンパンが瞬く間に空になった。このカフェはこれまでの、狭く、タバコの煙がたちこめる暗いカフェのイメージを覆すものだった。クーポールの天井は五メートルもの高さをもち、柱で天井を支えることで壁を必要としなかったため、非常に開放感ある空間だった(図9)。テーブルは全部で四五〇卓もあり、地下にはダンスホール、一階にはブラッスリーとバー、二階にはレストランも併設され、屋上にはちょっとした遊技場まで存在していた。また、ドームやロトンドに負けないように、幅の広いモンパルナス大通りに面して三〇メートルもの長さのテラスをつくることにした。当時は現在よりも歩道

図8
1928年のドーム
ドームの郵便受けは
住所不定の客たちに重宝されていた

の幅が広く、テラスの席は七列ほどにもなっていたそうである。ここには貧乏芸術家というよりは、すでにある程度成功した人々や、社交界の人々が集まった。すでに当時成功していてスーパースターと呼ばれていた藤田嗣治や写真家のマン・レイ、ユキ・デスノス、ルイ・アラゴン、シャガール、ジャン・コクトーをはじめ、パリ中のほぼすべての芸術家、作家たちはここに顔を見せに来た。

あまりにも華々しくなってしまったモンパルナスの喧噪を避け、パリのダダイストたちは右岸のオペラ座横町のカフェ・セルタに一九一九年の終わり頃から集まるようになった。その後彼らはシュルレアリスムの創始者であるアンドレ・ブルトンの家の近くにあったカフェ・シラノ、ブラッスリー・ラジオなどで日常的な集ま

図9
開放的なつくりのクーポール
天井を支える24本の柱には、
モンパルナスの画家たちによって
絵が描かれた

りを開催するようになる。

　そして、モンパルナスの喧噪を避けたのは彼らだけではなかった。多くの文学者たちも次第に出版社の多いサン＝ジェルマン・デ・プレ界隈へと移っていく。サン＝ジェルマン・デ・プレ広場にはドゥ・マゴがあり、一九三〇年代には落ち着きのあるこのカフェに名の知れた文学者たちが集まった。また、シュルレアリストたちも集ったことで知られている。しかしドゥ・マゴは上質な雰囲気を保とうとしていたために、時に騒々しいお客を追い出すはめになることがあった。そうしてより寛容だった隣のカフェ、カフェ・ド・フロールが次第に栄えることになる。

　カフェ・ド・フロールには一九一一年頃から、同地に住む詩人のアポリネールや仲間のアンド

図10　1939年のフロール

レ・サルモンらが集うようになっていた。ここは彼らが創刊した『レ・ソワレ・ド・パリ』誌の編集部になっていたのだが、一九一八年にアポリネールがスペイン風邪にかかってこの世を去ってしまってからはさびれたカフェになってしまう。ところが一九三九年にポール・ブバルがこの店を買い取ったことで、もともと常連だったジャック・プレヴェールはじめ、映画関係者、演劇関係者たちが集うカフェとなっていく。サルトルやボーヴォワールが通い始めたのは一九三九年頃のことである(図10)。

ちょうどその頃勃発した第二次世界大戦により、パリはドイツ軍に占領される。その占領下のパリにおいて、ひそかに「戦後」の思想を準備し、作家たちが様々な文章を書いていたのがこのフロールの二階である。そうしてパリ解放とともに、サン＝ジェルマン・デ・プレに集った作家たちはサルトルを筆頭に実存主義者と呼ばれ、一九四〇年代後半から五〇年代にかけて、同地は実存主義の聖地として世界中にその名を轟かすことになるのである。

カフェに通った「天才」たち

『天才の心理学』を記したE・クレッチュマーによれば、「天才」とは「積極的な価値感情を、広い範囲の人々の間に永続的に、しかも稀に見るほど強くよびおこすことのできる人格」だそうである。[5]一〇〇年以上も前にフランスで活躍し、極東の日本においていまだに展覧会が開かれている印象派、エコール・ド・パリ、シュルレアリスムの画家や、ヘミングウェイなど「失われた世代」の作家たち、シュルレアリスム、実存主義の作家たち。そんな彼らのことをここで天才と呼んでも差し支えはないであろう。彼らが生み出した作品はまさに「後世に対してあたかも偉大な記念碑のような影響を与えるもの、また高揚した精神として独自の価値をもつもの」であり、パリのカフェに集った彼らはクレッチュマーの定義に沿った天才であるといえるだろう。[6]

本書では主にカフェに通った天才たちの中で、自伝的作品を残している人たちの証言をもとに、天才たちとカフェという場との相互作用について考察したい。本書で特に取り上げることになる人物としては詩人のアンドレ・サルモン（André Salmon, 1881-1969）、エコール・ド・パリの画家といわれる藤田嗣治（1886-1968）（彼は一九五九年に Léonard Foujita と改名しているが、本書では藤田と呼ぶことにする）、シュルレアリスムの創始者アンドレ・ブルトン（André Breton, 1896-1966）、ブルトンとともにシュルレアリスムを進めていった作家のルイ・アラゴン（Louis Aragon, 1897-1982）、作家であり哲学者のシモーヌ・ド・ボーヴォワール（Simone de Beauvoir, 1908-1986）などである。

アンドレ・サルモンは詩人のギョーム・アポリネールや画家のピカソらとともに青春時代を過ごし、詩人となり芸術批評をしていた人物である。彼は次第に「序文の王」と呼ばれるようになり、藤田の第一回個展の序文や、シャガールの回想録『わが生涯』の序文も彼が書いている。彼は « Souvenirs sans fin »（『終わりなき想い出』未邦訳）という、モンマルトル時代からモンパルナス、サン＝ジェルマン・デ・プレ時代に至るまでの詳しい回想録を記しており、この本はカフェ文化の時代考証には欠かせない資料となっている。

藤田は、フランスでは今日でも、パリで唯一成功した日本人画家として一般の人から認識されており、パリ市の美術館にも彼の作品は所蔵されている。彼は東京美術学校（現東京藝術大学）を卒業し、日本で三年ほど過ごした後の一九一三年に、中学時代から憧れていたパリに渡った。彼はモディリアーニとも親しく、一九二〇年代にはエコール・ド・パリの寵児としてパリで非常に名の知られた画家になっていた。日本では彼の奇妙な服装や日本美術界への批判的な発言などが災いして多くの誤解を受け、長年画壇の中で評価をされてこなかった。しかし近年様々な人の尽力により、日本でも大規模な展覧会がいくつも開かれ、多くの人がその作品と人となりを知るようになった。

アンドレ・ブルトンはチューリッヒでトリスタン・ツァラが始めたダダの動きに触発されて、一九一九年にルイ・アラゴンとともにパリのダダイストのグループを形作り、後にシュルレアリスム（超現実主義）運動を始めた人物である。彼は無意識や客観的偶然というもののもつ可能性や隠された力強さを世に示し、理性的でまじめくさった世界に異なる世界を提示していこうとし続けた。

ルイ・アラゴンはアンドレ・ブルトンとともにシュルレアリスムを始めた作家である。彼が残した数々の作品のうち、『パリの農夫』には彼らが集ったカフェ・セルタの様子が詳しく描かれている。

シモーヌ・ド・ボーヴォワールは日本でも『第二の性』で名が知られている、ジェンダーの問題について声を挙げた、歴史に名を残した数少ない女性哲学者であり作家である。彼女は実存主義哲学者のサルトルとともにカフェに通って執筆を続け、結婚しないカップルという新たな選択肢を社会に提示したことでも有名である。

彼らはいずれも自分たちがどのようにして現在のような仕事をするに至ったのかを文章で残しているため、それらをもとに彼らの共通点、また彼らの周辺にいた「カフェに通わざるをえなかった者」というある特殊な立場におかれた人たちの共通点を探っていきたい。

また、彼ら同様、世界的な画家パブロ・ピカソ、二十世紀を代表する詩人ともいわれるアポリネール、エコール・ド・パリの画家のアメディオ・モディリアーニ、パリのカフェで執筆を続けたヘミングウェイ、アメリカ人でシュルレアリスムに参加していた写真家マン・レイ、モンパルナスの女王と呼ばれ、藤田やキスリング、マン・レイはじめ多くの作品のモデルになったキキ（本名はアリス・プランだが本書ではキキと呼ぶ）、藤田の三人目の妻となり、のちにシュルレアリスト詩人のロベール・デスノスと結婚することになったユキ・デスノス、戦後の思想に力を与えた実存主義哲学者ジャン＝ポール・サルトルなどの証言や発言も取り上げていく。ここで言及している彼らはいずれも二十世紀前半のパリのカフェに通った人物である。参考のために彼らだけでなく、啓蒙思想全盛期のカフェ・プロコープやベネツィアのカフェ・フローリアンに通っていたジャン・ジャック・ルソーの発言や、「青春ウィーン派」と呼ばれる作家グループを生み出した十九世紀末のウィーンのカフェ、グリーンシュタイドルに通っていた作家であるシュテファン・ツヴァイクの証言も取り上げていくことにする。

軽視されるカフェという場が果たした役割

筆者も、カフェの研究を始めた当初はあまりの有名人の名前の羅列に戸惑い、サルトルやボーヴォワール、アンドレ・ブルトンとは誰なのか、シュルレアリスムとは何なのか等を勉強するだけでかなりの時間を費やした。筆者は文学部の出身でなければ芸術学部の者でもなく、多くの研究者とは違って大学院時代でさえもそれらの分野に関して何の専門的教育も受けていない。留学時代にパリで出会ったカフェという場のもつ力、社会を変革しうる場であったカフェという場の可能性にひたすら興味を持ち、自分なりに追求し続けていっただけである。

様々な運動が起こっていたパリのカフェで一体何がどのようにして起きたのか？　そして何故それはカフェという場であったのか？　歴史に名を残したカフェとそうでない大多数のカフェとの違いは何なのか？　それらの疑問に答えるために、研究が進んでいった。

そうして時が経過して、カフェに集った彼らの名前をひと通り暗記してからパリの本屋で二十世紀の文学コーナーを眺めてみると、驚くことに七割くらいの作家の名前がわかるようになっていたのである。また、パリ留学時代はフォービスムの名前さえ知らなかったような筆者も、現在ではそれなりに二十世紀前半の芸術運動の流れを知るようになってしまった。そうなればそうなるだけ、カフェと天才たちとの関係性を考えざるを得なくなる。

『創造力』の中で、シルバーノ・アリエティは「天才は規則的に現れず、集団として現れることは古代から知られている現象である」と述べている。[7] 特にフランス、パリでは革命以降、後世に名を残すような天才たちの数多くが集団として、カフェという場に関係しながら出現しているのは注目に値する。ところがカフェと天才たちの関係性に注目し、何故こんなにも多くの天才がカフェに集ったのかを分析しようと試みる人はなかなかいない。ヨーロッパのカフェ文化について書かれ、日本語で読むことのできる多くの本は「あんな大物たちまでカフェに来た」という書き方をし、ひたすら有名人の名前を羅列するのが常である。

また、エコール・ド・パリやシュルレアリスムなど、芸術史について書かれた研究書では「彼らが集ったのは主にカフェである」と少し触れてもらえれば良い方であり、カフェについてはほとんどページが割かれることがない。

フランス語でモンパルナスやサン＝ジェルマン・デ・プレという場所について書かれた本の場合は、カフェによりいっそう力点が置かれ、ページも割かれてはいるものの、詳しい出来事や証言の羅列にとどまることが多い。フランス語の本からは、カフェがいかに偉大な場であったかはよく伝わってくるのだが、では「何故皆が皆、カフェという場に集まってきたのか」という、カフェの果たした役割を分析するような視点では書かれていない。

しかし、カフェという場の役割に注目しながら、実際に集った人物たちの書いたものを読みすすめると、彼らにとってカフェという場がいかに重要だったかが見えてくる。では何故研究者たちはカフェという場をこんなにも軽視するのだろうか。その理由は主に二点考えられる。

一点目は研究者自身がカフェに通った実体験がないからであり、二点目は天才や作品を、そう「なっていくもの」ではなく、すでに完成されたものとして見てしまうからである。

まず一点目について見てみよう。一点目の問題は、研究者自身がカフェという場に行くことはあるものの、「通う」という経験をしたことがなく、実体験としてカフェという場の持つ力を想像しえないことにある。実際、カフェに通う人の多くはコーヒーの美味しさ目当てに通うのではなく、メニューには明示されない、カフェという空間に内在する多くのものを目当てにカフェに通っているのである。メニューには明示されていなくても、カフェという場は飲食以外に非常に多くのものを提供してくれる場所なのだ。しかし、このようなことはある程度カフェに通うか、カフェの使い方を伝授されない限りは理解しにくいものである。カフェはただコーヒーを飲み、友人とおしゃべりをしに行くだけの場所ではない。大切なのはどういう視点でカフェという場を捉えてゆくかである。だからこそ、カフェに通い、その使い方を知ることはカフェの可能性を認識する上でも重要なことである。

ところで、「カフェに通う」というのはパリにおいてさえ誰しもがする経験ではなく、後に述べていくように、ある状況に置かれた特殊な人たちの経験である。その必要性を感じない者は一生カフェに通うことなく生きられるだろう。ところが、世の中にはカフェがないと生きられないような人々もおり、筆者自身もその一人である。パリのカフェに通った経験、また大学院の論文執筆時にカフェで書かざるを得なかった経験、その時分に喫茶店店主に真に慰められた経験等、自分の身体を通して「客としてカフェに通わなければならなかった経験」を持っている。本書自体も研究から構成、執筆に至るまでほとんどすべてがカフェで行われたものである。

また、筆者の場合は客側としての経験だけでなく、「場を提供する側としての経験」として、大学時代に場づくりをしてきた経験、イベントの中でのカフェ運営の経験、大学院を休学して約一年半カフェを運営した経験、自身の家をサロン化して、サロンの女主人の側に立った経験などがある。本書では、自身の実体験によって得られた視点をできる限り研究に還元し、多くの研究者とは違う視点でカフェという場の力強さを見ていきたい。

カフェという場が軽視される二点目の理由は、研究者たちが天才は初めから完成された天才的存在で「ある」と思いこんでおり、自分と同じような無名の誰かがそう「なる」ものだとは考えていないことである。ロトンドというカフェに集ったモディリアーニや藤田、レーニンなどは当時から完成された天才だったのだろうか。それともまだ無名の客の一人に過ぎなかったのだろうか。その視点の違い一つで「大物たちがカフェに集った」のか、「カフェに集ったグループが次第に大物になっていったのか」という見方の違いが生まれてくる。本書でこれから述べていくように、人は初めから天才であるわけではないし、天才のように見えた人が皆、必ずしも天才になれるわけではない。彼らの作品や思想というのは絶え間ない葛藤や試行錯誤の連続の後にようやく生まれていくものである。歴史に名を残したカフェは、ブラックボックスのようにそこに入った人を変える力を持っていた。力を持った場というのはそこでしかできない経験を促し、そこに足を踏み入れる者たちの人生を変えるほどの力を持っている。そうしたカフェには独特の磁力があり、自分の想像をはるかに超えた人々との出会いや刺激に満ちていた。カフェを中心とするこうした出会いを通して、志を持った人々は大きく変化するようになる。

しかし、後世の研究者はあたかも天才や、天才たちの生み出した作品を「初めからある当然のもの」として捉えがちである。エドワード・W・サイードは『知識人とは何か』の中で、「研究」と芸術や思想なりをつくりあげる生々しい経験とのずれについて、こう述べている。

たとえば文学研究という、わたしがとくに関心を寄せてきた分野では、研究が専門的になるということは、形式的な技法にのみ関心を寄せ、文学作品の形式にいかなる現実的経験が実際に関与したかを考える歴史意識のほうを、なおざりにすることを意味する。研究が専門的になればなるほど、芸術なり思想なりをつくりあげるときのなまなましいいとなみは見失われてしまう。いきおい、あなたは非人格的な理論なり方法しか頼ることができず、知識人とか芸術を、一連の選択や決断、一連の関与と連帯の産物というふうにみることができなくなる。[8]

本書では、カフェに通い、後に世界に名を残すほどになった者たち自身の証言をもとに、まだ無名だった彼らが、カフェという場に通ったことで一体どのように変化し、新しい時代が生み出されていったのか、そのメカニズムをできる限り探っていきたい。

1 Gérard-Georges Lemaire, *Cafés d'autrefois*、六七頁
2 Gérard-Georges Lemaire, *Les Cafés littéraires*、一二八頁
3 Gérard-Georges Lemaire, *Les Cafés littéraires*、一三四頁
4 Gérard-Georges Lemaire, *Cafés d'autrefois*、六八頁
5 エルンスト・クレッチュマー『天才の心理学』、一二一頁
6 エルンスト・クレッチュマー『天才の心理学』、一二三頁
7 シルバーノ・アリエティ『創造力 原初からの統合』、二四八頁
8 エドワード・W・サイード『知識人とは何か』、一二七〜一二八頁

column

モンマルトルのカフェに集った芸術家

ピカソが住んだ「洗濯船」付近のカフェですごす人たち

パリの北、モンマルトル。観光客でごったがえすサクレ・クール寺院の裏側の住宅街にはひっそりと美術館がたたずんでいる。通りすがりの観光客は何故こんなところに美術館が？と疑問に思うかもしれない。しかしモンマルトルにこそオルセー美術館があってもよいくらい、ここに世界的な画家たちがギュッと凝縮して暮らしていた時代があったのだ。

モンマルトルを有名にしたのはなにもピカソだけではない。ピカソがここに住み始めたのは、すでにこの地に突出した芸術家たちが集ってからなのだ。モンマルトルの麓にはピガール広場というなんの変哲もない場所がある。ピガールにはいかがわしい店が多く、周辺には食料品店やカフェがたたずむだけである。忘れ去られたようなこの一角で、印象派の巨匠と呼ばれる画家たちが日々議論を重ね、未来に向かってもがいていた時代があったことをどれだけの人が知っているだろう。第一回印象派展のアイデアは、その広場にあったカフェ、ヌーベル・アテヌで議論された。ゴッホが世話になり肖像画を描いたタンギー爺さんの画材屋もその目と鼻の先である。

Montmartre

スーラの点描画もモンマルトルで誕生したと言われている。モンマルトルには芸術家たちが集ったカフェが多く存在した。印象派の集ったゲルボワにヌーベル・アテヌ。パリ中のもの好きたちがやってきたシャ・ノワール。そして若きピカソが愛したラパン・アジル。時代がモンパルナスに移った後でも、シュルレアリストたちはブランシュ広場のカフェ、ル・シラノで議論を続けていた。世界中に名を知られる芸術運動がこぞってこの近くで始まり、相互に関連し合っていた時代が存在するというのはなんということだろう。

モンマルトルで時を過ごしたバルビゾン派の画家たちからマネ、ロートレック、ピカソ、ブラック、モディリアーニに至るまで、異なるスタイルを持つ彼らに共通するのは、伝統主義のアカデミスムがよしとする美術に異を唱え、自分の道を追求し続けたことである。モンマルトルにはそれを許してくれる懐の深さと自由、それに共感してくれる仲間たちがいた。モンマルトルがこれほど多くの画家たちに選ばれた理由は主に三つある。

まず、オスマン男爵のパリ大改造により、モンマルトルの麓にアトリエ付きのアパルトマンが多く誕生したことである。これらはブルジョワ向けではあったものの、裕福な家庭の画家やサロンで成功した画家はこうしたアトリエを手にすることが可能となった。二つ目はパリの境界部分に位置したモンマルトルの丘の向こうに田園風景が広がっていたことである。彼らはここに住むことで、便利な都市機能や人との出会いを享受しながら、徒歩で田園風景にアクセスすることが可能であった。アトリエではなく戸外で制作することを好んだ画家たちにとって、こうした環境は非常に魅力的だったのだ。三つ目はモンマルトルという場所の独特の雰囲気である。平地が多いパリの中、モンマルトルだけは急勾配で小道が複雑に入り組み、オスマンといえども丘のすべてを改革することは不可能だった。だだっ広い大通りとは違い、権力者の目が行き届かないモンマルトルでは、ひっそりと自分の道を追求する余地がある。そのため、モンマルトルはいまだに権力に屈しない精神が残っていると言われている。芸術家であれ政府に異議を唱える者であれ、多少の反骨精神を持つ者にとってモンマルトルは独特の磁力を持った場所なのだ。

十九世紀後半まで、基本的には画家が描く絵にはしかるべき枠組みが存在していた。彼らは官展、サロンで認められ、その評価によって絵が購入されたため、画家として生きるにはサロンに入選することが必須であった。そこで重要視されていたのはデッサンの正確さであり、描くべきものは宗教的、歴史的、神話的な絵であった。しかし、こうしたサロン向きのアカデミスムの絵画に異を唱える者たちが徐々に出現し始める。その筆頭格がエドゥアール・マネである。マネはブルジョワ出身であり、社会的成功やサロンでの入選を夢見ていたものの、彼がよしとする絵はサロンの審査員や常識的な人たちから嘲笑されていた。そんな中でも自分の道を貫こうとするマネの姿は、自分の道を歩もうとする若者に憧れられてゆく。

元々オペラ座近くの洒落たカフェに通っていたマネは、モンマルトルの麓にアトリエを構え、一八六六年頃から近所のカフェ、ゲルボワに通うようになる。ゲルボワの店内は鏡が多用されて豪華だったが、奥の部屋は天井が低く地下礼拝堂のような独特の雰囲気を持っていた。マネがアトラクターとなり、ゲルボワにはエミール・ゾラやエドガー・ドガ、オーギュスト・ルノワール、カミーユ・ピサロやクロード・モネも通うようになる。才気に富んだマネが好んで議論をしたのは教養があり裕福なブルジョワ出身だったドガやフレデリック・バジルなどであり、後輩たちがマネを慕うほどにはマネは彼らに共感を抱きはせず、マネは印象派と同一視されることを嫌がっていた。モネやルノワールは彼らほど議論に向いていなかったため口数はそう多くはなかったそうだが、モネは「ここでの議論の、絶え間ない意見のぶつかりあいほど面白いものはない」と書いている[1]。木曜※の夕方には定例会が開催され、芸術家たちは夢中で議論を交わした（※金曜という説も）。ここで議論された話題の中には、光と影についてや、開国したばかりの日本から流れてきた浮世絵についての話も多かったという。様々な手法を研究していた画家たちは、西洋の技法とはまったく異なる浮世絵の表現方法に魅了されていた。特に浮世絵の技法を研究し作品に活かした者の一人にドガが挙げられる。

一八七〇年代には、彼らのお気に入りのカフェはゲルボワから、ピガール広場のヌーベル・アテヌに移る。ドガは浮世絵的な視点を活かして、ヌーベル・アテヌを舞台にした絵を描いている。一八六七年から、モネとフレデリック・バジールを中心として自分たちの資金でグループ展を開催しようという話が始まり、一八七三年にはヌーベル・アテヌはその議論の舞台となってゆく。ドガは支援者を集めるのに奔走し、一八七四年にはオペラ座付近で第一回印象派展が開催されることになる。印象派展はその後一八八六年まで八回にわたって開催された。モンマルトルに住んだルノワールは、巨大な画布を丘の上の野外ダンス場に日々持ち運び、一八七六年にかの有名な絵「ムーラン・ド・ラ・ギャレットの舞踏会」が誕生する。

　一八八一年、モンマルトルの麓にロドルフ・サリスは伝説のカフェ、シャ・ノワールを開店する。ワイン商の息子であり、国立美術学校で学んで画家を目指していたサリスが創ったこの店は、二つの道をまさに融合させた場所だった。シャ・ノワールの狭い店内にはルイ十三世風の家具やオブジェが詰め込まれ、ギャルソンはアカデミー風の格好をし、独特の雰囲気を醸し出していた。ロドルフ・サリスはここで雑誌「ジュルナル・デュ・シャ・ノワール」を創刊し、一万二〇〇〇部を三年間、毎週発行し続けた。この雑誌には八〇人以上のイラストレーターが参加し、若き作家や画家の才能を世に出すことに貢献した。あまりの人気に店が手狭になり、一八八五年には裕福な画家でマネの友人でもあったアルフレッド・スティヴァンスの自宅兼アトリエだった場所を改装して店にした。アトリエを改装した二階では、北斎の富嶽三十六景に影響されて、後に「エッフェル塔三十六景」の版画を手がけたアンリ・リヴィエールが影絵芝居を上映し、パリ中の人々が押しかけた。

現存するラパン・アジル

　モンマルトルのもう一つの伝説的な店、ラパン・アジルは、一九〇三年に店が売りに出された時、ロートレックのポスターなどで今日でも知られる歌手で、店も経営していたアリスティッ

ド・ブリュアンが購入し、フレデリック・ジェラールが店主となった。彼は親しみを込めてフレッドと呼ばれ、芸術家を愛し、客たちを楽しませようと毎晩歌を歌っていた。ここでは若い無名詩人たちが詩を朗読することができ、その中にはピカソの親友、アポリネールとマックス・ジャコブも含まれていた。ラパン・アジルの黄金時代は一九〇六年から一九〇八年といわれ、その頃のモンマルトルにはフォービズムの先陣を切るヴァン・ドンゲンや、イタリアから来たモディリアーニも住んでいた。

　ピカソはじめ、貧しい画家たちが住んだアトリエ「洗濯船」には水道は一つしかなく、隙間風だらけだったとはいえ、若き彼らにとって大切なのは希望と仲間たちだった。ピカソは洗濯船で、若き彼の人生を支える女性、フェルナンド・オリビエに出会い、彼らの人生は少しずつ夢と希望を増していく。ラパン・アジルでのひとときや仲間との即興のパーティは、いつも彼らの現実の厳しさを忘れさせてくれた。ピカソの才能を見抜いた裕福なガートルード・スタインはピカソの友人となり、寒いアトリエに何度も足を運び、そこでピカソは彼女の肖像画を描いた。

　パリの境界に位置し、家賃も安く、独特の雰囲気を楽しみにブルジョワもこぞって訪れたモンマルトル。そこで絵を描く芸術家たちは店主に頼まれて内装を飾り、宣伝用のポスターを制作し、雑誌に絵を描くような機会にも恵まれた。彼らの絵はその時すぐには売れなかったが、当時の彼らを支援し続けた画商やパトロンたちもまた、未来と自分の審美眼だけを信じ続けた。明日への希望だけを胸に、なんとかして自分たちの道を追求していたモンマルトルの芸術家たち。彼らがそこで切磋琢磨し生み出した作品こそが、今世界中の美術館に生き生きと飾られているのである。

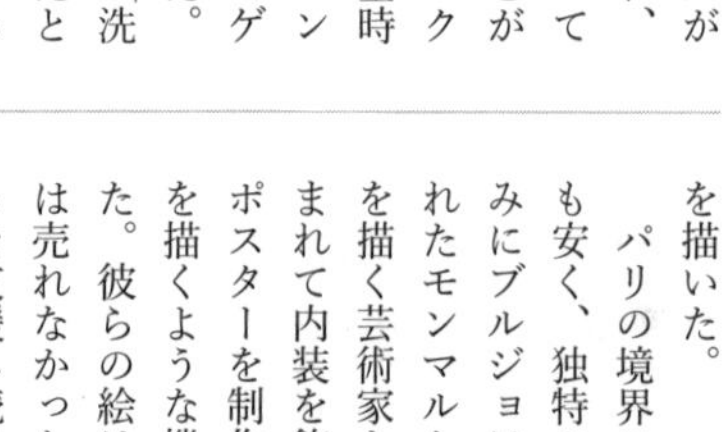
数多くの芸術家が住んだ洗濯船の跡

1 Gérard-Georges Lemaire, *Les Cafés littéraires*、一四九頁

2

カフェに通った「天才」たち

天才と才能

天才と呼ばれることになった者は、一般に考えられているように生まれながらに天才であり、我々とはかけ離れた存在なのだろうか。それとも天才とは、なりたいと思ってそう「なってゆく」ものなのだろうか。筆者は天才とは、「天から才能を与えられて大した努力もせずになれてしまうもの」ではなく、「本人がなりたいと思って徐々になっていくもの」であると考える。

もっとも、天才と呼ばれることになった人々にはこどもの頃から才能があったのではと言われれば、多少なりともその芽があったことは確かであろう。たとえば藤田嗣治は、「私は四つ時分から非凡の画才に秀でていた」と述べており、一九〇〇年パリ万博に日本代表の中学生の一人として絵が出展されたことがある。[1] またボーヴォワールにしても、彼女が通っていたデジール私塾という学校での成績はいつもトップクラスであった。

とはいえ、「神童」と呼ばれる者や才能がある者、秀才というのはいつの時代も、各地に存在しているものである。藤田とともにパリ万博に絵が出展された者たちのうち、その後名をなした人は一体何人いるだろう？　デジール私塾にも毎年トップクラスの生徒は存在していたはずである。一方で、かつての神童が、青春時代を過ぎてからもずっと華々しい才能を持ち、才能を活かして作品を世に発表し、後世の遠い国にまでその名を残す人物となることは非常に稀である。芸術家たちの人生について数多く研究された『芸術家伝説』の中でエルンスト・クリスとオットー・クルツは「さて、『才能ある』子供たちのうちいったい何人が思春期を過ぎてもその才能を持ちつづけるものなのかを考えると、そのあまりの少なさに驚かされるであろう〔中略〕。『才能ある』子供から将来の芸術家が生まれるということが仮りにあるとしても、結局は、無数にいるそうした子供のうちで、ごくわずかな者がそうなるのだとしかいいようがないのである」と述べている。[2]

また、『マリー・アントワネット』などの作品を書き、現在でも日本の図書館や本屋にその作品が置かれている十九世紀末から二十世紀にかけてのウィーンで活躍した作家、シュテファン・ツヴァイクも同様の悲しみをこめて以下のように語っている。

春の眼覚めの年齢において、詩的なもの、あるいは詩的なものへの促しは、勿論たいていはただ一時の波のようにではあるが、本来あらゆる若い人間に起るものである。そして、このような傾向が青年期を過ぎても残ることは稀れである。〔中略〕学校のベンチ上のわれわれの五人の俳優のうち、後にほんとうの舞台上で俳優となったものは、一人もいなかった。「牧神」や「芸術草紙」の詩人たちも、この驚くべき最初の高揚のあと、かたぎな弁護士や官吏に変ってしまい、おそらく今日では憂鬱そうに、あるいは皮肉に、彼らのかつての野心に苦笑しているであろう。私は彼らすべてのあいだにあって、創造的な情熱が留まった、そしてその情熱が全生涯の意味と核心となった唯一の人間であった。[3]

彼は、まわりの「才能ある」人たちからたくさんの刺激を受けて芸術の道を志したというのに、彼を刺激した人物はもはやその世界とはまるで違う世界で生きているというのである。

実際、天才と呼ばれている人たちがかつて自分より才能があると思って尊敬していた人たちの多くは、今日では名を知られぬ者たちである。ボーヴォワールが二十歳の頃に尊敬し、恋をして、結婚まで考えていた従兄弟のジァークも、アンドレ・サルモンやアポリネールが尊敬していたカール・ボエという詩人も、時が経って出会ってみるともうその面影を失っている。尊敬し、自分の人生を変えてくれた人であればあるほど、その時に彼らが受けるショックは大きいものである。

ボーヴォワールはジァークと会わなくなって二〇年ほど経ったある日、サン゠ジェルマン・デ・プレで彼にばったり出会うことになる。

私は二十年ほど会わなかったジァークにばったり出会った。四十五歳だというのにもう六十を越えて見えた。髪はまっ白で、眼は充血していた。暴飲の結果半分眼が見えなくなっていた。〔中略〕私に見せてくれた書類には道路工夫と記入されていた。彼は、浮浪人のような服を着、みすぼらしい一室に間借りをし、ほとんど食べずに飲めるだけ酒をあおっていた。その後間もなく、彼は職

を失い、まったく収入の道が途絶えた。〔中略〕
《ああ、どうして君と結婚しなかったんだろう!》
私たちが再会した日、ジァークは私の両手を握りしめながら感慨をこめてこう叫んだ。[4]

二〇年ほど経った時といえば彼女はもう四十歳を過ぎている。その頃のサン=ジェルマン・デ・プレでボーヴォワールといえばまさに世界的な中心人物として注目されていた頃である。若き日の彼女に文学の手ほどきをしたジァーク、彼になんとか自分の方を向いてもらおうとして必死で論文を書いたボーヴォワール。彼女に初めてカフェやバーという世界を示して見せたのもこの従兄弟のジァークである。彼女は回想録『娘時代』の中で彼に対する想いに長々とページを割いている。それほどまでに、サルトルに出会う前の彼女にとって重要だったのはこのジァークという人物だった。このような出会いにショックを受けたからこそ、彼女はのちにこう述べるのであろう。

人が呼ぶところの天才と同じように才能は授けられたものではないのです。それは勝ちとられたものなのです。つまり、もしあなたが困難に立ち向かうとき、そしてそれに打ち勝つ努力をするとき、あなたは自己をのり越えたことになり、もしあなたが安易な領域にとどまっているとすれば、あなたは安易な水準にとどまっているということです。〔中略〕力量を示すということ、それは常に自己の力量を少し越えることです。もっと先へ行くこと、つまり、敢行する、探求する、発見する、ということです。[5]

実際、ボーヴォワールとジァークのように、スタート地点において相手の方がはるかに上をいっていたとしても、一〇年、二〇年後まで続け、先に進み続けていくか、困難にぶつかったときに途中で諦めてしまうかで未来は大きく分かれてしまう。のちに天才と呼ばれることになった者たちは自分の才能を過信しない。だからこそ常に現在の力量を越え、前に進み続けていくのである。

意志の重要性

数多くの「才能ある人たち」の中で自分の道を歩み始めた若者たちが後に天才と呼ばれるようになっていけたのは、華々しい才能でも遺伝による力でもなく、彼らが数多くの葛藤に負けずに前へ進み続けたからである。才能があってもそれを自分で活かそうとしなければ、その才能が日の目を見ることは滅多にないだろう。ボーヴォワールは尊敬していたジァークに是非その才能を活かして小説を書いたらいいのにとさかんに勧めていたが、結局以下のようなやりとりになるのが常だった。

私はまたジァークに本を書くことをすすめた。もし彼さえその気になればきっと立派な本を書くだろうと私は確信していた。

《そんな事したってしょうがないじゃないか？》

と彼は答えるのだった。じゃデッサンは？　絵は？　彼には才能があった。彼は私の提案に対していつも

《そんな事したってしょうがないじゃないか？》

で答えるのだった。[6]

当時の彼女よりよっぽど才能もあり知識も豊富だったジァークは、二〇年後には借金をかかえた酒浸りの道路工夫になっている。それに対して彼に随分と遅れをとっていたボーヴォワールは、世界的に華々しい作家になっているのである。この間に一体どんな違いがあって、彼よりも才能も知識もなかったボーヴォワールが世界的な作家になるに至ったのだろうか。のちに彼女の実生活でも思想面でも伴侶となったサルトルは、『実存主義とは何か』の中で人間は彼の行為の連続によってつくられるのだと述べている。

実存主義者は卑劣漢をえがくとき、「この卑劣漢は彼の卑劣さにたいして責任がある」というの

である。彼は卑劣な心臓、肺臓、脳髄をもっているから卑劣なのではない。彼は生理的構造からそうなるのではなく、彼の行為によって自分を卑劣漢につくりあげたからそうなのである。〔中略〕人々が望むのは、人間が卑劣漢なり英雄なりに生まれつくということである。〔中略〕もし人間が卑劣漢に生まれついているなら何も心配はいらない。それはどうしようもないことで、何をしようとも一生涯卑劣なのである。もし英雄に生まれついているなら、これまた何も心配はいらぬ。一生涯英雄である。英雄のように飲み、英雄のように食うであろう。実存主義者がいうのは、卑劣漢は自分を卑劣漢にするのであり、英雄は自分を英雄にするのだということである。卑劣漢にとっては、卑劣漢でなくなる可能性が、英雄にとっては英雄であることをやめる可能性がかならずある。[7]

「卑劣漢にとっては、卑劣漢でなくなる可能性が、英雄にとっては英雄であることをやめる可能性がかならずある」中で、もがきながらもどう生きていくかを決断するのは、本人の意志と行為にかかっている。サルトルは「人間はかくあろうと意図したものになるのではない。かくあろうと投企したものになるのだ」と言っているが、何かをしたいと思っても、それを実際に行為に移すのか移さないのかが重要なポイントである。ジァークの場合は才能があってもそれを活かして作品にしようとはしなかった。また絵を描くというような行為を選んだ場合でも、ただ好きな時に絵を描ければそれで満足なのか、それとも世界的な画家になりたいという想いがあるのかで、絵に対する向き合い方がまるで異なってくる。

世界的な画家になりたいという野心を抱いてパリへ渡った藤田は、パリ留学時に出会った日本人画家たちの振る舞い方に大いに疑問を感じるようになる。憧れのパリに着いて彼が目にした日本人画家たちは、彼が嫌悪した日本画壇の価値観をそのまま背負って異国の地で生活していた。彼が出会った多くの日本人画家は、日本に帰ってからパリ帰りの「大家」として認められることばかりを考え、藤田からみればろくに絵も描かず、たいしたことのない女にうつつを抜かし、無為に過ごしているようだった。彼らにとって重要なのは「何を描くか」というよりは、「パリに行った」という事実であり、パリの芸術界で自分がどう評価されるかということまでを視野にいれている日本人画家はほとんど存在しなかった。

そんな彼らと藤田との大きな違いは才能というよりも、野心や使命感の違いだろう。実際、東京美術学校時代の藤田の絵はあまり評価されていないばかりか、卒業制作は酷評され、文展にも三回続けて落選している。それにも関わらず、藤田には芸術の中心地、パリで世界的な画家になりたいという強い想いがあった。そのため、彼は同じパリの日本人画家ではあれど、彼らと同じように生きたいとはまるで思わなかったのである。

「天才」たちへの強い憧れ

このように、彼らと、当時才能はあったがのちに無名となった人物とを分けたものは、才能や遺伝ではなく、「自分も『何者か』になりたい、もしかしたらなれるかもしれない」という想いと、思い込みに近い確信である。

「何者か」になりたい、たとえば画家になりたいと思うことは比較的簡単である。しかし、「自分もマネやモネのように世界的な画家になれるかもしれない」と、天才たちと自己を結びつけて考えられるかどうかは彼らのことを身近に感じられる機会があるかどうかによるだろう。天才というのは往々にして雲の上の存在であり、一般人の身近にいるものではない。シュテファン・ツヴァイクは何かを成し遂げた人物がいかに自分にとって遠い存在であったかということについてこう語っている。

俳優としてであれ、指揮者としてであれ、つねに公けに活動する人は、また書物を刊行するか、新聞に執筆するかした人は、われわれの天空に星として位したのであった。後年、バルザックの青年時代を叙述したもののなかに次の文章を見出したとき、私はほとんど驚愕したのであった。「有名人たちは私にとってほかの人々のようにものを言ったりせぬ、歩いたり食べたりせぬ、神々のようなものであった」というのは、全くそのようにわれわれも感じたからであった。[8]

このように、芸術家や音楽家の家庭に生まれたわけでなければ、彼らの存在というのは往々にして非常に遠いものである。ところがたとえそういった家庭に育たなくても、偉大な人物が書き残したものを読んで彼らに憧れることは可能である。筆者は天才になってゆくためには、第一に、天才たちに憧れること、第二に、天才たちを精神的に自分の身近な存在として感じること、第三に天才たちを現実世界の身近な存在として感じることが重要なステップであると考える。

まず第一点目の憧れに関して、ボーヴォワールの場合は文学に小さい頃から親しんできたおかげで、自分のまわりには存在しないが、まだ見ぬ別の世界があるということを知っていた。また、ジャン・ジャック・ルソーにしても、幼少期に非常に多くの本を読み、自分はギリシャやローマ時代の英雄たちの世界の中で生きてきたと回想している。このように偉大な人物に漠然と憧れていた彼らが、ある時ふとしたことをきっかけに、偉人たちとそれを読んでいる小さな自分との共通点を見出したとき、実は自分にも彼らのようになれる可能性が潜んでいるのではないかと気付くことができるのである。

それでは、第二点目の、天才を精神的に身近な存在として感じることについてはどうだろう。高校時代のボーヴォワールは、大人たちの発言や神の存在について疑問を抱き、次第に周囲と自分の考えが合わないことに気付いていった。そうして周囲から孤立していった彼女を救ったのが文学の世界であった。ボーヴォワールは文学を通して、自分と同様な孤独を感じている文学作品の主人公に自己を投影し、自分のことを慰める。彼女は『フロスの河の水車場』という作品を読み、彼女の孤独は選ばれた者の印だと思うことにしたのである。

マジーが、誰からも理解されず、皆に中傷され捨てられ、古い水車小屋に引きこもってしまった時、私は彼女に対する愛情で身をこがした。私は、マジーの死を悼んで何時間も泣きつづけた。他の人たちはマジーを有罪と宣告した。なぜなら彼女はそれらの人たちよりも優れていたからである。私は彼女に似ている。その時以来、私は孤立して生きた。それは恥辱の印ではなく、選抜された印であった。[9]

こうして彼女は、自分を他の人よりも優れているから理解されないのだと思うことにした。ボーヴォワールは二十歳の時の日記に「私が彼ら全部より高い所にゆくことは確かだ。高慢だろうか？もし私が天才でなければ、そうだ、だがもし私が天才だったら――時々私はそう信じていた、時々それが確かだと思われたから――それは明晰さというものだ」と書いている。[10]

彼女のように、ほんの小さなきっかけを機に自分と雲の上の天才を結びつけることのできた者は、もしかしたら自分もそこに到達できるかもしれないという淡い期待をもつことができる。また、その可能性を本気で信じた者たちは、自分と彼らの間の距離が現段階では大きいことを知れば知るほど、どうすれば近づきうるのかを研究し、実践に移すことも可能である。

藤田の場合は二十七歳という遅い年齢でパリに着いてから、世界的な画家になるためには先人たちの足跡をたどることが重要だと考え、彼らのことを詳しく研究していった。彼は日本に残してきた最愛の妻、とみに向けて自分の感情を率直に手紙で表している。

必ず〳〵歴史上に名を残し永久名画と歌はるゝ名をなし得ると確信して喜んでる、安心して〳〵くれ。何に一ツ心配はない。実際こゝに居て安心して自分の今後画く可きものゝすべての土台根本を今盛んに集め又築きつゝある。必ず〳〵最後にはとても一朝一夕人が真似し様としても出来ぬ術をしとげて見せる。その為めにギリシアダンスも模写もすべてやつてるのだ。表面的に許り研究したり足掛けで日本から来てる連中とハすべての点に於て考えが異つてる、〔中略〕全く真剣でやつてる、世界的の大家になろうとしてやつてる、世間の方から評判して来る、自分は只真面目にやつてる。安心して〳〵くれ。

自分程世界的にそうして大望を起して大成し様と考える人ハ恐らくあるまいと思ふ。[11]

この手紙から、彼の世界的な画家になりたいという想いがどれほど強いかがよくわかる。しかも、彼はそのためにどうしたらいいかを真剣に考え、考えるだけでなく実践しているのである。まさに、サルトルの言葉のように、「かくあろうと意図」するだけでなく、「かくあろうと投企」しているわけである。このように、ある機会に「もしかしたら自分もそうなれるかもしれない」と思い、先人たちの足跡をたどった者は、ある程度の方法論を知ることが可能である。方法がわかったらあとは実践し、自分をどこまで磨き続けていけるかが勝負の分かれ目なのである。

実際、のちに歴史に名を残した者の多くはかつての英雄たちがどのように生きてきたかをよく知っている。それを知っているか知らないかでは、批判や困難にぶつかったときの姿勢がまるで異なってくるのである。先人たちの足跡を知らなければ、「このような辛いことがあるからもう駄目だ」と思って挫折するような辛い出来事も、知っているだけで、「このような困難は先人たちもしたはずだから自分も乗り越えなければ」と思うことが可能である。後者のような気持ちでいれば、まったく同じ困難でさえ、自分の姿をかつての英雄と重ね合わせて、多少なりとも高揚した気分で乗り越えることができてしまう。

たとえばニューヨークからパリに着いたばかりの画家マン・レイは、第一回目の個展の際に何一つとして売れなかったが、「わたしは狂乱にとらわれんばかりだったけれど、有名な画家たちだって認められるまで何年も闘ったのだと考えて気を鎮めることにした」と後に語っている。[12] このように、たくさんの人が見に来ても何一つ売れず、期待していたような成果が何もなく、「狂乱にとらわれんばかり」になっても、天才のたどった道のりを知っていれば、それを前向きにとらえることすら可能になるのである。

　このような点からも、天才たちのたどった道のりを知っているかどうかというのは、「何者か」になりたい者の未来を左右する力を持っているとさえ言えるだろう。サルトルの居た頃のフランスから世界的な芸術運動や哲学が生み出されていったのも、彼らの多くが教養があり、先人たちの歩んだ道のりをよく知っていたからかもしれない。サルトルは『文学とは何か』の中で「天才」へと至る道のりのようなことを明かしている。

> われわれは、ものごころついたときから、偉大な存在《ひと》たちの記念すべき啓発的な特徴を識っていたし、たとい父親がわれわれの天職に不賛成ではないにしても、いかにして強情な両親に対応するか、天才作家が、どれほどの時を認められないまま当然のこととしてすごしていなければならないか、栄光が彼の頭上を冠するのは何歳位の時が普通であるか、どれほどの女とどれほどの不幸な恋愛とを持たねばならないか、政治に介入することが望ましいかどうか、しかもそれはいつどんな時にか、そうしたことを、われわれは高等中学《リセ》の第四年級［中学三年］の時から、すでに知っていたのである。すべての事が書物に書かれており、そこから正確な計算を引出せば十分なのだ。[13]

　では「偉大な存在」になるための「正確な計算」とは一体どのようなものなのだろう？　筆者は、

サルトルの「計算」や藤田の「研究」の中には、カフェという場に通うことも含まれていたと考える。なぜなら、カフェでは第三点目の、天才たちを現実的に身近な存在として感じることができるからである。

実際、天才の出現というのは家系的な遺伝というよりも、どれだけ偉人たちを身近に感じ、才能を伸ばす教育を受けたかどうかが重要なのではないだろうか。同じ家系や地域から天才的人物が続出することが歴史的にあるのは、多少の才能のある者をとことん伸ばしていこうとする理解ある環境や、「自分も○○になりたい」と思った者が、その世界で生きている身近な者の振る舞いを幼少期から観察することで、どうすればそうなれるのか、自分でもそうなることが可能かどうかを検討しやすいからではないだろうか。多くの政治家の家系が政治家を輩出し、医者の家系が医者を輩出しやすいのは遺伝というよりそれを本人に促し、容易にさせる環境が設定されているからだろう。

それに対して、自分のまわりの世界に一般的ではないことを本気で成し遂げたいと思った者には強い困難が待ち受けている。「何者か」になりたいと思った者には、本人の強い意志だけでなく、様々な支援や理解、援助が必要である。幸いにも、作家や画家、哲学者を目指す者は、医者や音楽家を目指す者ほど圧倒的な資金力が必要というわけではない。彼らにとって必要なのは資金というより理解ある仲間や寛容な環境との出会いであり、実際、その道でなんとか生きている先輩たちはパリのカフェに存在していた。パリのカフェに集い、のちに名を成した者の多くは、その道で名が知られていた家の出身というわけではない。しかし彼らはパリに集い、パリのカフェに通うことで、実際に新しい時代を創り出している先輩たちの生の姿を日々観察し、彼らの存在を真に身近なものとしていくことができたのである。

本書ではカフェに集ったある特殊な人たちと、何軒かの特別なカフェが相互作用をした場合どのようなことが起こりえたのかを細かに見ていきたい。そして、人と場という両輪がどのように作用しあったとき、新しい時代を創り出すような大きなうねりが生まれていくのかを解明し、少しでもこれからの時代に活かすことができれば幸いである。

1 藤田嗣治『腕一本・巴里の横顔』、十一頁
2 エルンスト・クリス／オットー・クルツ『芸術家伝説』、五六〜五七頁
3 シュテファン・ツヴァイク『ツヴァイク全集（一九）昨日の世界Ⅰ』、九三頁
4 シモーヌ・ド・ボーヴォワール『娘時代—ある女の回想』、三二八〜三二九頁
5 シモーヌ・ド・ボーヴォワール『女性と知的創造』、四三頁
6 シモーヌ・ド・ボーヴォワール『娘時代—ある女の回想』、二〇〇〜二〇一頁
7 ジャン＝ポール・サルトル『実存主義とは何か』、六二〜六四頁
8 シュテファン・ツヴァイク『ツヴァイク全集（一九）昨日の世界Ⅰ』、七一頁
9 シモーヌ・ド・ボーヴォワール『娘時代—ある女の回想』、一二七頁
10 シモーヌ・ド・ボーヴォワール『娘時代—ある女の回想』、二四六頁
11 藤田嗣治『藤田嗣治書簡—妻とみ宛（二）』、資料番号四七
12 マン・レイ『マン・レイ自伝 セルフポートレイト』、一二一頁
13 ジャン＝ポール・サルトル『文学とは何か』、一六六頁

3

カフェに出会う以前の「天才」予備軍の共通点

三章では、のちに天才と呼ばれることになる者たちが、カフェという場に出会う以前はどのようだったかを見ていきたい。カフェに出会い、人生が開けていく以前の彼らは決して天才と呼ばれるほどの人物ではなく、まだ無名の若者だった。とはいえ、才能のある人が皆、天才になれるわけではないように、カフェに通った人が皆、天才になれるというわけではない。カフェに通い、のちに天才と呼ばれることになった人々には、カフェに通う以前から共通している三つの特徴が存在する。

第一に、彼らが「何者か」になりたいという想いを長期間持ち続けていることである。第二に、彼らは自分の周囲の人たちとは異なる価値観を持っており、それを大事にするが故に周囲から理解されずに孤独を感じることである。第三に、彼らは、だからといって自分を周囲に合わせて曲げようとはせず、そのかわりに自分を認めてくれそうな人や居場所を「ここではないどこか」に求めるということである。三章では、これら三つの特徴について検討していきたい。

「何者か」になりたい

カフェに通い、のちに天才と呼ばれることになった者たちの一つ目の共通点としては、「何者か」になりたいという強い想いが挙げられる。ボーヴォワールのように作家を目指した者が、のちに哲学者として名を知られたり、マン・レイのように画家を目指していた者が結果的に写真家として名を知られるようになったりという、当初目指していた分野と違うことはあっても、彼らは常に何者かとして生きることを指向している。

先述したように、藤田は幼少の頃から絵がうまく、中学の時にはすでに画家を志していた。彼は画家になる決意をし、軍医をしている父にどうにかして許しを請おうと手紙を書いた。すると意外にも父は彼の願いをすんなりと聞き入れて画材を買うお金を与え、藤田は喜んでその足で絵の具を買いに出かけていった。彼が決意をしたのは十三歳のころであり、渡仏して実際に成功したのは三十歳を過ぎてからである。それまでの間、彼は有名な画家になりたいという想いを捨てず、自分なりの道を歩んでいた。

ボーヴォワールも十五歳の時には有名な作家になりたいという志を持っていた。彼女は先述の『フロス河の水車場』を読んでこう決意した。

小説の女主人公を通して、私は作者と自分を見比べた。いつか、ひとりの少女が、私でないもうひとりの私が、自分自身の物語を語った小説にさめざめと涙を流すだろう。
私はもうずっと前から、自分の一生を知的な仕事に捧げるつもりでいた。〔中略〕
学者、芸術家、作家、思想家たちは、輝き喜びに溢れた異った世界を創造する。その世界にはすべてが存在理由を有しているのだ。私はそういう世界で人生を過ごしたかった。そこに自分の座を刻もうとかたく決心をした。[1]

この時から彼女は「有名な作家になりたい」と思い、すべてを明かした小説を書こうと決意する。彼女の場合は、我が家にはお前たちに持たせるほどの持参金がないから、女の身でも働かなければいけないのだとかねてから父に言い聞かされていた。彼女は初めから作家になりたいと父に言い出したわけではないが、結果として教職につくことで知的な仕事にたずさわっていく。彼女の場合も十五歳の時に決意をし、実際に処女小説『招かれた女』が刊行されたのは三十歳を過ぎてからのことである。まさにボーヴォワールも藤田も、「十五にして学を志し、三十にして立つ」である。彼女はのちにかつての自分を振り返ってこう書いている。

少女時代から青年期のはじめにかけて、私の使命感は真摯ではあるが空疎だった。私はただ《私は作家になりたい》と宣言するだけだった。しかし今では自分が何を書きたいのか、そして自分にはどの程度それができるかを見出さねばならなかった。書かねばならなかった。かつて私は二十二歳までに、すべてを語りつくした大作を書き終えようと自分に誓ったことがある。ところが最初に刊行された小説『招かれた女』に着手した時、私はすでに三十歳になっていた。家族の者や幼な友達のあいだでは、私は落伍者だという陰口が囁かれていた。[2]

「落伍者だという陰口が囁かれていた」という表現からもわかるように、彼女の計画は初めからうまくいっていたわけではない。書こうと思っても書けないことを繰り返していく中でも、彼女は作家になりたいという想いを決して捨てずに生きた。このように、まず彼らに共通しているものは、何者かになりたいという強い意志を持ち続け、すぐに評価されるような作品を生み出すことができなくても、自分自身の作品を作ろうとしてなんとか試行錯誤を続けていったことである。

周囲と異なる価値観をもつ

彼らの二つ目の共通点は、彼らがただ何者かになりたいと思っていただけではなく、周囲の人たちと異なる価値観を持っていたことである。それ故に彼らは自分の道を進んでいこうとするにしたがって、徐々に周囲と衝突し、孤独を感じ始めることになる。

たとえば藤田の場合は、幼い頃からつむじまがりで負けず嫌いであり、周囲の人と同じように生きることを好まなかった。少年時代から彼は、日本にいながらにしてフランスという異国に憧れ、違う世界を指向していた。彼は四歳の頃、ある軍人に「一体お前は男の子か女の子か」と問われた時に、ズボンを外して本当の男だという証拠を彼に見せつけたばかりか、「僕のは和製じゃないぜ、舶来だよ」と言って威張ったことがあるという。このエピソードからも、彼が生まれ育った日本で普通の日本人と同じように扱われることに抵抗感を覚えていたことがうかがえる。「当時舶来という熟語は品物の最高級品を意味していたのであって、その縁故で私の半生二十五年を外国に暮し危く正真正銘の舶来になりかかったようなものであった」と彼はのちに述べている。[3] また、彼は中学時代も同級生には内緒で一人、フランス語の語学学校に通っていた。この教室は中学生が通うようなものではなく、まわりにいたのは大人たちばかりであったが、彼は自分の憧れのフランスにいつか行く日を夢見て一人で勉強していたのである。

ボーヴォワールも幼少の頃からロバのように強情で、自分自身の考えというのを持っていた。彼女は周囲の大人たちが彼女に言うことの「正しさ」がよく理解できないでいた。

私を反撥させたのは、考えもなく発せられる《しなくてはいけません……してはいけません》が、一瞬に、私のやっている事や、私の喜びを台無しにしてしまうことだった。私がぶつかった勝手な命令や拘束は一貫していなかった。昨日、私は桃をむいた。ではなぜこの杏はいけないのか？ どうしてこの瞬間に遊びを止めなくてはいけないのか？ 私は方々で拘束に出会ったが、必要だと納得する理由には何処でも出会わなかった。[4]

彼女が自分の頭で考え、納得しようと思っても、大人たちの言うことにはつじつまのあわないことやこどもを馬鹿にしたような振る舞いがあまりにたくさんあった。

おとなたちは私の意志を摘み取ってしまうだけでなく、私は彼らの自意識の犠牲であるような気がした。彼らの自意識は、しばしば愛想のいい鏡の役をつとめ、それらはまた、私に呪いをかける権力ももっていた。それらは、私を動物や物品に変えた。
《この子はなんていいふくらはぎをしてるんでしょうね！》
と、私に触るためかがみ込んだひとりの婦人が言った。もし私が、《この婦人はなんてばかだろう！　私のことを子犬だと思っている》と自分に言うことができたら私は助かったのだが。だが、三歳では、私はこのお世辞のいい言葉や、喰いしん坊な微笑に対してどうすることもできなかった。金切り声を立てながら歩道の上にころがるほかは……。[5]

彼女はこども扱いされ、大人の都合で振り回される中でも、自分は意志をもった立派な一人の人間だという感覚を失わなかった。彼女は彼女を愛してくれる大人たちを尊敬してはいたものの、深い疑問を感じることも多々あり、諦めるかわりにその疑問を忘れずに持ち続けることにした。

またルイ・アラゴンも、彼女と非常によく似た記憶を持っている。彼は大人たちが彼に「書く」という行為を覚えさせようとしたときに、言葉ですでに言えるものを何故わざわざ書かなければいけないのかという疑問を持った。僕は「ライオン」が何を意味しているかをもう知っている。大人たちは僕が「ライオン」と口にできることも知っている。それなのにどうしてわざわざ知っていることを書かなければいけないんだろう？　書くっていうのは一体何のためにあるんだろう？

徐々にぼくは次のようなことに気がつきはじめた。書くということは、大人たちがしょっちゅう言っているようなことのために発明されたのでは全然ないんだ。そんなことのためには話すだけで充分なんだ。書くのは他人たちのために考えを定着するというより、むしろ自分のためにあれこれの事柄を定着するためなんだ。あれこれの秘密を。[6]

このようにして自分の頭で考えた結果、彼は書くことの意味を見出した。そうして彼はそれを実行に移してみようとするのだが、大人たちにはまるで理解してもらえない。

このことに気づいた日、ぼくはひどく心を打たれたので、試しに人目につかない紙や壁の上に、手あたり次第に、ひどい熱にうかされたように書きなぐり始めた。おかげで耳を引っぱられ横っ面を張られたが、さっぱり効き目がなかった。そしてみんなから、「でも一体なんのつもりなの？

こんなに何もかもいたずら書きで汚してしまって。テーブル・クロスも。戸棚は塗り替えなくちゃならないわ。押入れの中まで。本当にひどいわ！」と詰問されたが、それでもぼくは一向お構いなしに、ますます派手にやり続けた。ぼくは秘密遊びをしていたのに、それには誰も気がつかなかった。[7]

自分の頭の中では「そうだ！　これだ！」と思い、つじつまがあっているのに、大人たちはまるでそれをわかってくれない。一方で、大人たちは正しそうに振る舞いながらも、アラゴンやボーヴォワールの眼からすればつじつまのあわないことが多々あった。彼らはそういった経験を繰り返すたびに、大人を尊敬したいと思いながらも一方で大人のことを疑い始める。

こうして疑問を抱いたときに、強情で負けず嫌いだった彼らは大人の価値観を基本的には受け入れながらも決して自分の疑問を捨て去るということはしなかった。とはいえ、こどもは誰しもこの世界は大人の価値観でまわっていることを知っているし、純粋にそれを尊敬しようとするものである。だからこそ、自分の考えが周囲の大人たちと異なってくればくるほどに、彼らは深く葛藤し、悩むことになるのである。

追放の恐怖と秘密主義

周囲の人々と異なった価値観を持つ者たちは、摩擦を何度も繰り返したのち、次第に自分の意志を安易に表明しなくなってゆく。それは自分が、反発心からでも奇をてらったわけでもなく純粋に考えたことを表明したとき、突然非難され、追放の憂き目に合うという原体験をしたことがあるからだろう。

ボーヴォワールは母の教育のもと、幼少期から熱心なクリスチャンであった。だがあまりに熱心だった彼女は神について考えすぎたため、次第に神は本当に存在するのかどうかと疑問を抱くようになる。彼女は自分の中で数々の葛藤を繰り返し、高校時代にやはり神は存在しないと確信する。とはいえ彼女はそれを周囲の人間、家族どころか親友にさえ決して打ち明けようとはしなかった。

それを告白することがどうしてできよう？　人から指をさされ、学校から追放され、ザザの友情をなくしただろう。それに、ママンにとって何というスキャンダルだろう！〔中略〕私は何も悪いことをしていなかった。しかし、私は自分に罪があると感じていた。もしおとなたちが、私を偽善者で、不信心で、腹黒いひねくれた子供だと非難したとしたら、私はその宣告をひどく不当だと思うと同時に、たしかに根拠のある宣告だと思うだろう。[8]

自分はそう確信しているのに自分のまわりにはその気持ちをわかってくれそうな人は一人もいない。自分にとって非常に重要な問題とその解決策を誰かに打ち明けようとしたとたんに自分は意図せぬ追放の身となるだろう。でも何故そんな目に遭わなければならないのだろう？　自分は悪いことをしていない。ただ自分の信じた道を進んできただけなのだ。真実は往々にして不都合である。後の社会では広く受け入れられることになるものの、このような追放経験をした天才たちは数多い。

今でこそ世界的に名を知られている画家のマネも、作品を発表していた頃はあまりにも激しい非難に制作意欲を何度もそがれたほどだった。マネもまたカフェという場所に通い、のちの印象派となる人物たちとともに議論をくりひろげていた人物である。マネは社会的地位を手にしたいという欲求も強く、決して反社会的な絵を描こうなどとは思っていなかった。

画家はおのれの印象をひたすら再現することしか考えていなかったのに、その作品がほとんど抗議として受けとめられてしまう場合がなくはない。マネは決して抗議しようという意図は持っていなかった。逆に、何の身構えもしていなかった彼に、抗議が殺到したのである。[9]

彼はどうにかして自分の絵を理解してくれる人たちに絵を見てもらおうとして、一八六七年に自費で特別展を開催するにいたる。ところが彼が公衆を信じて開催した特別展の評価は悲惨なものだった。『マネの想い出』の著者である、友人の、アントナン・プルーストは当時の様子をこう語る。

しかし、公衆は無情だった。これらの傑作を前にして、公衆は笑った。（中略）みんなは、自分自身とマネの作品にとって、またとないこの機会を、ひたすら心の底から笑うことを願ってやって来たのだった。（中略）気違いじみた俗物たちの狂暴なコーラスがマネを辱しめた。（中略）こうも腹立たしい不正義の茶番は、前代未聞のことであった。[10]

現在でこそ、マネは生前に自分が望んだ地位も名誉も手にしていることを我々は知っているが、当時のマネはこのようにひたすら嘲笑されて生きていたのである。若き日のボーヴォワールも彼等と同様、自分の使命に目覚め、自分が追求すべき道にむかってまっすぐに進んでいこうとしたとき、予期せず追放の恐怖を味わうことになる。

私は反抗している人間というところはひとつもなかった。私は立派な人間になりたかった。何かを成し遂げ、誕生以来の無限の上昇をつづけて行きたかったのである。だから、私の眼を蔽っている眼隠しをはぎとり、慣例を取り除かなければならなかった。だが、私は中産階級《ブルジョワ》を去らずに中産階級《ブルジョワ》的凡庸さをのり越えられると信じていた。私は中産階級《ブルジョワ》の普遍的な価値を誠実だと想像していた。伝統、習慣、偏見、それからすべての排他心を、理性や、美や、善や、進歩のために清算することが自分に許されていると思っていた。もし私が全世界の栄光となるような立派な人生と作品とを築きあげたなら、人びとは私が迎合主義を踏みにじったことも祝福してくれるだろう。マドモアゼル・ザンタのように、人びとは私を受け入れ、私を尊敬するだろう、と。[11]

ところが周りの人々は決して、彼女が思い描いたように尊敬してくれなどしなかった。彼女を待ち受けていたのは他の天才たちが受けた運命同様、喝采でも賛同でもなく非難や批判、そして追放なのだった。

私は自分が思いちがいをしていたことを、突如悟って愕然とした。人びとは私を尊敬するどころか、私を受け入れてくれなかった。私に栄光の冠を編んでくれるかわりに私を追放した。私は急に不安に襲われた。そして、人びとが現在の私の態度よりも私の決めた未来を非難していることに気がついた。この追放は無限につづくだろう。〔中略〕私はいつもちやほやされ、取り巻かれ、賞められて来た。私は人から愛されるのが好きだった。だから、この運命のきびしさが私をおびえさせた。[12]

その恐ろしさで彼女は頭の中にあることを人に話せなくなってゆく。彼女の母はそんな彼女を苦々しく思い、「シモーヌは、頭の中にあることを言うよりは素裸になったほうがましらしいんですよ」と怒った調子で言っていた。[13] しかし、ちょうどその頃彼女は『フロス河の水車場』を読み、孤立は選抜された印と思ってなんとか生きていくことができた。

藤田も幼少の頃から絵の才能をほめられてはいたものの、画家になる決意をした時、父に直接自分の口から伝えることができなかった。彼は、意を決して手紙をしたため、同じ敷地に住む父にわざわざ郵便を使って手紙を出した。自分の父に直接ではなくあえて郵便で手紙を出すということからも、彼がその決意を表明したら一体なんと言われるのだろう、とても父の顔を見てそんなことは言い出せまいという怖さがあったといえるだろう。彼の父は朝鮮総督府の軍医であり、藤田もこのままいけば将来は医者にさせられる可能性を感じていたはずだ。ところが彼は医者とは何の関係もなく、将来の保証もまるでないような画家になりたいと思ってしまったのである。中学生の彼が、尊敬する父にとことん反対されれば彼にはなすすべもない。恐らく彼は長いこと葛藤し自分の人生を考えた上で、まず自分自身の確固たる想いを便せんにぶつけてみようと思い立ったのだろう。それほどの想いが強く出ているからこそ、父の方も強情な藤田に対して応援せざるを得ないと思う結果になったと考えられる。彼はボーヴォワールとは違って基本的には社交的に振る舞うものの、本当に大切なことに関しては秘密主義で生きてゆく。本気で勉強していたフランス語に関しても同級生には一言も言わずにいたし、パリ留学時代も日本人画家の集まりに顔を出しはするものの、妻に向けての手紙の上では内緒だよと念押ししながら、彼らに対する強い批判を繰り返す。

このように彼が自分にとって大切なことをほとんど人に漏らさずに生きていくのも、周囲と異なる価値観を持つことによる追放の恐怖という原体験があったからといえるだろう。人に話すことによって自分にとって大切な道が非難され、ねじ曲げられたり閉ざされたりしてしまう可能性をなくすためにも、彼らはぐっとこらえて自分の中でその世界を熟成させて生きていこうとしたのである。

孤独と狂気

こうして周囲とは異なる価値観を持ち、それを理解されないが故に孤独を感じて生きる者たちは、藤田が日本にいながら自分を最高級の「舶来品」だと思っていたように、それを優れた印なのだと思ってみることにする。何故彼らが自分のまわりを小馬鹿にし、自分を優れていると思うかといえば、それは決して反抗心からではなくて、彼ら自身にとっては自明ではっきりとした考えを周囲の人が理解できないからである。マネは何度も公衆に彼の絵をわかってもらおうと努力し続けた後に「今に彼らは甘んじて服従するだろう！　むろんぼくの目の黒いうちにそうなることはないにしても、いつか人びとはぼくに従って、ぼくが正しく見、正しく感じていたのを認めるにちがいない」と語っている。[14]

そうして彼の死後、ようやく彼が言っていたように彼の作品は認められ、現在では歴史的作品として名を残すことになっている。その点ではマネの考えていたことは後世の人からみてみれば正しかったといえるだろう。このように、マネやアラゴン、ボーヴォワールにとって、自分にはまったくそうだと思えることがどうして他の人には理解できないのかわからなかった。

ところで天才とは狂気、精神病理とはよく言われることだが、本当に彼らは精神が病んでいたといえるのだろうか？　シュルレアリスムを始めたアンドレ・ブルトンは自分が属する社会に対して、「私たちの生きている世界は、私たちには完全に気が狂っているという印象を与える」と述べている。[15]実際のところ、のちに天才と言われることになる者は、狂気や精神病理が先立っていたのではなく、彼らの考えていることを周囲が理解できず、まわりから狂気の烙印を押されてしまったのではなかろうか。のちに天才と言われた者の多くは生前に狂気の烙印を押されるものの、彼らの方では社会の方が狂っているという印象を持つことが多々あるようである。そして結果として彼らが受け入れられ天才とまで言われるようになるのだとすれば、彼らが狂っていたというよりも、まわりの世界が彼らの考えについていけなかったということになる。閉ざされた世界の中では、異なる価値観や世界観は往々にして理解されないものである。しかも、閉ざされた社会の中で力を持つのはいつもマジョリティの方である。マジョリティの側は自分の信じる価値を信じて疑わないが故に、それに適応できないものを正常ではない逸脱者とみなしがちである。エーリッヒ・フロムは『自由からの逃走』の中で、正常な人間と神経症的な人間についてこう述べている。

よく適応しているという意味で正常な人間は、人間的価値についてはしばしば、神経症的な人間よりも、いっそう不健康であるばあいもありうるであろう。かれはよく適応しているとしても、それは期待されているような人間になんとかなろうとして、その代償にかれの自己をすてているのである。(中略)これにたいして、神経症的な人間とは、自己のためのたたかいにけっして完全に屈服しようとしない人間であるということもできよう。[16]

サルトルとボーヴォワールはのちに自らのことを精神病的だと述べているが、それは彼らが適応を要求されている社会に適応しまいともがき続けていたからである。彼女は「サルトルはおとなの仲間入りをするよりはましだと、神経病にかかってみたのだし、私は私で、しばしば、年をとることは堕落することだと思っては涙を流すのだった」と述べている。[17]そうして自己を捨てることを選ばずに自己を追求し、何度も周囲から追放される恐怖を味わううちに、結果として狂気に至ることもありうるのではないだろうか。

彼らのように、周囲と異なる価値観を持ち続けた者は、自分の考えを信じるが故に迎合することもできず、結局は孤独に生きることになってしまう。とはいえ、過去の天才たちが歩んだ辛い道のりを知っている者は、ただ孤独を悲しむだけでなく自分の孤独を選ばれた証として思い直すことが可能である。ボーヴォワールは十九歳の時、周囲とうまがあわないことに対して悩み続けるかわりに孤独を選ぶことにした。

友達の友情、私の不確かな恋にもかかわらず、私はいつも自分をひとりぼっちに感じていた。誰もありのままの私を知っている人も愛している人もいなかった。誰も私にとって《決定的でまったき何か》であったことはなかったし、また将来そうなるひとはないだろう。そのことについて苦しみつづけるかわりに、私は再び傲慢を選んだ。私の孤立は私の優越性を示していた。私はもうそのことを疑っていなかった、私は優れた人間であり、何かをやってのけるのだ。[18]

しかし、たとえ崇高な決意をしてみたところで、誰にも自分の想いをわかってもらえないというのは非常に辛いものである。前述のマネも、自分を信じて表現をし続けていたものの、彼が感じる孤独ははかりしれないものだった。アントナン・プルーストは、マネが一八六五年に「オランピア」を出品して罵倒された後、どう変わっていったかを述べている。

たとえ彼の信念が、自分に対して向けられる攻撃によって変えられなかったとしても、才能ではなく幸運によって成功する周囲の状況が、彼を深く傷つけたことは否めない。苦痛によっては死なないが、苦痛を排除するために払われる努力は、生を消耗し、生を支える意志の力を粉砕する。〔中略〕一八六五年以降、マネの生活習慣は多くの点で変った。〔中略〕彼は自分の住居に長時間何もしないで引きこもっていた。〔中略〕自分を理解しない人びとのおそるべき処遇に直面して、彼の制作のよろこびはいちじるしく減退していった。[19]

このように、自分一人で自分を信じようとしてみたところで、人間は一人ではあまりに弱い。天才的才能を持った者は、新しいことをしようとするが故に周囲からの反発にあうことが多いため、人生の闘いを生き抜くための困難さは他の誰より大きいものである。ここで誰にも手をさしのべられない限り、彼らは生きる気力自体をそがれてしまう。孤独こそ選ばれた証だと思うことにしたボーヴォワールも、当時感じた孤独の辛さをこう述べている。

他人から離された私はもう世の中と結びつきがなかった。それは私と無関係な情景と変じた。私は、栄誉と、幸福と、奉仕することを順々に放棄した。現在では私は生きることにすら興味をもっていなかった。時々、私はまったく現実感を失った。道、自動車、通行人などは見かけの行列でしかなくその間に名もない私の存在が浮泳していた。私は自分を気狂いだと誇りと恐怖をもって思う時もあった。きびしい孤独と狂気との間隔はあまり大きくない。私には自分を見失う理由がたくさんあった。〔中略〕

地上は私にとってもう何の意味もなかった。私は《生命の外》にあった。私はもう著述しようとする望みももっていなかった。あらゆるものの空しさが再び私の喉をしめつけた。[20]

このように、孤独をよしと決意しつつも、彼女が述べているように「きびしい孤独と狂気の間隔はあまり大きくない」ために、なんとかして自分のことをわかってくれるような人や場所を探そうと彼らはもがくのである。自分の属している世界の人、自分のまわりの人々は自分の考えをわかってくれない。けれどももう少し離れた世界に、誰かわかってくれる人がいたっていいではないか？　ボーヴォワールはカトリック教育の厳しかったデジール私塾を卒業し、念願のソルボンヌ大学に入学したとき、きっとここでなら面白い人がたくさんいるのだろうと想像していた。

ところがソルボンヌ大学に入ってみても、彼女が共感しえるような仲間はおらず、大学を離れた場所でようやく出会った数人の友人たちでさえ、それぞれすでに自分の属すべき「居場所」を見つけていたのである。彼女は話が合って仲良くなった青年、プラデルが再び信仰を取り戻したということを聞いて非常にショックを受けることになる。

プラデルはちょっと躊躇するような声で、サレムで彼が聖体を拝領したと告白した。学友たちが聖体拝領台に近寄るのを見てプラデルは自分が追いやられ、仲間はずれにされ、捨てられたような気がした。彼は学友たちといっしょに聖体拝領台に行き、翌日懺悔をした。そして神を信じていると決心した。私は咽喉をしめつけられるような気持で彼の言うことに耳を傾けていた。私は自分が捨てられ、のけ者にされ、裏切られたような気がした。ジァークはモンパルナスのバーに、プラデルは聖櫃に避難所を見つけた。私の側にはもう誰もいなかった。私は夜、見捨てられたわが身に涙を流した。[21]

彼女はあまりにも自分の価値観を信じていたため、もしプラデルと同様な事情があっても、仲間はずれにされないために自分の考えを曲げることなどできなかっただろう。こうして彼女は自分の信ずる道を歩もうとするがゆえに、まわりの皆と同じように生きられなくなり、自分を認めてくれるまで見ぬどこかを求め続けることになる。

「ここではないどこか」へ

ボーヴォワールはまわりの人たちと同じように生きていたいとは思えなかった。「彼らを後ずさりさせたものは私の中にあるいちばん頑固なものだった。それは平凡な生き方への拒否とそれから逃れようとする無秩序な努力だった。彼らはそれぞれの形で平凡な生き方に同意していた」と彼女は書いている。[22] なぜ彼女はそうまでして平凡な生き方から逃れようとしていたのだろうか？　それは彼女を待ち受けていた女としての未来が彼女をおびえさせたからである。

私はこの地上でひどく楽しげなおとなをひとりも知らない。人生は楽しくない、人生は小説のようではない、とみんな声を揃えて言うのだった。

おとなたちの単調な生活を私はいつも気の毒に思っていた。それが近いうちに自分の宿命になるのだということに気がつくと、私は不安に駆られた。〔中略〕毎日、昼食と夕食、毎日皿洗い。これらの時間は無限にくりかえされ、何処にも到達しない。私もこのように生きてゆくのだろうか？〔中略〕私は、生れて以来、毎晩、前の日よりも少しずつ豊かになって寝に就いた。私は自分を少しずつ高い段階に引き上げて来た。しかし、あの上の彼方につまらない単調な草原しか見出せないのだとしたら、目的もなしに何に向って歩むのだろうか？　そんなことをしてもしようがないではないか？　積み重ねられた皿の山を戸棚の中にしまいながら、いや、ちがう、と私は自分に言った。自分の人生は何処かに到達するのだ。[23]

職業を持つことが決められていたとはいえ、彼女にとっては努力をし続けなければすぐにその平凡な女の一員になってしまうことは明らかだった。彼女はのちに文学の女教授にも出会うが、職業を持っているとはいえ、彼女の生活は無味乾燥なものであり決して憧れたくなるようなものではなかった。だからこそ、「何者か」になりたかったボーヴォワールは、必死で彼らと同じようには生きまいとしてもがき続けていたのである。彼女はこうして探し求めた誰かにも出会えず、居場所もないまま何年間か苦しい時を過ごしていくことになる。

また藤田も、念願の東京美術学校には入ったものの、当時の日本画壇で主流の価値観になじめなかった。彼はパリ帰りの外光派、黒田清輝のクラスに属していたのだが、彼のその後の発言から察する限り、黒田の教育方針にかなりの疑問を感じていたと考えられる。黒田は黒い色を使うことを禁じていたのだが、藤田の卒業制作は黒いトーンで非常に反抗的な目つきをした自画像であり、見る人に向けて挑戦的な態度を示した作品である（図11）。この作品は生徒たちの前で黒田に悪しき例として酷評されている。また、彼は渡仏してまもなく、ピカソの絵を見て衝撃を受けた時、黒田指定の絵の具箱を床にたたきつけたと述べている。

学校時代の黒田先生のいはゆる紫派が厳禁してゐた黒い色、それは禁ずる所ではない、我々の先祖のもつとも得意とする所の色ではなかつたか。しからば我々が今後、もつとも多く使はなければならぬ色も黒ではないだらうか。しかるにそれを先生に禁ぜられたからといつて使はないとはもつての外だ。ピカソの家から自分の家へ帰るや、僕はいきなり絵具箱を床の上にたたきつけてしまつた。[24]

このような黒田に対する想いからも、文展で三回続けて落選しても渡仏しようという想いを決して捨てなかったことからも、藤田が「ここでは自分は認められないけれどもパリに行けばきっと自分は認められ、世界的な画家になれ

図11
藤田の卒業制作
「自画像」
1910年
東京藝術大学蔵

る」と、「ここではない、自分を認めてくれるどこか」を指向し続けていたのではないかと考えられる。また後日、日本画壇のあり方を厳しく批判していることからも、彼が属すべき世界、つまり日本画壇の既存の価値観や方法に属していたら、自分は決して何者かにはなれないという危機感を持っていたことがうかがえる。

このようにして実際に自分を認めてくれる「ここではないどこか」を求めて、二十世紀前半のパリには漠然とパリに憧れた若者たちが世界中から集まってきた。彼らの指向したパリというのはあくまでも漠然としたイメージのパリであり、具体的現実としてのパリではない。ただ若き日の彼らにとって「ここではないどこか」というのは、「おそらくパリに違いない」と思われるような輝いたイメージを持った場所だったのである。イタリアからパリに来たモディリアーニは、パリに住んでからも詩を好んで暗唱していた。彼が好んだインドの詩人、タゴールの詩は、当時の彼らをよく表した詩といえよう。

わたしは聞く――　人間の心の無数の声々が
人々の眼には見えずに渡り飛んでいる音を。
その音は　おぼろな過去から　まだ花咲かない未来へと飛んでいる。
聞け、自分自身の胸の内に

故郷のない鳥が　はばたくのを。
その鳥は　無数の仲間であるほかの鳥たちとともに
昼も飛び　夜も飛ぶ――
光の中を　また暗さの中を
岸べから　未知の岸べへと。
《全存在》の真空に　つばさのある宇宙《コスモス》の音楽が　こだまして満ちわたる――
「ここではない。ここではない。もっと遠いかなたへ行こう。」[25]

「聞け、自分自身の胸の内に　故郷のない鳥がはばたくのを」「ここではない。ここではない。もっと遠いかなたへ行こう。」――まさにこのような気持ちを抱きパリに集った異邦人たちはお互いに出会い、ときに故郷を想いながらも異国で切磋琢磨していった。こうして二十世紀前半のパリに集まった異邦人には、ピカソ、アポリネール、モディリアーニ、シャガール、キスリング、パスキン、藤田、ザッキン、ジャコメッティ、トリスタン・ツァラ、マン・レイ、ヘミングウェイなどがいる。そんな大勢の異邦人が集まったパリで、のちに有名になった彼らを真に受け入れてくれたのは、アカデミーでも大学でも出身国の閉鎖的なコミュニティでもない。彼らを真に受け入れた場所は、フランス人のアンドレ・ブルトンやボーヴォワールが憧れていた路上でありカフェだった。

のちに「すべてを捨てよ、街へ出よう！」と言ったブルトンも、医学生時代からぼんやりと路上を指向していた。また、藤田やモディリアーニが通ったカフェ、ロトンドと同じアパルトマンで育ったボーヴォワールにとっても、カフェの世界は別世界であり、ぼんやりと憧れる世界であった。彼女は、藤田たちが狂乱の時代を生きる同じモンパルナスという地で生活しつつも、閉ざされたブルジョワ社会から出る術を持っていなかった。

この牢獄には格子がなかった。出口の目星がつかなかった。あるいは出口があるのだろうか？だが何処に？　そして、いつ私はそこにたどり着けるのだろう？　毎晩、私はごみを階下に捨てに行った。野菜の皮や、灰や、紙くずなどをごみ箱にあけながら、私は小さな中庭の上の四角い室に向って問いかけた。ふとアパルトマンの建物の入口の前で足を止めると、店のウィンドーがきらきら光り、往来には自動車が列をつくっていた。通行人が多かった。外では、夜が生きていた。[26]

ボーヴォワールの数々の発言からもわかるように、実際のパリという場所はブルジョワ社会で育った内部の者には決して自由で開放的な場所ではない。そこではすべてが決められ、秩序が重んじられ、彼女は息がつまりそうだった。彼女はパリという場所に生まれ育ちながらも、パリに憧れた外国人が出身国で感じてきたような閉塞感や自由のなさを感じて生きていたのである。彼らのように自分の属すべき世界に属しきれず、かといって仲間になるために迎合するにも、酒場で我を忘れてしまうにも、あまりにも自分を持っている人たちは、自分をありのままに受け入れてくれる居場所を求めてさまよい続ける。ボーヴォワールは「世界を理解するためには、自分自身を見出すには、私は彼らから逃げ出さなければならない。（中略）が、どこに行けばいいのだろう！（中略）私はこの地上に適当な場所が見当たらなかったから、私はけっしてどこにも留まらないでいようと思った」と書いている。[27] そうして路上をさまよいはじめた彼らが、ある時、カフェという自由な場に出会うことで世界が開け、自分自身を失うことなく仲間と出会い、切磋琢磨していけるようになるのである。

1 シモーヌ・ド・ボーヴォワール『娘時代—ある女の回想』、一二七〜一二八頁
2 シモーヌ・ド・ボーヴォワール『女ざかり—ある女の回想（上）』、三三九頁
3 藤田嗣治『腕一本・巴里の横顔』、一〇頁
4 シモーヌ・ド・ボーヴォワール『娘時代—ある女の回想』、九頁

5 シモーヌ・ド・ボーヴォワール『娘時代―ある女の回想』、一〇頁
6 ルイ・アラゴン『冒頭の一句または小説の誕生』、一〇頁
7 ルイ・アラゴン『冒頭の一句または小説の誕生』、一〇～一一頁
8 シモーヌ・ド・ボーヴォワール『娘時代―ある女の回想』、一二六頁
9 アントナン・プルースト『マネの想い出』、七一頁
10 アントナン・プルースト『マネの想い出』、七六～七七頁
11 シモーヌ・ド・ボーヴォワール『娘時代―ある女の回想』、一七三頁
12 シモーヌ・ド・ボーヴォワール『娘時代―ある女の回想』、一七三頁
13 シモーヌ・ド・ボーヴォワール『娘時代―ある女の回想』、一七六頁
14 アントナン・プルースト『マネの想い出』、一四二頁
15 アンドレ・ブルトン『シュールレアリスム運動の歴史』、一二四頁
16 エーリッヒ・フロム『自由からの逃走』、一五七頁
17 シモーヌ・ド・ボーヴォワール『女ざかり―ある女の回想(上)』、二二六頁
18 シモーヌ・ド・ボーヴォワール『娘時代―ある女の回想』、二二三頁
19 アントナン・プルースト『マネの想い出』、六六～六八頁
20 シモーヌ・ド・ボーヴォワール『娘時代―ある女の回想』、二四一～二四二頁
21 シモーヌ・ド・ボーヴォワール『娘時代―ある女の回想』、二四七頁
22 シモーヌ・ド・ボーヴォワール『娘時代―ある女の回想』、二四一頁
23 シモーヌ・ド・ボーヴォワール『娘時代―ある女の回想』、九三頁
24 藤田嗣治『在佛十七年―自伝風に語る 藤田嗣治画集』、一三頁
25 ラビンドラナート・タゴール『タゴール著作集(五)』、一二頁
26 シモーヌ・ド・ボーヴォワール『娘時代―ある女の回想』、一六〇～一六一頁
27 シモーヌ・ド・ボーヴォワール『娘時代―ある女の回想』、一七八～一七九頁

4

カフェという避難所

カフェという自由な世界

異邦人であれ、フランスに住んでいた者であれ、カフェという場に足を踏み入れたことのなかった者がカフェで見たもの、それは自由気ままな世界であった。一九一三年八月六日にパリに着いた藤田嗣治が初めてパリで泊まった宿はモンパルナスにある宿だった。彼は早速その日に、彼を出迎えた日本人画家の小柴錦侍に案内されてカルチェ・ラタンのカフェで夕食をとる。そこで彼が見たものは、音楽を演奏している楽団やタバコの煙のたちこめるバー、化粧の濃い自由気ままな女たちであり、日本とはまるで違うパリの自由な世界に圧倒されることになる。藤田は早速カフェという場の魅力を感じたらしく、一か月半後の九月二十五日に妻、とみにあてた手紙にこう書いている。

所謂 Café（キャッフェ）の多い事大変なものだ、何処へ行つてもそうして欧州でも本場（ブラジル南系）の次ぎに味よき由、香高くして美味く日本のは水の様なり、砂糖と乳を入れてのミてよし、乳は入れずともよし、一杯十文より一法迄、〔中略〕。そこで酒でも茶でも一杯普通の立派なので四五十文の Café 一杯で何時間居ても差し支へなく手紙をかきたけれバ紙も封筒もくれるし、音楽はきけるし、冬は温かくなつてる由、もう人は皆 Café でボンヤリして新聞を読んだりして寝たくなる迄十二時迄でも居るのだ。[1]

この手紙からもカフェがとても自由度が高く、使い勝手のよい場所であることが伝わってくる。藤田ほどカフェという場に通い、カフェを使った日本人も珍しい。彼はパリに渡っただけでは決して満足せず、大勢の日本人と同じように振る舞っていては絶対だめだと自覚して、彼らとは異なる生き方を模索していく。彼はパリ在住の日本人画家たちを、仲間うちに閉じこもり、家の中にひきこもってばかりだと批判する。それに対して、自分はカフェにも行けば芝居にも行き、西洋人と同じような生活をしているのだと、とみに宛てて書いている。

藤田と同様、パリ到着初日からカフェに行き、初めて見る「パリ」＝「カフェ」＝「自由！」と感じた外国人は数多い。ブルガリア人の画家パスキンも、一九〇五年の到着後すぐに、出迎えに来た友人に連れられてモンパルナスのカフェ、ドームへと足をのばしている。当時のドームは中欧出身者やドイツ人が多く通うカフェであり、パスキンもすぐに同店の常連の一人となる（図12）。一九二〇年にチューリッヒからやってきたダダイストのトリスタン・ツァラも、ブルトンに連れられてカフェ・セルタに向かっている。また一九二一年にニューヨークからパリに到着したマン・レイも同様に、初日からシュルレアリストたちの集うカフェ・セルタを体験している。彼らのように、もともとパリに自由なイメージを抱き、それがカフェという、「パリのいたるところにある場所」で具現されていることを知ると、パリはやっぱりこんなにも自由なのだ！というイメージが確信されることになる。

ところが彼らの見たカフェというのはあくまでも異邦人の視点から見たカフェであり、フランス人が皆カフェに行き、自由に生きているかといえば決してそんなことはない。カフェがいたるところにあり、いつも客で満ちているからといって、パリの人が皆カフェを使うというわけではないのである。

実際筆者は留学時代に一日三回ほどカフェに通い、カフェに行かないという日はほとんどなかったように思うが、ここまで頻繁にカフェに通うフランス人にはいまだに会ったことがない。しかも彼らは何かというと理由をつけてカフェに行くのを拒もうとしているようで、次第に「フランス人が皆カフェに行くわけではない」と悟らざるを得なくなった。筆者のようにひた

図12　ドームでデッサンしているパスキン（一番右）

すらカフェに行き続ける者もいるにはいるが、行かない人は日本と同様、友人とお茶をするときくらいにしか行かないようである。では実際のフランス社会においてカフェとはどのようなものだったのだろうか。

歴史家のルイ＝セバスチャン・メルシエは『タブロー・ド・パリ』の中で、十八世紀のパリのカフェは「閑人のふだんの避難所であり、また文無しどもの隠れ家」であると述べている。[2] 実際にカフェに集っている者は、いつの時代も一杯飲みにきている労働者、暇のある学生や老人、あくせくしていない外国人、自分の国を追われた亡命者、そして自称芸術家、作家、詩人、役者たちなのである。カフェに通うという経験はある特殊な状況に置かれた人たちの経験であるとは先に述べたが、カフェに通う者たちは、属すべき場所に居づらさを感じている者や、属すべき場所を失ってしまった者であることが多い。狂乱の時代のモンパルナスの幕開けとなったカフェ、ロトンドに集ったと言われる者たちもほとんどは外国人であり、チェコ人の画家ジョセフ・シマの観察によれば、ロトンドにいる客層は、半分がアメリカ人、三〇%がロシア人、七%がドイツ人、四%がラテンアメリカ人、三%がイギリス人、二%がスカンジナビア人、スペイン人とポーランド人がそれぞれ一%、〇・七五%がチェコ人、〇・五%がユーゴスラビア人、〇・二五%がフランス人だったそうである。[3] また、ロトンドの向かいのドームの客層も大半がドイツ人か東欧、中央ヨーロッパ圏から来た者たちであり、クーポールの向かいのカフェ、セレクトはアメリカ人のためのカフェのようになっていた。

実は、当時のフランスのブルジョワにとって、カフェに行くのは決して当たり前のことではなかったのである。ブルジョワ階級の娘たちにとってカフェに行くことがどのようなことであったかを、ボーヴォワールは当時の親友、ザザと散歩をしている時のことを思い出してこう述べている。

私たちは毎日曜日の午前中いっしょに散歩することにした。彼女の家でも私の家でも私たちが差し向いで話すことはほとんど不可能だった。それに私たちはキャフェを利用することなどは全然知らなかった。

《あの人たちみんな何やっているんでしょう？　家庭がないのかしら？》

といつかキャフェ・レジャンスの前を通りながらザザが一度そう言ったことがある。[4]

この素朴な疑問からもわかるように、家庭を非常に大事にする家で育ち、家の雑事に追われていたザザにとっては、カフェで長いこと時間をつぶす人たちの姿がまるで理解できなかった。ボーヴォワールがロトンドのあるアパルトマンで生まれたというのは有名だが、彼女の家族は時折父が他のカフェに行く以外には誰もカフェに行くことがなく、彼女の父はロトンドのことを「居留外国人たちと敗戦主義者たちの巣窟さ」と娘に語っていた。[5] 娘は父親同伴でなければカフェに入ることはいけないとされており、女性は必ず帽子を着用しなければならなかった。また、男性でも皆が皆カフェに行っていたというわけではない。アンドレ・サルモンは、「家族の中で一番初めにカフェに行ったのは末っ子である私だった」と述べている。[6] このようにカフェがフランスのブルジョワ社会で生きる人たちからは多少敬遠されていた中で、ボーヴォワールがカフェに足を踏み入れたのは二十歳になってからのことである。彼女はある日従兄弟のジァークに連れられて、狂乱の時代のモンパルナスのバー、ストリックスの扉を開けることになるのである。

ジァークはイゲンズ街のなじみのバー、ストリックスに私を連れて行き、私はリケとジァークの間のスツールの上に乗った。ジァークはバーテンをミッシェルと名前で呼び、私のためにドライ・マーティニィを注文した。私はキャフェに足を入れたことさえ一度もなかったのに、今こうしてふたりの青年と夜バーに来ていた。(中略)時がたつのも忘れた。ロトンドのバーでペパーミントを飲んだ時はもう午前二時だった。私のまわりには、別世界から浮かび上がったさまざまな顔がちらついていた。四辻ごとに奇蹟が起った。[7]

この日を境に、彼女はジョッケーというバーをはじめ、ロトンド、ドームなどにも出入りをするようになる。

とにかく、現在では、地上で私が気楽にいられる場所があった。ジョッケーはおなじみになった。私はそこで顔なじみの人たちに会い、私はそこがますます気に入った。ジンフィズ一杯で、私の孤独は消えた。すべての人間たちはきょうだいで、私たちは理解し合い、みんなが愛し合っていた。〔中略〕私は周囲の人たちを何も理解しなかったがそんな事はどうでも良かった。私は別世界にいるような気分だった。やっと指先で自由に触れたような感じがしたのである。[8]

こうしてパリ育ちの彼女も外国人たち同様に、ついにパリの自由に触れることができたのである。同じモンパルナスという場に生きながら、藤田が見ていたパリの姿とボーヴォワールが見ていたパリの姿はあまりにも異なっている。彼女が知っている女性というのはブルジョワ社会の厳しい道徳の中で育ち、結婚をして家庭をつくってこどもを産み、日々の雑事と社交を延々とこなす、そんな女性たちだった。ところが藤田が見ていた「パリの女性」は世界一自由な女性たちなのである。彼女たちは珍しいものや美しいものを非常に愛し、往来で日本人の藤田に投げキッスを送り、自由に生きたいように生きている。世間の目や噂ばかりを気にする日本人女性とはまるで違う、これぞ世界の女なのだと藤田は妻、とみに宛てて書いている。しかしどうして同じ土地にいてこんなにも彼らの視点は違うのだろうか。それはボーヴォワールが日本での藤田やとみと同様、閉ざされた世界に生きていたからである。彼女もまた藤田同様にカフェやバーに行くことで、ようやく自由な世界に出会うことができたのだ。

開放的な世界に出会った彼女は次第に、バーやカフェで自分を解放し始める。あまりに孤独で理解されない苦しみをためこんできたボーヴォワールはようやくここで救われる。とはいえ生真面目な彼女は、酒に酔って我を忘れることばかりを続けていていいのかと心の奥で次第に疑問を感じるようになる。そして友人のプラデルをジョッケーに連れて行き、彼の冷静な視線とともに店内をながめたことでバーに入り浸るのを考え直し、放蕩とは手を切ることにしたのである。

彼は見るからに居心地が悪そうだった。私がこういうところに出入りするのをよくないと思っているのかと私は訊いた。いや、しかし、自分はこういう場所を陰気に思うと言った。すべての不品行も弁明できるまったき孤独と絶望とを彼が経験しなかったからだ、と私は思った。だが、私がよくばかさわぎをやったスタンドから離れて、こうやってプラデルの傍に坐っていると、私は新しい眼でこのバーを眺めた。プラデルの正確な視線はあらゆる詩情を消した。私がいつも小声で自分に言う《私は何しに此処にやって来るんだろう！》を彼の口から高声に言ってもらいたくて、彼を引っ張って来たのかもしれない。とにかく、私はすぐに彼に道理があると言い、ジァークまでもきびしく批判した。なぜジァークは気をまぎらすために時間をつぶしているのだろう？　私は放蕩と手を切った。[9]

これ以降彼女はあまりバーには行かなくなるものの、カフェに行くという心地よい習慣までをも消すことはできなかった。彼女は以降、クロズリー・デ・リラはじめ、モンパルナスのカフェにちょくちょく通うようになる。

藤田もボーヴォワールもあまりお酒を飲める方ではなかったからか、彼らが選んだ居場所はバーではなくてカフェだった。そして幸運なことに、時代を変えうる者が集う場所というのは歴史的にみてもバーではなくてカフェなのである。バーは一見時代を変えうる雰囲気を持っている。ところが酒とともに忘れられていく会話だけで世界が変わってしまうほど世界は簡単にできてはいない。バーにももちろん魅力はあれど、パリのカフェはバーにある魅力だけでなく、バーには足りない魅力をも内包する場であった。それゆえ彼らはカフェという場を見出したことで、自分だけでなく社会まで変えうる力を持つことが出来たのである。

独特の連帯感

自分の属す世界の中では逸脱しており、「ここではないどこか」を求めていた彼らはカフェという場に行き、自由に生きている人たちに出会って、これまでとは異なる世界が存在することを認識する。

カフェには先述したように、どこか社会的に逸脱した、同じような匂いを持った者たちが集まっている。そしてそのカフェに通うことにした者たちは、たとえ常連たちと会話を交わすことがなくても独特の連帯感を感じることになる。十九世紀末に栄え、シュテファン・ツヴァイクも通ったカフェ、ツェントラールには非常に独特な空気があり、常連たちはそれを共有している人たちだった。ツェントラールについて、『カフェ・ツェントラールの理論』という文章を書いたアルフレード・ポルガーは、このカフェを「他のカフェのようなカフェではなく、ひとつの世界観である」と述べている。彼はここに通う人たちのことを以下のように描写している。

カフェ・ツェントラールはウィーンの経度の下では孤独の子午線の上に位置している。その住民たちは大部分が人間嫌いと人間好きの性向とが共に同じほど激しい者たちであり、一人でいたいと欲しながら、仲間をも必要とする人たちである。〔中略〕

カフェ・ツェントラールの客たちは互いに知り合い、愛し合い、軽蔑し合っている。互いに何の関係もない者たちもこの無関係さえ関係と感じ、相互の反感すらカフェ・ツェントラールでは人を結びつける結合力を持ち、一種のフリーメーソン的連帯感を認め、その連帯感を示す。誰もが誰ものことを知っている。カフェ・ツェントラールは噂、好奇心、中傷に沸く、大都会のふところにある地方の巣である。[10]

彼が「一人でいたいと欲しながら、仲間をも必要とする人たち」と述べているように、カフェに通う者たちの多くは自分を曲げてまで誰かに迎合したいとは思わないものの、一人で家に閉じこもるのはあまりに孤独で耐えられないような者たちである。だからこそ、彼らは一人ぼっちと感じるわけでもなく、個人の自由も侵害されないカフェに通って孤独感から解放されるのである。

それではなぜカフェという場では何の関係もない者同士でも連帯感を感じることができるのだろうか。カフェという場は一見公共空間のようではあるが、電車や役所とは違ってランダムに何の縁もない人間が同じ空間に存在しているわけではない。あるカフェに通う者たちはそれだけですでにいくつかの共通点があるのである。まず、Aというカフェに通うということは数多くあるカフェの中でもそのカフェを選び、そこがある程度好きだという点で一致している。次に、実際にやってみるとわかることだが、週に何度か特定のカフェに通うのは意外に容易なことではない。そうまでしてAというカフェに通いたいという何らかの想いや理由がなければ人はそう頻繁にカフェに通うわけではないのである。最後に、そこに通えば通うほど、そのAというカフェで起こる何らかの事件を共有できるため、常連客との共有認識が増えてくる。そこで微笑しあったり目配せしあったりすることだけでも、同じ時を同じような想いで共有していることがわかるものである。

同じ場所にわざわざ通い、共に時を過ごし、同じような飲み物を飲んでいるという、たったそれだけのことではあるが、それだけでカフェに集う人たちの間には独特の連帯感が生まれてくる。たとえ言葉を交わさずに自分の好きなことをしていても、同じ空間で、見えない何かを共有しているという感覚により孤独を感じることがぐんと少なくなってゆく。カフェに通うことを覚えてからもあまり見知らぬ客たちとは積極的に会話をしていなかったボーヴォワールも、彼女が足繁く通ったドームでは独特の連帯感を感じていたという。

私たちとドームのほかの常連とのあいだには、一種の暗黙の親しさが生まれていた。私たちが公務員で、つまり比較的暮しに余裕があることを、どこからか聞きつけたらしく、酔払いや乞食や本職のたかり屋が、よく私たちのところに小銭をせびりにきた。連中は金を貰うかわりに嘘八百を一席弁じ立てなければ気が済まないのだった。〔中略〕これらすべての没落者、亡命者、落伍者、誇大妄想狂たちは、田舎の単調さに厭きた私たちの心をほっとさせた。〔中略〕自分にきわめて身近かで、同時にきわめて遠く感じられるこの連中、人生を手さぐりで求めているこの人たちに囲まれて、孤独に仕事をつづけることに、私は強い喜びを味わうのだった。[11]

公務員である彼女にとっては、酔っ払いや乞食、亡命者たちは本来遠い存在である。とはいえ、当時の彼女もまた公務員という仮の職業を捨てて作家になろうとしつつもなれていない、「落伍者」としての自分を感じていた。だからこそ、彼女とはまるで違う世界で生きてきたものの、現実には同じ空間に同じように存在している「落伍者」たちは彼女にとって身近であり、また同類としての慰めになる人たちだった。当時のドームには彼女のように物を書きに来ている者も芸術家もおり、常連たちは多少なりとも似たような未来に向かって努力していることが感じられた。ボーヴォワールはフロールに通う前はこのような連帯感を感じられるドームに足繁く通っていたのである。彼女が第二次世界大戦の宣戦布告のニュースを聞いたのもドームであり、捕虜になったサルトルがひょっこり帰ってこないものかと待っていたのもこのドームである。彼女は戦時中の自分の気持ちについてこう述べている。

私はこのモンパルナスの四つ辻に、しみじみとした愛着を感じる。半分は空席のままになっているテラス、ドームの電話交換嬢の顔などを見ていると、家族といっしょにいるような気がして、不安が薄らぐのだ。[12]

このように、彼女はあまり客たちと会話をしなくてもドームを我が家のように、客たちを家族のように感じ、ドームは彼女の居場所となった。

カフェと結びつく客の人格

　このように連帯感を抱くことができるのは、あるカフェをあえて選んでいるからである。それぞれのカフェには独特の雰囲気があり、その雰囲気が多少なりとも好きでなければ、自由意志でカフェを選べる客はそこにはやってこない。カフェを選ぶのもやめるのもいつでも客の完全な自由意志に任されている。だからこそ、あるカフェに通い続けることはそれだけで連帯感を持ちうる一つの行為となるのである。初期のドームにはドイツ人や中欧人たちが集い、ロトンドには世界中の貧乏芸術家たちが集っていた。初期のロトンドに足繁く通っていたイリヤ・エレンブルグは「ロトンド全体が余計者《イズゴーイ》の世界だった」と述べている。[13]

「ロトンド」はだれからも心の平和など奪いはせず、このカフェは、ただ、心の平和を失った人びとを惹きつけていたにすぎない。〔中略〕

私たちが「ロトンド」にやってきたのは、私たちがお互いに惹きつけられ合っていたからである。どんちゃん騒ぎに惹きつけられたわけではない。また私たちは、大胆な美学理論に励まされていたのでさえなかった。私たちは、なんということなくお互いに惹かれていただけの話で、私たちを結びつけていたものは、共通の不運感だったのである。[14]

そんな余計者の集うロトンドを自分にとって当たり前の世界だと感じていた画家のフェルナン・レジェは、戦争に行った後、この世界の特殊性に気がついた。

「ぼくは戦場でほんとうの人間に逢った。戦争前のぼくは、どんな人間を知っていただろう。アポリネール、アーキペンコ、サンドラール、ピカソ、モディ、マックス（ジャコブ）、それにきみだ。ところが戦地じゃ、普通の人間に逢ったんだ。かれらは喋り方までちがっている。ぼくが画家だというと、そりゃペンキ屋のことだと決めこんじまうんだからね。これはむしろぼくの誇りだよ。戦場はロトンドじゃないからな……」[15]

レジェが述べているように、ロトンドには先鋭の芸術家たちが集ってはいたが、彼らにとって当然の考えや議論というものは、一般の世界からかけ離れているものだった。それほどまでに、ロトンドという場所はフランスの中でも特別な世界だったのである。また、華々しい詩人たちのカフェという時代が過ぎ去りし後、一九二〇年代のクロズリー・デ・リラの雰囲気をヘミングウェイはこう描いている。

クロズリ・デ・リラは、一番近くにある良いカフェであり、また、パリ中でも最上のカフェの一つであった。〔中略〕客の大部分は、初老の、ほほひげのある男たちで、かなりくたびれた服を着、細君とか情人とかをつれてやって来た。そして、細長い赤のレジヨン・ド・ヌール勲章のリボンをえりの折返しにつけていたり、あるいは、つけていなかったりした。私たちは、かれらを科学者だとか、学者《サヴァン》だとかいうふうに希望的推測をしたが、かれらは一杯の食前酒《アペリチフ》をちびちびやりながら、もっと見すぼらしい服装の男たちが細君とか情人を連れ、一杯のミルク入りコーヒーでねばっているのと、ほとんど同じくらい長い間、坐っているのだった。みすぼらしい方の男どもは、フランス・アカデミーとは何の関係もないアカデミーのしゅろの形の紫のリボンをつけていたが、それで、かれらは、教授とか教師とかであることを示すつもりなんだな、と私たちは考えた。

こういう人びとは、そこを快適なカフェにした。というのは、皆、お互いに対し、かれらの飲みものやコーヒーや、あるいは薬草入りの茶に対し、また、綴じ棒にくくりつけられていた新聞や雑誌に対し、関心をもっていたからである。[16]

ヘミングウェイはモンパルナスの喧噪ではなく、すでに静かになったクロズリーをあえて選び、午前中はここで執筆することに決めた。彼はかつてここにポール・フォールという詩人が通い、パリ中にその名を轟かせた場所であることを知っていた。もう詩人たちはそこにおらず、彼もポール・

フォールの作品を読んだことはなかったとはいえ、二十代前半で作家を目指すヘミングウェイが、多少なりとも彼らの伝説に憧れてこのカフェを「自分のカフェ」に選んだというのは考えられる。かつて、パリを代表する詩人たちが霊感を感じたとされるこの場所で、自分も同じ道に励めば「何者か」になれるかもしれない。彼は自分のまわりに座る老人たちをただの老人ではなく、何者かである老人たちだと希望的観測をする。そんな何者かに囲まれて、自分も大きく成長しようと心に決めながら、まだ何者でもない彼は静かに執筆していたのではないだろうか。

また、ボーヴォワールはフロールに通い始めた当初の様子をこう述べている。

　ここは映画監督、俳優、スクリプト・ガール、フィルム編集者など、映画関係者のたまり場になっていた。〔中略〕フロールには特有の風俗とイデオロギーがあった。毎日そこに集まる常連の小さな集団は、完全にボヘミヤンに属してもいなければ、まったくのブルジョワでもなかった。大部分の者は映画や演劇の世界に何らかの関係があり、不確実な収入と、やりくり算段と、希望とで生きていた。[17]

そして、フロールの雰囲気が徐々にしっくりくるようになったボーヴォワールは次第にドームからフロールへと通うカフェを変えてゆく。あるカフェに通うのはその人がどのような人であり、どうありたいかを示すことでもある。フロールに通う客たちは隣にあるドゥ・マゴには通わなかった。ボーヴォワールが「このふたつのキャフェのあいだには完全といっていいほどはっきりした仕切りがあった。フロールの客の男でも女でも、公式の恋人を裏切る時、非合法なランデブーはドゥ・マゴで隠れてする。少なくともそういわれていた」と述べているように、フロールとドゥ・マゴというのはまったく別の場所だった。[18]『レ・ドゥ・マゴ』という本の中には、アルベール・ティボーテによって二つのカフェの違いがこう考察されている。「ドゥ・マゴは交差点なのだ。道の、職業の、意見の交わる交差点である。これだけでもフロールとの違いはみてとれる。フロールは停車場であり、結論であり、決断なのだ」。彼はこの二つのカフェがいかに違う客層を相手にしていたかをこう示す。

ある日ドゥ・マゴのサン＝ジェルマン大通り側のテラスにジャン・プレヴォーと一緒に居たとき、アンドレ・ベルソーが通りがかるのを見たんだ。私は彼にちょっと一緒にここに座らないかと聞いてみた。彼はそんなことは考えられないというような驚いた顔をして私の方を見てこう言った。「そんな、結構ですよ。私はフロールに行くんですから。」それはもっともなことだった。仕方ない。彼はフロールの批評家だった。我々はサン・ブノワ通りで隔てられていたのだ。カピュが言ったように深い溝で、そして横断歩道によってね。[19]

これほどまでにカフェとそこに通う人の人格が結びついているのなら、カフェを変えるという行為はまた、人生のステップを新たにするということでもある。モンパルナスの時代を形作った詩人のポール・フォールは、一九〇三年までモンパルナス駅近くのカフェ・ヴェルサイユに二年間規則正しく通っていた。ところがヴェルサイユはドミノやビリヤードの音があまりにうるさく、彼は意を決して大通りのもう一方の端にある、クロズリー・デ・リラに移っていった。その一九〇三年から彼は詩人たちの集いを始め、やがてクロズリー・デ・リラは世界中から芸術家たちの集まるカフェとなるのである。

藤田の場合も、モンパルナスに住んでいたからといって初めからロトンドに通っていたわけではないようで、初期は音楽の演奏のあるカフェなどが時折手紙に登場している。ところが一年が経過し、自分のセンスにだいぶ自信がついた頃から、彼は画家の集まるロトンドに積極的に通い始めるようになる。

また、パリ到着当初はシュルレアリストの集まるカフェ、セルタに通っていたマン・レイも、ある時外国人の集まるモンパルナスのことを知り、そちらのカフェに通い始めることにした。

あるとき、あらゆる国から流れてきた人々がキャフェにたむろしている界隈がパリにあることを知った。それがモンパルナスだった。仕事のないある晩、地下鉄に乗って出かけて行ったが、じっさいそこはまったく国際的な場所だった。わたし同様のひどいフランス語も含めてそこではあらゆる言語がとびかっていた。キャフェを次々にまわってみると、さまざまなグループがまことにきちんと区別されていることに気が付いた。つまりあるキャフェでは顧客はほとんどフランス人で占められ、別のキャフェではいろいろな国籍の人が入り混っており、また別の所ではアメリカ人とイギリス人がカウンターを占めていていちばん騒々しくしている、という具合だった。わたしは前二者のほうのタイプが好きだった。そこでは客は卓に付いていて、ときおり、席を変って別の友人たちのグループに加わったりしていた。全体的にみて、ここの活気が気に入った。そこで、パリでもここよりは落着いた、しかももう慣れはじめていた界隈を離れて、モンパルナスに引越しすることに決めた。[20]

このようにして、彼らはこれまでのカフェから自分がより共感できる雰囲気のカフェに通い始めるとともに、人生のステージまで新たに変え、これまでとは異なる雰囲気の中で次第に新しい人間関係を結んでいくようになるのである。

居続けられる自由

三章で見てきたように、「何者かになりたい」という志を持ち、まわりの人とは同じように生きたくないと思っている者たちは、属すべき居場所を失い、「ここではないどこか」を指向する。憧れのパリに来て、藤田を迎えてくれたのは小柴というパリの日本人画家であり、藤田は彼にパリの日本人画家の世界を紹介される。藤田はもともと美術学校に通おうと思って留学をしたわけでもないため、パリを知らぬ彼にとって、彼が容易に属すことのできる場所はパリの日本人画家の世界であった。しかし、彼はここでも彼の嫌った日本画壇の価値観を見出し、「ここではない」世界を指向する。彼はとみにあてた手紙の中で痛烈にパリの日本人を批判している。

外の日本人とは交際もせぬ話もせぬ留守を使つたりしてる、小柴、長谷川とも交際せぬとても眼中にない人許り、〔中略〕見るものも見ず一室にこもつて大家の真似をして日本の画界の事許り苦心してる小さな考えで日本で一番にならうとも思つて居らぬいくじなしである。〔中略〕昨夕日本めし屋で今度日本へ帰る小杉、満谷、徳永、小川千かめ君の送別会があつた、十何人も集つた、にぎりめし、さしミ、焼さかな、すき焼、豆腐、ちやわんむし、こうこ、何んでも出来る、食べた、面白くない。つまらぬ集会六時頃から十一時頃まである、つまらぬ話丈けで画もその通り、皆西洋の表面丈け見て大家の表面丈けの真似多少画は手ぎわはよくとも決して価のある自然の現はれてるものでない。[21]

とはいえ、彼がこの世界に居たくないと思えば思うほど、彼は孤立し居場所は小さな自分の部屋だけになってしまう。ところが一室に引きこもることもしたくなかった藤田は、意気投合したアメリカ帰りの日本人、川島理一郎とともに街に繰り出していく。ボーヴォワールが、「どうして私は失望しながら《すべては空しい》とくりかえしていたのだろう？　実は、私の苦しんでいた不幸は、子供の楽園から追われはしたがまだおとなたちの間に居場所が見つからないためであった」と述べているように、嫌悪する慣習にひたっている人たちの一員には決してなりたくないと思う一方で、確固たる自分の居場所がまだ見出せているわけでもない人たちにとって、カフェという場は格好の居場所になるのである。[22]なぜなら、カフェには属すべき居場所を失った者たちにとって魅力的に映る様々な自由があったからである。

まず第一に、カフェにある自由、それは居続けられる自由である。第二に挙げられるのは思想の自由であり、第三に、時間的束縛からの自由、最後に振る舞いの自由が挙げられる。

まず、第一点目の居続けられる自由について考察しよう。街にこそ何かがある、と路上に出てみたところで無料で訪れることのできる公園や路上は、居心地のよさが天候に左右されるため居続けることは困難である。また、街にある公共的な空間は、基本的にはある目的を達成するためにつくられているため、目的を達成した後も居続けることは難しい。レストランは食事をするため、劇場は観劇するため、本屋には本を探すために行き、目的を終えると基本的にはその場から出るように場が設定されている。

それに対し、カフェは必ずしもコーヒーを飲むために行く場所ではない。カフェという場は他の公共的な施設と異なり、合目的性がほとんど追求されない不思議な空間なのである。カフェが飲み物をただ飲む場所であれば、カフェにおいて一番合理的な行為というのはカウンターで咽を潤すためにエスプレッソを立ち飲みし、すぐに出て行くことである。もちろんパリのカフェではこのようなカウンター文化も非常に発達しているが、多くのカフェはカウンターだけでなく広い店内とテラスとで成り立っている。実際はカフェにおいては、飲み物を頼むというのはカフェという空間に入るためのルールであって、必ずしもそれを目的に客はカフェに来ているわけではない。自身も死の間際までフロールに通い続けた作家のレオン＝ポール・ファルグは、「カフェに行くためにカフェに行くフランス人はいまだに世界一のカフェの優良顧客である」と述べている。[23]「カフェに行くためにカフェに行く」というのは、カフェのメニューには書かれていないが、その空間に内在されているものを得るために行くということである。パリのカフェでは一杯の飲み物代さえ支払えば、後は何時間居ることも、語り続けることも、新聞を読みあさることも、本を書くことも、紙のテーブルクロスの上にデッサンをかきつけることも、お酒を飲むことも自由だった。またウィーンのカフェも、「一種の民主的な、一杯の安価なコーヒーと引換えに誰でも近づきうるクラブである。そこではどの客も、この少額の貨幣で何時間も坐り、議論し、書きものをし、トランプをやり、便りを受取り、何よりも無数の新聞、雑誌を読み終えることができる」場所だとシュテファン・ツヴァイクは述べている。[24] そして、その心意気がきちんと店側に浸透しており、店主がそういった客を大切にしてくれる場合には、何時間いても追加注文を要求されることはないのである。ロトンドの基礎を形作った主人、ヴィクトール・リビオン氏はその点に非常に理解があり、一杯のカフェ・クレームを前に何時間居座っても追加注文を要求しなかったため、貧乏芸術家たちに愛されることとなった。

通うことのできるカフェにおいて重要な点は安い値段で居続けられることであり、客たちは必ずしもコーヒーの味を目当てに来ているわけではない。もちろんある程度よいものが飲めることは大事ではあるが、どうも飲み物の味というのは一般に考えられているほど重要ではないようである。筆者はカフェに通った人物の証言の中で、飲み物が美味しいからそこに通ったという記述はカフェ・セルタのポートワインを除いてほとんど目にしたことがない。飲み物の質について自慢するのはたいてい、カフェ経営者側の視点で後から書かれた本においてである。属すべき居場所を失った者たちはそれに代わる居場所を求めてさまよっているため、できるだけ安い値段で、できるだけ長く居られるような場を求めている。彼らは人が家庭や職場等「属すべき場所」で費やしているはずの時間を自分のやりたいことに費やしている。したがって、バーのように開店するのを夜まで待ち、酒は飲めても集中して仕事ができず、追加注文を気にしなければならないような場所は彼らの真の居場所にはなりにくい。また、いくら美味しくても通うにはあまりに高い値段の店や、飲んだらすぐに追い出されるような店、店主が客の自由を侵害するような店は、居場所も属性も失った者たちが通える店とはなりえない。大切なことは、ある程度美味しい飲み物が、通える程度のリーズナブルな値段で提供され、しかも長居が可能なことである。

ところで一杯のコーヒーの値段はどれくらいのものだったのだろうか。当時のロトンドやカフェ・ヴェルサイユの写真から、コーヒーの値段は一〇スーであったことが見てとれる。アンドレ・サルモンは『終わりなき想い出』の中で、一八スーで夕飯が食べられるくらい安い店もあると述べている。それに対し、八スーくらいの値段の飲食代ならおごってもらえると先輩詩人が述べている。これは現在の感覚でいえば七〇〇円くらいの安い夕飯に対し、三五〇円くらいのコーヒー代くらいまでならおごってもらえるという感覚ではないだろうか。筆者が通っていたころのパリのカフェのエスプレッソ（パリではコーヒーというとエスプレッソを指す）の値段は、店内で二ユーロくらいであり、当時の感覚では二五〇円以下くらいのものであったから、パリのカフェは日本のカフェに比べて随分通いやすいものだといえるだろう。

歴史に名を残したカフェは、たいていツケのきくカフェでもあった。ロトンドはツケがきくことで有名であり、主人のリビオン氏はお金のない客たちのクロワッサン代の支払いを忘れてあげることも多々あった。それればかりか飢えている者たちにはパンの耳を配ってあげることまであったそうである。またフロールの主人、ブバル氏もかなりの客にお金を貸して、すべてを細かく手帳につけていた。主人だけでなく、フロールのギャルソンのパスカル氏は若き周恩来の支払いをツケにしてあげていたそうである。

「お金がないからカフェには行かない」という言葉を口にするのは、カフェを必要としない人の発言であり、本当にカフェに行きたい者は、お金がなくてもなんとかしてカフェに通おうとするものである。「カフェに行くためにカフェに行く」ことを覚えた者たちはその重要性を知っているが故に、小さなお金がないからといってカフェに行くことを諦めない。若きアンドレ・サルモンに「詩人になりたいならカフェに行け」と忠告した詩人メシスラス・ゴルベールは、お金がなくてもいけばいいと語っている。

「そこら中のカフェに行くんだ。お金がなくたって行けばいいんだ。俺が言ってるのは八スーくらいの値段の場合だがね。カフェでは各自の気質によって自分に必要な人と関係を結んでいけるんだ。会計のことは気にしないことだ。いつだってあんたの飲み物代を払ってくれる奴を見つけられるんだから」[25]

サルモンは以降頻繁にカフェに通い、実際に詩人になるのだが、お金がなくてもカフェに通った若き芸術家は数多い。例えばエコール・ド・パリの画家たちの一人スーティンは、ロトンドに行きたい時、店の前でぶらぶらし、誰か「居場所代」を代わりに支払ってくれる人が通りかからないかと思って待っていた。また、モディリアーニが飲食代を払えず、主人のリビオンにデッサンのよいものを選ばせて支払いの代わりにさせてもらったことは何度もある。キスリングは一九一六年にロトンドでの七五フランの借金をジャン・コクトーの肖像画で支払っているし、ロトンドの用心棒をして飢えをしのいだこともある。これらのことから、文無したちでも何とか頭をひねればカフェに行けたということがわかる。またクロズリー・デ・リラに通うようになった大学生のサルトルとボーヴォワールは、お金がなくても注文をし、お金を貸してくれそうな友人たちが通りかかるのを待っていたことがある。こうして、安い値段でしかも長時間居続けられるカフェという場所は、居場所を失った者たちの真の避難所となったのである。

「客」という身分の保証

一杯の飲み物代をなんとかして支払う方法を見つけ、カフェに居る権利を手にした客たちが、他の場所ではなくカフェにこそ見出した居心地のよさとは何だったのだろうか。まず挙げられるのは誰しもが社会的地位に関係なく、平等な立場でそこに居られることである。劇場やレストランに行くにはかなりのお金もかかれば、それなりのドレスコードや振る舞い方も要求される。それに対してカフェでは安い値段で誰でも入れるどころか、社会的地位も要求されない。カフェという空間内ではカフェの主人に入場料であるドリンク代を支払うことで、社会的身分がなくても一人の客という立場を手に入れることが可能である。

通常、社会の中では属性が重視され、「自分がどこに所属する誰か」がものをいう。ところが属すべき場を失い、いまだに到達しえない「何者か」になろうとしている者にはその属性が存在しない。「何者でもない」というのは誰にとっても辛いことではあるが、母国においてや過去に「何者か」であったことのある者にとっては落差が大きい分だけよりいっそう辛いものである。たとえば藤田にとっては一九〇〇年のパリ万博に自分の絵が出品されたという華々しい過去があり、ボーヴォワールもデジール私塾やソルボンヌ大学で優秀な成績を修めていた。しかも彼女のように二十二歳までにはすべてを書いた作品を出してみせると決意していたような者にとっては、三十歳になってもまだ作品を出せていない自分というのはかなり苦々しいものだっただろう。

彼らだけでなく、パリを夢みて母国を捨て去り、いざ花のパリに来てみたものの、想像のパリと実際の落差に驚かされ、フランス語もまともに話せなければ芸術家としてもまだ一人前でないような者は想像以上に居場所のなさを感じることになる。パリを夢みた外国人芸術家の多くが、実際には母国語を話せる者たちの間で集まり、お互いにパリでの傷をなめ合おうとしていたのも、少なくとも母国では誰かに必要とされていた自分に、誰も見向きもしてくれないというショックが大きかったからこそだろう。

私事だが、筆者は留学時代に属すべき学校の価値観になじめず、フランス語もおぼつかなかったために激しい孤独を感じ、軽度の鬱病になってカウンセリングにかかり、「パリ症候群」という言葉を知った。「パリ症候群」とは、パリのイメージに憧れて念願のパリに住んではみたものの、現実のパリはがっちりとしたフランス人、フランス語社会で外国人には無関心であり、次第に自分のことを価値なき者として実感していくといった症状である。筆者の場合は軽度で済んだが、「パリ症候群」になる患者は毎年後をたたず社会問題化しているそうである。パリには日本から華々しく渡仏したものの、実際にはアパルトマンにひきこもっている日本人がかなり存在すると言われている。一〇〇年経ってもパリの日本人社会はたいして変わらず、藤田のように社交的に振る舞える日本人はまれである。母国においては「パリに行く」というのは華々しいキャリアに見えても、実際のパリにはそんな外国人が山のように存在している。フランス人はといえば、あまりにも大勢で珍しくもない外国人には無関心で、特に手をさしのべてくれることもない。

筆者はカフェに集った芸術家たちのことを調べるにつれて、「パリ症候群」は何も現代の日本人だけに限ったことではないことに気が付いた。傷を乗り越えられたかどうかは別としても、パリに憧れて渡仏した外国人はいつの時代もたいてい自分の存在感のあまりの小ささに嘆き苦しんでいるのである。たとえば彫刻家のザッキンは、知人がほとんどいなかった頃のパリでの孤独をこう書いている。

その頃パリには知人も殆どなかった。展覧会を見に来てくれたのは、ラ・ロトンドのキャフェの常連と当時のパリ在住ロシア人集団のうちのいくつかのグループだけだった。一週間後には、もう誰も来なくなったので、また木彫を始めた。パリでは、私の友人以外の人たちにとっては、私など存在していないも同然であるかのように、すべてが過ぎていった。[26]

筆者は留学時代に自分を消しゴムのかすのようだと感じていたことがあり、まさにザッキンの言うように自分はパリには「存在していないも同然」という感覚があった。パリは現在でも完全なフランス語社会であり、何人かフランス人が集まった中で黙っていると誰も見向きもしてくれず、「石」のように扱われる。会話や議論が重要視されるが故に皆が皆、早口に話し、人の話を聞くよりも自分の話で相手を説得させようと意気込んでいる中で、外国人が自分のことに関心を持たせるようにするのは並大抵のことではない。しかも、自分の中でさえまだ漠然として、母国語でもうまく言葉にできないものをフランス語で説明しろといわれても無理がある。それ故彼らは言葉が重視される世界の中では自分をうまく表現できず、「石」と化してしまうことになるのである。

　このようにして、憧れのパリで自分の居場所を見つけられず、孤独に苦しむことから逃れようとしたときに、手っ取り早い場所というのは出身国のコミュニティである。そこではかつての属性もまだものを言い、パリでは何者でもない自分も、かつての属性を背負った何者かとして多少尊敬されることにもなる。また何よりもフランス語を話さなくても自分を表現できるというのは言葉のできない人にとっては大いなる慰めである。

　このような孤独からこそ、多くの在仏外国人は自国のコミュニティに避難しようとしたのだろう。「蜂の巣（ラ・リューシュ）」と呼ばれたモンパルナス郊外の芸術家たちの共同アトリエは、ロシア人コロニーと化していた。ここはザッキンやシャガール、スーティンなどがいたことで知られているが、ザッキンはここの陰鬱な空気がたまらなく嫌だったそうである。ピカソもパリに来た当初は、モンマルトルの共同アトリエ「洗濯船」に毎日のようにスペイン人たちを集めていた。とはいえ出身国のコミュニティというのは閉鎖的で、過去に残してきた国が話題になるため、どちらかといえば後ろ向きな場になってしまう。

　それに対し、カフェという場は一杯の飲み物代さえ払えば立派な「客」としての立場と居場所を保証してもらうことが可能であり、未知の自由な世界が眼前に開かれている場所だった。何者でもなかったとしても一つのカフェに通えば通うほど、主人やギャルソンにとっては彼は「大事な常連さん」となる。カフェという空間においては主人の視点がものを言い、彼らが関心を持つのは客の社会的身分ではなく、また明日も来てくれるかどうかである。したがって、店に多少貢献をしている常連は、一見の客よりも優遇されたり融通がきいたりすることもあり、かつて「何者か」であった誇り高き者にとっては居心地の良い環境である。このようにしてカフェに通うことで、外の世界では何者でもない者も、自分の存在に再び価値と自信を取り戻し、安心して追求したい世界に向かっていけるのである。

権利の平等

カフェという小さな空間を支配しているのはカフェの主人であり、カフェは公共空間のように見えても実際は主人が私的に所有している。とはいえ、客たちは自分が主人に支払う小さなお金の積み重ねでこの空間が成り立っていることを知っている。カフェの飲食代がいかに安くても、そこにはコーヒーの原価だけでなく、主人のための利益もきちんと含まれている。そしてその積み重ねでこそ主人は生計を立てているわけであり、客が払う小さなお金はこの空間の存続にきちんと寄与しているのである。そういうことを知っていればこそ、客たちはたとえ安い値段しか払わなくても、自分も一人の立派な客だと自分のことを認識し、他の客たちと同等に扱われることを要求できる。

クロズリー・デ・リラを行きつけのカフェにしていたヘミングウェイは、パリ時代の思い出を書いた著書『移動祝祭日』の中で、知人がやって来たために仕事の邪魔をされた苦々しい思い出話を書いている。ヘミングウェイは彼に、ぼくはここで仕事をしているのに、なんで君が来ることで邪魔されなければいけないのかと嫌悪感をむき出しにする。その時、相手はこう言い返す。

「ここは公衆のためのカフェだ。
ぼくだってお前さんと同じくここへ来る権利があるんだぜ」
「きみのゆきつけのプティット・ショーミエールへなぜ行かないんだい？」
「まあまあ、そううるさいことを言うな」〔中略〕
動く方がたぶん賢明だったかもしれないが、怒りの念が起って来て、私はこう言った。
「おい、聞け。きみみたいな奴は、いくらでも行くところがあるよ。
どうしてここへ来て、まともなカフェを台なしにしなくちゃならないんだい？」
「ぼくは一杯飲みに入ってきただけのことだ。それのどこが悪い？」[27]

この話から、たとえヘミングウェイが「ここは自分の仕事のためのカフェだ」と思っていても、実際は誰しも飲物代を支払えばカフェに来る権利があるということがよくわかる。友人が「ぼくだってお前さんと同じくここへ来る権利がある」と言ったように、カフェの客にはその意識が浸透している。したがってカフェという場にいる以上、たとえ著名人がそこにいて自分が無名であったとしても、自分も飲食代を払っていさえすれば、そこでは自分も著名人も同等な権利を持つと思うことができるのである。そして、このカフェにおける権利の平等という感覚故に、誰しもが人間として対等に話せる雰囲気が生まれてくるのである。ハーバーマスは、『公共性の構造転換』の中で、夕食会、サロン、カフェに一連の共通な制度的基準として、「社会的地位の平等性を前提とするどころか、社会的地位を度外視するような社交様式が要求され、そこでは論理の権威が社会的ヒエラルキーの権威に対抗して主張される」と述べている。[28]

しかし、特定の個人が開催する夕食会やサロンとカフェが違うのは、カフェでは誰もあえて「社会的地位を無視しましょう」と言ってはおらず、客たち全員がカフェの飲食代を支払うというこのシステム自体が自然に平等性をつくっているということである。

カフェでは主人という場所の所有者兼管理者に客が平等にお金を払うことで、空間に参与している客たちの平等性が保証されている。つまり、主人のもとで客は平等になるわけである。カフェにおいては主人の視線が重要なため、身分よりも常連か一見客かで待遇に差がつくことがある。

とはいえ主人は彼らに対して何も特権的な力を持ってはいない。主人が全体に気を配らなければ、不愉快になった客はもう店に来なくなってしまう。商売人としてプロの自覚と誇りを持った主人の場合であれば、自分の楽しみを優先して客をないがしろにするということが店にとっては不利益であることを知っており、意識してそれを避けようとする。たとえばサン＝ジェルマン・デ・プレを世界的に有名にしたカフェ・ド・フロールのオーナーであり、ドイツ占領下時代にサルトルとボーヴォワールを見守っていたポール・ブバルはしっかりと彼の店内全体を見るようにしていた。フロールの主人の孫であり、自身も幼少期にフロールに行っていたクリストフ・デュラン＝ブバルは、著書『カフェ・ド・フロールの黄金時代　よみがえるパリの一世紀』の中で、主人の振る舞いをこのように語っている。

彼はそこで、たくさんの手と握手し、たくさんの顔を識別し、ボンジュールというため何度も唇を開かねばならない。彼はそこで、秘密の話をかき集めようと耳をそばだて、新聞もまだかぎつけていないような噂話に参加する必要がある。従業員の仕事ぶりを監督するのは、もちろん忘れない。店は相反する動きが同時に起きて渦巻いている大海だから、常に警戒を怠れないのだ。オーナーは、彼のフロールをまるで幼い子供みたいに見張っていて、そして正すのだ。父親らしい叱咤と、ヒナに対する母鶏のような情が彼にはあった。たとえアガ・カーンとの、あるいはアラン・ドロンとの会話中であっても、どのようにお盆を持つべきかをジェラールに示すために自ら立ち上がることもある。[29]

彼が「たくさんの手と握手し」、「ボンジュールというために何度も唇を」開き、「噂話に参加する必要がある」のは、それが商売だからである。すべての客のことを気遣ってこそ客は喜び、またそこに来ようとしてくれる。彼は「アラン・ドロンとの会話中であっても」、つまり社会的には非常に有名な人との会話中であっても、「どのようにお盆をもつべきか」をギャルソンに示す。というのは彼がアラン・ドロンという一人のお客と会話をしている間に、他の客を不愉快にさせてはならないからである。この例からもわかることは、ブバルにとってはアラン・ドロンであれ名前も知らぬ客であれ、彼のカフェという空間において、彼らは客という同等な立場であるということである。こうして外の世界では身分や地位の違いはあれど、カフェの空間内では客同士は対等であるという自信が生まれ、客たちは同じ客という立場において、身分や社会的地位を気にかけることなく対等に話すことが可能になるのである。

カフェとサロンの異なる点

カフェにおける様々な自由の第二点目として挙げられるのは思想の自由である。カフェとサロンという場はハーバーマスが言及していたように、特定の身分に限定されずに自由な議論が生まれる場として認識されている。とはいえ、これら二つの場は似てはいても実際には大いに異なるものであり、安易に混同してしまうと、真に力をもった思想が生まれる場の特質が見えてこない。したがって、ここではカフェとともによく引き合いに出されるサロンという場とカフェがどう違うのかを考察したい。

ところでサロンに興味のある研究者はサロンについてのみ研究をし、カフェに興味のある者はカフェについてのみ研究しているようである。この二つに興味を持ち、両者にはどういう違いがあり、実際に新しい思想を生み出したのはどちらなのだろうかと考える者は少ないようだ。筆者は大学院に在籍していた時点から、サロンよりもカフェの方が自由な議論が生まれる場であると考えていた。なぜそう考えていたかと言えば、サロンについての研究書を何冊か読んでみると、引用されている文章から、サロンに批判的な目をもっていたサロン参加者の気持ちを察することが多かったからである。また、サロンこそが新しい時代の創造に貢献したとは研究者さえも疑問を抱いているようであった。たとえば『サロンの思想史』の著者赤木昭三、赤木富美子は、十七世紀末から栄えたランベール夫人のサロンが果たした役割に対してこう述べている。

夫人のサロンが揺籃期の啓蒙主義の伝播に寄与したのかどうかは、意見の分かれるところである。新しい思想家たちは、カフェを根拠地としていて、サロンとは何の関係もなかったという説も有力である。啓蒙主義を唯物論者や無神論者にのみに限定するなら、夫人がこれらの思想に理解も共感も持たなかったのは当然であるし、カフェでの神を冒瀆する言葉の洪水と夫人のサロンが無縁であったことは明らかである。しかし思想の流れは、その持ち主である人の流れでもあることを考慮するなら、当時、カフェでの集まりを仕切っていたラ・モットやテラソンが、同時にランベール夫人のサロンの常連でもあったことは重要である。[30]

実際に、サロンの常連とカフェで議論していた客たちの多くが重なっているため、一概にどちらかが何かを生み出したと断定するのは難しい。また、サロンが主に栄えたのは十七、十八世紀であり、カフェが主に栄えたのは十八世紀から二十世紀前半にかけてのことであるため、あまり時代がかぶっていないようにも見える。とはいえ二十世紀前半のモンパルナスにも、ピカソやヘミングウェイが通ったガートルード・スタインのサロンのように有名なサロンは存在していた。また、本書の執筆当時は、「社交」という言葉が持ち出されるとき言及されるのはほとんどサロンの方であり、カフェはどういうわけか見向きもされていなかった。それではカフェとサロンは一体何が違うのだろうか。まずはサロンとは何かの定義から見てみたい。『サロンの思想史』によれば、サロンの定義とは以下のようなものである。

（一）サロンとは、会話をもっとも重要なコミュニケーションの手段とするひとつの社交形態である。

（二）そこでは女性が社交の中心になる。そしてほとんどの場合、彼女たちの生活空間である住居にゲストたちが集まる。

（三）文学、哲学、音楽、芸術、さらには政治を議論する場となりうる。また詩や小説の朗読、音楽の演奏、演劇の上演などがおこなわれる。

（四）きまった接客日があり、常連のゲストをもつ。ただしサロンの女主人とまったく面識のないものも、常連をつうじて出入りすることができる。その意味で開かれた社交形態であり、こうしてサロンの女主人の家という私的な空間は、なかば公共的な空間となる。

（五）それは拘束力をもたない、ゆるやかな結びつきである。クラブやフリーメーソン、協会といった他の社交団体と異なり、サロンのメンバーには、リスト、会則、会費といったものはない。

（六）他の団体にくらべて、職業、社会階層などの社会的出自に広がりがある。

（七）女性の会員をほとんど認めなかったクラブやフリーメーソンと異なり、男性と女性が集う両性混合の社交形態である。[31]

これらの定義からもわかるように、サロンというのは多くの場合女性が、彼女の家で主催する社交的な会話のための集まりである。カフェとサロンの大きな違いは二点ある。第一は女主人の有無であり、第二は場を無償で提供しているかどうかである。サロンという空間は、女主人が自発的に、無償で設定している場であるが故に、目には見えない困難が存在している空間なのである。

サロンにおける平等性というのは、あくまでも参加者同士の平等性である。富永茂樹が『理性の使用』の中で、「サロンの参会者たちは外部では、あるいは社交の空間に参入する直前まではさまざまな社会集団に所属しているのだが、そうした集団所属に起因する各人のあいだの差異はまさに社交にかかわることによって消滅する。彼らは全員が女主人との距離の点で平等になり、この平等を前提として快適な会話が展開されていったのだった」と述べているように、サロンでは参加者たちは平等であるが、それは主人との距離の点で平等なのである。[32] サロンの主人は参加者とは同等ではなく、すでに特権的な立場に立っている。なぜならサロンの主人はただ名声や権力を持っていただけでなく、サロンという場自体が彼女の私的空間だからである。先述の定義にあったように、サロンというのはお金を払えば誰でも気軽に行けるカフェのような場所ではない。カフェの場合は客たちは小さなお金を支払うことで、その空間に参与する権利を自信をもって手にできる。

それに対してサロンは、主人の私的空間で無償で開かれ、そこで提供されるものに対して客たちが対等またはそれ以上の対価を支払えない以上、主人は彼らに恩を与える特権的な立場となる。この関係性はまるで朝貢貿易のようである。無償で一方的に恩恵を与え続ける者に対して、同じだけかそれ以上に返礼できない者というのは望まなくとも従属的な立場になってしまう。主人は、人々が集う空間を含めた自らの所有物を一方的に与え続けるが故に、たとえ意図しなくともサロンにおいては支配者の位置に立つのである。

参加者がサロンという場に行き続ける限り、彼らと主人とのこの関係性は解消されず、返せぬ恩はうっぷんのようにたまってしまう。それに対してカフェの場合は、客は主人に正当な対価を支払うどころか、彼らの支払うお金によって主人が生きていけるほど、主人に対して返礼している。このようにカフェの客は主人にきっちり返礼しているために、主人に対して従属的感情も義務感も感じることがない。

サロンには、なぜかいつも華やかにみえて暗い影がつきまとう。研究者たちの書物から感じる「素晴らしい、とも言い切れない」ような、なんとも言えない後味の悪さは一体何に由来しているのだろう。たとえば二十世紀にアメリカ人のガートルード・スタインが開催していたサロンには、ピカソやマティスはじめ当時の著名人がたくさん出入りをしていたが、その評判も、彼女自身に対する評判も決して素晴らしいものではない。

ところが彼女は実際多くの人を快く受け入れ、参加者たちに無償で飲み物だけでなく料理まで出すという相当なもてなしをしていたのである。それにも関わらず、彼女はのちに参加者の多くと絶交することになる。彼女だけでなく、サロンの主催者や参加者がサロンについて書いたものは、読んでいてどこか後味が悪いものが多く、その理由を察することは難しかった。

筆者はサロンというのはカフェほどの力を持ち得ないとは理解しつつも、本書の執筆前に実際に我が家をサロン的空間にしていたことがあり、最終的な結果としてサロンの主人の苦悩が痛いほどわかるようになった。筆者が実際にサロンの女主人的役割を体験してみてわかったことは、好奇心が強く、「何者か」になりたいような者がボランタリーに場をつくることはやはり難しいということである。というのも、サロンの主人は一人で二役を背負っているからである。

サロンの主人が背負う二重の役割

サロンの主人が背負っている二重の役割とは、一つは場の提供者としての役割であり、もう一つは議論の参加者、プレイヤーとしての役割である。筆者が一〇年以上経験してきた様々な場づくりと議論の経験からして、残念ながらこの二つの役割を両立させるというのは構造上ひどく困難なことだといえる。

ではなぜこの二つは両立困難になるのだろうか。まず、一点目の場づくりという点に関して、よい場をつくるためにはそれなりの配慮が必要であり、参加者全員が満足できる雰囲気をつくり出すことが重要である。そのため場の提供者は常に全体に対して気を遣い、不満を抱いている者がいないか配慮を行き届かせなければならない。この配慮というのは、まさにフロールのブバルが客に対してしていた配慮のようなものである。

実際場をつくるというのはそれだけで相当な労力が必要である。ましてやそれが自分の私的空間であれば、そこが参加者にどう見られるのか、その瞬間だけでなく日常的にも美しく整頓されているか、賞賛に値するような空間であるか等様々な気を遣わなければならない。たとえ一週間に一度程度のこととはいえ、多くの人が参加し、空間まで吟味され、しかもその評判が広められていくような場を維持するためには、常日頃気を遣わなければならず、主人は日々気を張ることになる。『サロンの思想史』によれば、一般に、サロンを成功させる主人というのは「気質も精神も知力も社会的地位もさまざまな客の総体を調和させることができ、人びとの虚栄心を生かして、ひとりひとりの可能性を引き出し、全体を活気づけるために自分が輝くことを犠牲にする能力も持っていなくてはならない」そうである。[33] ここで必要なのは自分の意見や主体性どうこうというよりも、相手を気遣う態度である。それほどサロンという場のために気を遣い、お金も使って彼女は一体何を得るのだろうか。

カフェ店主であれば、それだけの気を遣った対価としての報酬が手に入る。ところが無償で開催するサロンで彼女がカフェ店主のようにお金を受け取ることはない。彼女はお金という利益のために場をつくっているわけではなく、自身の知的好奇心を満たすために場をつくっているのである。そのため、彼女にとっては参加者との会話に参加することが不可欠なこととなる。

ところがここで問題になってくるのが、二点目の議論への参加というものである。議論というのは、主体的に参加し、討議された内容をよりいっそう深めるために時間をかけてじっくりと話し合うことが重要である。また、よりよい議論のためにはできる限り議論参加者との共有認識を持ち、時間をかけて思考を深め、ともにまだ見ぬ世界へと到達しようとお互いに努力することが大切である。

ところがそこに没頭すると、全体を見ることは困難になる。全体を見るために、自分が議論しているグループ以外の人が何を話しているかも知ろうとし、かつお茶やお菓子も切らさないように注意しようとすると、あるグループの深い議論に自分の思考を没頭させ、最後まで参加することはできなくなる。この時、場の提供者が議論の内容にはまるで興味がなく、参加者たちが幸せそうにしている場をつくることだけに満足できるのであれば彼女には何の葛藤も生じない。

しかし、なぜサロンの主人がわざわざ自分の私的空間と時間と労力を最大限に提供してまでこのような場をつくったかと言えば、それは自身が好奇心の強い人間だからである。彼女たちは決して元来従属的で、慈善事業としてのサロンという場をつくったわけではない。彼女たちのボランタリーな行為とは慈善ではなく、あくまでも主体的行為なのである。

ところが素晴らしい場をつくろうとすればするほど、自分の立場は参加者と同等なものではなく、場の管理者、ファシリテーターになってしまう。だがただの管理者になってしまっては彼女は得るものがほとんどない。自分の家で、自分のお金で、サロンのない日も準備しているというのに自分に得るものが何もないというのは耐え難いことではないか？　そうして彼女たちは矛盾を乗り越え、議論に参加しようとする。

ここで主人が矛盾を乗り越えようとした時に、サロンにおける独特の不自然な空気が流れ始める。サロンで何かしら得るものがあり、今後も続けて参加したいと思った者は、主人からの断罪をおそれて安易なことが言えなくなる。というのもサロンは招かれて行く場であって、主人に嫌われてしまってはその場に通うことができなくなってしまうからである。こうして特権的な主人の目をおそれ、彼らは自由に意見が言えなくなる。ヘミングウェイはガートルード・スタインのサロンでの出来事をこう述べている。

彼女は、アンダスンの著作について話したがらなかったと同様に、ジョイスについても話そうとはしなかった。もしジョイスのことを二度話題にしようものなら、もうそれっきり招待にあずかることはないだろう。[34]

場の支配者である彼女の意見がたとえ適切なものでなくとも、誰も正面きって彼女に反対意見を表明することはない。こうして彼女の自尊心は満たされる。しかしそれでは真の議論のもつ深みにまで到達することがない。ここには反対意見もぶつけ合い、それでも乗り越えようとしていく議論特有の力強さは生まれない。このように、参加者からみれば明らかに特権的立場をもった主人が議論に参加し始めると、議論は曖昧でぼんやりとしたものになる。場の提供者でもある主人は、議論が政治的なことにならないように、あまり辛辣にならないように、空気を乱すことのないように、と場の空気を監視し続け、一方で自分の意見も述べる。サロンでは主人だけではなく、参加者たちも彼女の機嫌を損ねずに軽やかな空気を保ち続けるために気を張っていた。サロンでのうわべの会話に嫌気がさしていたルソーは『新エロイーズ』の中で、サロンの様子を以下のように描いている。

　ひとりひとりがなにか発言できるように、あらゆることが話題になる。退屈させないようにと問題を掘り下げることはなく、話のついでにといったふうに問題を提出し、問題は手速く扱い、簡明である結果として手際が鮮やかになる。それぞれが意見をのべるとき言葉少なにそれを主張する。他人の意見をいきり立って攻撃するものはいないし、自分の意見を頑固に守るものもいない。啓発されるために議論をし、論争になる前に切り上げる。[35]

『サロンの思想史』の著者はこの文章を引用しながら「サロンでの会話の魅力をこれ以上見事に描い

た文章を想像することはむずかしいだろう」と述べているが、筆者にはこの文章は魅力どころか批判のように思えてしまう。[36]結局彼らは何のためにこれらの会話をするのだろうか？　これではどこにも到達しえないのではないだろうか？　彼らは呼ばれて行きはすれど、会話の中身は深くなる前にさっくりと切られてしまう。結局主人の前では彼女に気を遣い、恥をかかないように自分の話すことを一生懸命考える。彼らは一体何のためにサロンにやって来たのだろう？　サロンの社交は、主人に気に入られ、名声や人脈を得るためならともかく、思考を没頭させる深い議論を求める者にとっては気が重くなるものだった。

思想の自由を求めてカフェへ

こうしてサロンの参加者たちはサロンについての不平をもらすことになる。ジョフラン夫人のサロンに通ったマルモンテルは、彼女のサロンには思想の自由が欠けていたといい、「例のやさしい、『それでいいですね』という言葉で、われわれの精神にしっかり境界を守らせていた。それで私は皆がもっと気楽にいられる他の場所へと夕食をとりにいったものだ」と述べている。[37]また、『十八世紀とフランス革命の回想』を書いたモルレは、ジョフラン夫人の家での昼食の後、チュイルリー公園へ出かけていって、政府を批判したり哲学を論じたりしていた。彼は「そこで友人たちに会い、ニュース

的な意見を述べている。

をもらったり、まったくあらゆることを『哲学的に』議論した。われわれは大きな遊歩道の木の下で輪をつくって座り、自分たちの呼吸する外気と同じくらい自由で活きいきとした会話に身をゆだねた」そうである。[38] 思想の自由を求め、カフェにも通ったルソーはしばしば社交界の無為について批判的な意見を述べている。

社交界での無為は、やむをえぬことなのだから、つらいのだ。〔中略〕会合でなにもしないでいるのは、強制なのだから、残酷なのだ。椅子にくぎづけにされるか、くいのようにじっと立っていて、手も足も動かさず、そうしたいと思っても、走ることも、はねることも、歌うことも、叫ぶことも、身ぶりをすることも、また、夢想にふけることさえできない。無為のあらゆる倦怠と強制のあらゆる責苦とを同時になめ、どんなバカばなしやお世辞にも耳をかたむけ、頭をなやませねばならない。自分の番がきたら、意味ありげなうそをいうためだ。こんなのを無為とよぶのか。それは囚人の苦役だ。[39]

こうして主人の目を気にして自由な発言も深い議論もできないサロンで、思想の自由を求める客たちは次第にカフェへと足を伸ばしていくことになる。客同士の平等性という点では、カフェでの客同士の平等性も、サロンの参加者の平等性もほとんど変わらないといえる。重要な違いは、カフェとサロンにおける主人の役割の違いである。

カフェの主人は商売としてカフェを経営しているために、自分よりも客の居心地のよさを追求し優先してこそ快適な空間が保たれ、結果としてそれが商売の売上にはねかえることを知っている。ところがサロンの主人は商売で場を提供しているわけではない。彼女たちはほとんど常に「夫人」であって、自分ではお金を稼ぐ必要もない。ただ自分の好奇心が発端となり、自分の時間と場所と労力をサロンの参加者たちのために提供しようと思っているのである。

ところが、素晴らしい場をつくる人は決してプレイヤーにはなれないという、消し去りがたいねじれがサロンには生じてしまう。こうしてサロンに集い、自由を求めた客たちだけでなく、サロンを開催する主人自身も、結果的に大きな葛藤を抱くことになる。全体を活気づけるために自分を犠牲にすることなど到底無理というような、知的好奇心が旺盛な主人たちほど結果として評判を失い、自身も恩を返さぬ客たちへの信頼感を失う結果になってしまう。才気のきらめく女性であったデュ・デファン夫人は、晩年に自身の苦悩をこう嘆く。「ああ、なんてことでしょう。我慢できる人はほんとにすこししかいない。気に入る人間ときたらひとりもいない。…私には誰も彼もいやらしく思えます。[40]」また、大勢の客を温かくもてなしていたガートルード・スタインも、のちに多くの人と絶縁することになる。

彼女たちがこうも嘆き、誰も彼をも嫌らしく思うのは、誰も彼女たちが与えたほどには返してくれなかったからだろう。彼女たちは多くの時間と労力を割いて参加者に与えていたのに、彼らは誰も彼女たちが望むほどに返すことができなかったのだ。

それだけでなく、彼女たちの多くはサロンに自身の才気とエネルギーを投入しすぎたことで、サロンの主人以外の「何者か」にはなれなかった。もし彼女たちも参加者たちと同じようにその才気を生かして何者かになりたかったのだとしたら、彼女たちに恨めしい気持ちが残るのも当然である。ガートルード・スタインはサロンを開く以前から自身を作家として認識していた。彼女はいつ訪れるともしれず執筆の邪魔をされかねない訪問客が来る時間を一定に制限しようと思って、土曜日にサロンを開くことにしたのである。

しかしいくらサロンが週に数回しかないとはいっても、場づくりというのは参加者の想像以上に労力や気力がいるものである。準備も開催自体も一人でとなると、どんなに面白い話題がサロンでのぼったとしても、それを作品にしたてるほどの労力や根気が主催者に残されているかというと疑わしい。場をつくるのにはそのためだけのエネルギーが必要であり、カフェの店主が示しているように、それは一生の仕事となりうるほどのものなのだ。

そういった点からみても、一人で二役をこなそうとした好奇心と熱意と善意あふれる彼女たちは尊敬に値する存在である。また、今日の評判から想像されている以上に彼女たちは人並みはずれた能力を持っていたのだろう。

しかし、彼女たちは二役をこなそうとし、自分が投入すべきエネルギーを主に客たちのために費やすことになってしまった。そこにエネルギーを割かれたが故に客たちと同等かそれ以上の何者かになれなかったというのは非常に悔しいものであろう。しかも、客たちはそれを自分に感謝するどころか、返礼できない恩にがんじがらめにされた結果、「サロンは自由に話もできずに嫌だ」と不平を言うのである。では彼女にとってもサロンというのは一体何になったのだろうか？ あれだけの労力と気力とお金を費やし、他人のために自分のほとんどを注いでいたのに結局何にもならず、恨み言まで言われてしまう。それではデュファン夫人やガートルードのように嘆きたくなるのも当然だろう。

では一体何がサロンをこんな場にしてしまったのだろう？ それは個人の優しさや包容力といった問題ではなく構造上の問題であり、それを無理に乗り越えようとしたことに原因があるのである。もし彼女たちが自分の空間に人を呼ばずに男性同様カフェに通っていたならば？ 歴史にもしもはないとはいっても、才気溢れる彼女たちは作品を通じて歴史に名を残し、客たちのために散財することもなかったかもしれない。女性であるボーヴォワールがあんなにも成功したのは彼女がサロンという「女性らしい」場を選択せず、カフェを選んだからではないだろうか。そこでは彼女に何の特権も存在しないが、思想の自由も、特権に守られずに自身を競争にさらして鍛えることも可能であった。歴史上ごくまれにしか素晴らしいカフェは存在しないとはいうものの、カフェという場が真の力を持ち得たときにはサロンのような構造上乗り越えがたい矛盾というのは存在しない。なぜなら商売で場をつくっているカフェにおいては、客たちは素晴らしい環境を享受しながら誰に気を遣うこともなく、自分の持つエネルギーをプレイヤーとして注ぎきることが可能だからである。

時間的束縛からの自由

カフェにおける様々な自由の中で、三点目に挙げられるのは時間的束縛からの自由である。カフェは朝早くから深夜まで年中営業していたために、いつでも時間を気にせず気軽に行くことができた。ロトンドの営業時間は午前三時から深夜二時までであり、店を閉めるのは真夜中の一時間だけだった。ロシアの詩人イリヤ・エレンブルグは自伝の中で、主人のリビオンは「常連たちが行儀よくしていれば、ときには主人は、暗いがらんとした部屋にもう小一時間ねばり通すことを許してくれた——それは警察の規則に違反することであったが、三時になると、カフェはまた店を開き、話をつづけることができたのであった」と書いている。[41] 戦時中は営業時間に規制がかけられたとはいえ、第一次世界大戦中のロトンドは夜十時まで営業していたし、第二次大戦中のフロールは朝八時から営業していた。規制下においてさえ日本の通常のカフェの営業時間よりも長いくらいなのだから、通常の状態ではどれほどカフェが、時間を気にせずに立ち寄れる場所であったかよくわかる。

それに対してバーの場合は夜しか営業しないため、昼間に居るべき場所を探している者たちの溜まり場にはなりにくい。また誰かの家も毎日のように通うというのは困難である。カフェの場合はいつ訪れてもいいだけでなく、人と話すことも可能であった。気が向いたときに行ったとしても、少なくとも顔見知りのギャルソンか主人とは会話をする可能性があり、友人たちのよく来るカフェの場合は知り合いに会える可能性も高かった。そのため、気分が落ち込んだとき、暇なとき、誰かと話がしたいとき、家に帰りたくないとき、何かニュースがあるとき、そして勿論コーヒーやお酒を飲みたいときなど、いつでも気軽にそこに行き、誰かと少しでも話すことが可能であった。

このようにあくまでも客の自由な気分によっていつでも受け入れてもらえるカフェという場は、束縛や約束を嫌う人物にとってはありがたい場所だった。彼らは人から拘束されることは非常に嫌っているものの、自分が行きたい場所に自分でつくった規則をもとに通うことは好んだようだ。

マン・レイはピカソについて、「街で彼に会うことができるのは昼食のすぐあと、散歩に出かけるまえだった。はっきりした約束はできるかぎり避けていた。約束とか待合せを忌み嫌っていたのだ」と語っているが、そんなピカソもカフェには足繁く通っていた。[42] 彼のカフェ遍歴はスペイン時代に行きつけだった四匹の猫というキャバレーに始まり、モンマルトルのラパン・アジル、モンパルナスのクロズリー・デ・リラの詩の集い、そしてロトンド、フロールという具合に、のちに有名になったカフェにはすべて姿を現している。

また同様に、既成の価値観を押し付けられることが大嫌いなアンドレ・ブルトンもカフェには規則的に通い続けた。同じくサルトルも、ボーヴォワールが言うには「彼は慣例、階級、キャリヤー、家庭、権利、義務などという人生におけるいわゆるまじめなことが全部大嫌いだった。彼は、職業や、同僚や、上役や、監督したり、強要したりする規律をもつという考えに、忍従できなかった」というように束縛されることを忌み嫌った人物だが、彼もクロズリー・デ・リラ、ドームに始まり、のちにその名を世界に轟かせることになるフロールには毎日規則正しく通っていた。[43]

サルトルとボーヴォワールはモンパルナスのクーポールにも足繁く通っていた。彼らは亡くなるまで四〇年間も、クーポールで十三時四十五分から昼食をとる習慣を続けたという。彼らの席の後ろでは主人が、彼らを煩わす者がいないようそれとなく気を配っていた。彼らのテーブルの隣の席は、盗み聞きや好奇心に満ちた視線から彼らを護るためにいつも空席にしてあったそうである。そんな心配りをしてくれるクーポールを彼らは深く愛しており、また、ギャルソンたちも彼らが来る店を誇りに思ってその空間を守ってきた。そのため、一九八〇年のサルトルの葬式の日には、クーポールの前をゆっくりと通ろうとする葬儀の行列に向かって、ギャルソンたちは全員テラスに整列し、折り曲げた左腕にナプキンを掛け、かしこまった厳粛な表情で彼の葬列を見送ったのである。

このように、束縛を嫌う者たちも、他者から強制されることは嫌でも自分で自分のリズムをつくり、好きなようにカフェという場を使っていた。そのカフェに自分が行くかどうかは完全に自分自身の自主性に任されており、だからこそカフェ側も相当に気に入られる雰囲気を持っていないと、お客は次の日には来ることをやめてしまうかもしれない。それでも明日も来てくれるように、今日の居心地をよくするようにさりげなく心を配る、そのような配慮の行き届いたカフェこそが選ばれ、通われるカフェとなったのである。

また、いつ行っても誰かに会えるかもしれないという期待を持たせた場所として、カフェの他にもピカソが過ごした「洗濯船」が挙げられる。一九〇〇年代初頭にモンマルトルに集った若き芸術家たちの多くは洗濯船で共に時を過ごしており、伝説的な酒場のラパン・アジルより、洗濯船という場の果たした役割は大きいと考えられる。

洗濯船はモンマルトルのラヴィニャン通りにあった芸術家の共同アトリエであり、家賃が安いために若い芸術家たちの格好の住処となっていた。ここは一九〇〇年代に若きピカソ、マックス・ジャコブ、アンドレ・サルモン、ヴァン・ドンゲン、フアン・グリス、モディィリアーニなどが住み、モンマルトルの真の芸術創造の中心地となっていた。

ここで求心力を持っていたのは一九〇四年から住み始めたピカソであり、彼は自分のアトリエに毎日のように人を招いて話をしていた(図13)。初期にはスペイン人の出入りが多かったが、彼の友人が増えるにつれて、芸術家や詩人、のちには画商も出入りするようになる。洗濯船は共同アトリエで人の出入りも多く、当時のピカソの恋人であるフェルナンド・オリビエが言うように、「洗濯船はいつでも開いていたし、その時々の金銭状態によって多かれ少なかれ用意されていた食事は誰でもありつくことができた。アトリエの隅に置いてあるマットレスは、少し固かっただろうけれど、いつも遅くまで居た人や、そのとき家がなかった人を受け入れる準備ができていた」[44]。そのため、当時パリ郊外に住んでおり、頻繁に終電を逃しては泊まっていたアポリネールをはじめ多くの者がそこに寝泊まりし、芸術についていつまでも語り合っていた。洗濯船は、冬は凍るように寒く、夏は蒸し風呂のようであり、テーブルクロスも水も共用していた。プライバシーもあまりなかったが、だからこそ誰かと出会って会話をする機会も豊富にあり、お金はなくてもアイデアで温かな雰囲気をつくっていた。ピカソにとっては何年経っても洗濯船の思い出は重要であり、名声を得て豪華な家に住めるようになってからも洗濯船の雰囲気を再現しようとしてい

図13
洗濯船時代のピカソ
1906年

たほどだった。

ところが若き日のピカソは、いつまでも貧乏な生活に甘んじていたいとは思っていない。彼は名が知られてきた一九〇九年に、遂に恋人のフェルナンドと共にクリシーのブルジョワ風のアパルトマンに引っ越しをする。それまで家具などほとんど持っていなかったピカソも家具を買い、女中を雇い、それなりの生活ができるようにはなった。しかし同時に洗濯船時代にあった楽しさが失われ、ピカソは以前にも増して不機嫌で無口になっていった。この引っ越しを機に、親友アポリネールの足も遠のくようになる。というのも、開放されており、いつでも出入り出来た洗濯船と違い、この閉ざされたアパルトマンへ入るにはまず女中を通さなければならず、何となく訪ねるという気楽さが失われたからである。

ピカソとフェルナンドには人を呼ぶつもりがあったにせよ、来訪者の立場からしてみるとたくさんの人が住む半ば公共空間のような洗濯船のピカソのアトリエに行く気楽さと、ようやく二人きりで住めた恋人たちの閉ざされたアパルトマンに足を向けるのとでは行きやすさがまるで違う。また、洗濯船ではたとえピカソがいなくても、他の住人たちや来訪者、思いがけない出来事と出会える可能性も高かった。

しかし女中のいるアパルトマンでは、ピカソが外出している場合は「今は外出しております」で終わってしまい、わざわざ出向いてもただの徒労になってしまう。まだ電話を持っていなかったこの時代、ピカソとアポリネールは家で会う約束をするために何度も速達便を送りあう。「明日の昼にご飯を食べにこないか?」「明日の夜なら行ける」「ああ残念! それじゃ駄目だ。ぼくはその頃スペインに向かってしまう」。こうして何度も速達便を送り合ったのも、洗濯船でのように気楽に会えなくなってしまったからだろう。頻繁に旅行し外出しているピカソが、同じく激しいスピードで動き回っているアポリネールの空いた時間にたまたま家に居るのかどうか、それは難しい判断だった。そうしてアポリネールは、「君の家の近くに家を探そうと思うんだ」という手紙を書いて送っているが、結局恋人のマリー・ローランサンの家の近くに住むことになる。このように、頻繁にピカソの家で会うことが難しくなったからこそ彼らは今度は家の外で出会うようになり、それがモンパルナスのカフェになっていったといえるだろう。

ピカソがモンマルトルの洗濯船を出るのが一九〇九年、そしてパリの南のモンパルナスが栄え始めるのはちょうど一九一〇年代からである。ピカソという偉大な求心力を失ったモンマルトルは廃れ始め、一九一四年にはムーラン・ルージュも閉店してしまう。カフェであれば、洗濯船と同様に自分の都合で前もって約束をせずに訪ねていっても、会いたいと思っていた人物がそこにおらずとも、そこに自分が居つづけることが可能である。また、予期せぬ誰かに出会える可能性もあれば、本を読むことも詩作することも可能である。丁度この時期を境に、芸術の中心地はモンマルトルからモンパルナスへと移行する。洗濯船で人々を快く受け入れていたのはピカソとフェルナンドであり、彼らがいなくなってしまった後の洗濯船は求心力を失い、新しい動きを模索する芸術家たちは他の場所での出会いを求めることになるのである。

振る舞いの自由

カフェにおける自由の四点目としては、振る舞いの自由が挙げられる。先述したように、カフェには一杯の飲み物を頼むというルールしかなく、後はどのように振る舞おうと基本的には自由である。レストランと違って、カフェにはコーヒーをいかに飲むべきかという作法など存在しない。コーヒーにたっぷりミルクを入れようが、砂糖を入れようが入れまいが、お菓子とともに食べようが、音をたててコーヒーを飲もうが、カップをどの手で持とうが自由である。だからこそ、数々のコードが存在しているレストランやお茶会などに比べて、多種多様な人が自分の好きなことをしにやって来るのである。

実際、本書を執筆していた京都のカフェでも、様々な人が思い思いに時を過ごしていた。勉強する人、語学レッスンをしている人、パソコンを使う人、待ち合わせをしている人、眠りに来る人、商談をし契約書を書かせている人、鴨川を眺めている人、赤ん坊を連れてくる人、ママ友と話をする人、打ち明け話をしている人、あるときふっと泣き出す人、編み物をする人、恋人と戯れる人、友人とまったり過ごす人、仕事の準備をする人、化粧する人、大勢で議論をする人、はたまたチェスをし出す外国人まで、皆まわりのこともほとんど気にせず好き勝手に過ごしている。こんな雑多な行為が交じるこのカフェに外国人が非常に多く出入りするのは、母国のカフェを思い出すからかもしれない。このようにカフェでは、同じ空間に存在する客たちがおのおの違った目的を達成しようと好きな時間を過ごしていられる。そこには誰かに対する気兼ねというのが存在せず、高級レストランとは異なる自由な時間を過ごしている。

ただしときには、店側が品位を保つために最低限のルールを掲げることもある。たとえばかつてのロトンドは、娼婦と思われたくなければ帽子をかぶるべきだという暗黙のルールがあった。また、ドゥ・マゴでは上着の着用が義務づけられていた。とはいえそれらのルールが厳しくなればなるほど、客たちは自由を奪われたと感じ、そのカフェに対する不快感をあらわにするだろう。たとえば有名になり改装された後のロトンドで、帽子をかぶっていないからといって給仕を拒否されたモデルのキキは、「カフェは教会じゃないのよ!」と言って激怒している。その理由が腑に落ちなければ落ちないほど、彼らは今後そのカフェに来ようとしなくなるだろう。客たちはコーヒーを飲むためよりも、自分のやりたいことをやろうと思ってカフェという場に来るわけだから。

それに対して、誰かの家というのはその人の私的空間であるから、サロン同様、主人を気にして振る舞いにも気を遣わなければならない。家やサロンとカフェとの違いは、好きなときに行けるかどうかだけではなく、好きなように振る舞っていられるかどうかでもあり、やはりカフェの方が空間に参加する者の自由度は高いといえるだろう。一九〇七年にサン＝ラザール駅近くのヘンレール街に引っ越しをしたアポリネールの家はきれいなブルジョワ風の家であり、よく人を招いていた。とはいえ、彼の家ではかなり気を遣わなくてはならなかったと、フェルナンド・オリビエは回想する。

特にベッドには絶対に触ってはいけなかった。〔中略〕彼のベッドは神聖なものだったのだ！ベッドは元のままの静止した状態でいなければならなかった。玄関の衣装掛けはとても小さかったのに、ベッドの上には何も置いてはいけなかった。もし私たちのうちの誰かがベッドの上に座るなんていう自由な振る舞いをしようとしたら、それはスキャンダルだった。彼の恋人でさえもそうする権利はないのだった。[45]

それに対して、アポリネールも好んだカフェでは、誰もが自分のしたい行為ができた。またカフェでは、自分の知り合いがやってきたからといって必ずしも相手をしなくてもよく、自由を干渉されずに自分の好きなように振る舞っていることが可能である。ウィーンのカフェはどうあるべきかということを書いたヴォルフガング・フッターは、『ハヴェルカ──一軒のカフェ』の中で、「親しい人が隣席にいても、何時間も言葉を交わさずとも、失礼でないといった具合でなければならない」と述べている。[46] 誰かと待ち合わせをして来たならともかく、自分の都合でカフェに来た人たちが偶然そこで出会ったのなら、彼らは自分のやりたいことをそのまま続行すればいいのである。カフェにおいては放っておかれる権利が尊重されるべきであり、同じ空間にいるからといって同じ振る舞いを要求されるべきではない。たとえばロトンドの常連だったイリヤ・エレンブルグは、ロトンドのピカソについて、「暗い顔をしてロトンドにすわっているときは、ほとんど口をきかなかった。たまに機嫌がいいときは、冗談口を叩いて、友人たちを困らせた」と述べている。[47]

このように、ピカソはロトンドではまわりの目も気にせず、自分の機嫌のままに振る舞えた。それに対して、ピカソも親しくしていたガートルード・スタインのサロンでは、話したくもないのに説明を強要されることに対して彼は腹を立てていた。フェルナンド・オリビエは、サロンでのピカソの様子をこう伝えている。

このサロンは不愉快なものではなかったのだが、ピカソはほとんどの時間を無愛想で陰気に過ごしていた。そこにいる人々が彼を嫌な気持ちにさせたのだ。彼らは彼にとって難しいことをよりによってフランス語で表現させようとし、彼が説明したくないと思っていることを説明させようとするのだった。[48]

ピカソは長いことガートルードと仲良くしていたのだが（図14）、サロンという場に集まって注目されると、彼は参加者から無理矢理口を開かされることになってしまう。それが嫌だったピカソだからこそ、有名になっても出来る限り放っておいてもらえるカフェで、誰にも文句を言わせず好きに振る舞っていたのだろう。

またボーヴォワールは、サルトルと年下の友人たちからなる「うちの一族」が占領下の時代にフロールにいたとき、皆知り合いではあるが別々に好きなように振る舞っていたと述べている。

時々「うちの一族」が全員フロールにいることもあった。しかし、私たちの主義に従い、あちこちの隅に散らばっていた。たとえば、

図14
ピカソが描いた
ガートルード・スタイン
1906年
ニューヨーク
メトロポリタンミュージアム蔵

サルトルがひとつのテーブルでヴァンダと話していたり、リーズがブールラらともひとつのテーブルに、そして私は私でオルガの傍に坐っているというぐあいだった。[49]

これを見ても、カフェという空間においては自分が話したくなければ話さないでよく、話したいと思えば話をすればよいという客同士の完全な自主性による自由があることがわかる。ヘミングウェイは先述の友人が「自分のカフェ」に立ち寄ったときの嫌悪感をこう述べている。

緑色の背のノートブック、二本の鉛筆と鉛筆削り〔中略〕、大理石を張ったテーブル、掃き出したり拭いたりする早朝のにおい、それに幸運さえあれば、それでたくさんだった。〔中略〕
するど、だれかが呼ぶ声が耳に入ってくる。
「やあ、ヘム。何をしようってんだい？　カフェでものを書くのか？」
それで幸福はおしまいになり、ノートブックを閉じる。これが最悪の出来事なのだ。[50]

おそらくこの出来事を通してヘミングウェイは、この友人を場をわきまえない者だと思っただろう。もしこのようなことをカフェの店主やギャルソンがするようであれば、その店が文学カフェとなることはないだろう。カフェに通った客たちは社会の中で自分の思想に干渉され、口出されることがあまりに嫌で属すべき場所を飛び出した。そしてやっと避難所だと思ったカフェにおいてまで干渉されようものなら彼らはそこから去るだろう。素晴らしい雰囲気を保つカフェにおいては、ギャルソンや主人も、客が話したそうなそぶりをみせれば話し、そうでなければ邪魔しないように放っておく。その客たちの微妙な雰囲気を読む力を彼らは毎日の仕事において身につける。[51] このように、誰にとっても居心地のいい空間を保つことがカフェという空間を維持する者にとって非常に重要なプロ意識である。そういった配慮ができるかどうかで客の居心地のよさは左右され、結果としてそれが売上にも響くことになる。カフェでは好きなように振る舞えるだけではなく、自分の振る舞いについて基本的に干渉されない自由も存在するのである。

またモンパルナスのカフェでは、特に夜など多少うるさくする自由があり、イベントを開催することも可能であった。もちろん芸術家たちの家でも様々な催し物は開催されたが、人々が安らぎを求める住空間で、誰かの家に集まった人たちが夜中に大騒ぎをすると、他の住民に大いに迷惑をかけることになる。家で大騒ぎをして大変な目にあった一人にマン・レイがいる。

モンパルナスのカンパーニュ＝プルミエール街のアトリエに引越したとき〔中略〕この界隈の識りあいぜんぶ、それにパリの他の地区からも著名な人々を招いて、新居披露の宴を張ることにした。ダダイストのほとんどもやってきた。そして客はめいめい一本持参した。ツァラが桶を見付けてきて、種類のちがう酒類を一ダースあまりそれに空けた。午前二時頃にはお祭騒ぎはたけなわで、地獄のような騒音がしていた。〔中略〕全体としてみれば、この宴会は大成功で、社会的なわけへだてもぬぐい去って、数時間のうちにすべての客が酒に酔い、幸福な気分になり、そして帰って行った。〔中略〕

翌朝わたしは扉の呼鈴で眼を覚まされた。門番の女が手に一枚の紙片をもって立っていた。それはわたしの即時退去を要求する、入居者たちの署名のある住居の持主宛の書状だった。[52]

それに対し、モンパルナスのカフェ、特に夜のカフェは「狂乱の時代」と言われるように大騒ぎに満ちていた。『詩と散文』の集いが開催されていたクロズリー・デ・リラでは、二〇〇人ほどの参加者の声と声とが混じって非常に騒々しい中を、主催者であるポール・フォールやジャン・モレアスが負けじと声をはりあげて皆に伝えたいことを言おうとしていた。また、藤田はロトンドでの喧嘩についてこう書いている。

ある年の七月十四日のお祭りの晩だつたが、同じロトンドのテラスでアルメニアの画家のシャバニョンが、スペーン系の美人の女房のことからキュービストのメッサンジェールと三角関係の喧嘩が始まり、シャバニョンは事もあろうにメッサンジェールの耳朶を食い切つたものですよ。その騒ぎに我等仲間は総立ちになつてね、シャバニョンが口から吐き出した耳のカケラを、一生懸命になつてテラスの椅子の下とかオガ屑のなかとかを探し回ったものだつたがどうしても見当たらず、そのうちに今更それを探し当てても再び元には戻らないということに気が付いてね、大笑いしたものでしたよ。[53]

このような事件は想像を絶するように思うが、カフェという場所では自分の想像を遙かに超えたような異様な事件が容易に起こるものである(図15)。

一九二五年七月二日に、シュルレアリストたちの大騒ぎで悪名高い「サン・ポル・ルーの宴」が開催されたのはクロズリー・デ・リラである。この宴は、そもそもは詩人サン・ポル・

図15
藤田の描いた
1925年のロトンド
喧嘩は日常茶飯事だった

ルーに敬意を示して行われるはずの宴であり、シュルレアリストたちも参加していた。ここにはシュルレアリスムを馬鹿にしている人物が何人か集まっており、シュルレアリストたちは彼らに敵意を抱いていた。ここには以前パリ・ソワール誌が問いかけた「フランス人男性はドイツ人女性と結婚できるだろうか?」というアンケートに対して、「フランス人男性とドイツ人女性の結婚は許せないばかりか言語道断である」と書いたラシルド夫人も参加していた。彼女の単調で聞くに堪えない会話に嫌気がさしたブルトンたちはついに騒ぎを起こし始める。「もう長いこと彼女にはウンザリなんだ!」。サン・ポル・ルーはこのようなパリ文学界の風習にはほとんど慣れていなかった。そして悲嘆にくれて、「もう少し女性に親切にしましょうよ」と言ったところ、シュルレアリストたちは叫び始めた。「親切なんてクソくらえ!」。そして突如、ブルトンの友人たちが合図とともにテーブルの下から出てきて宴会をめちゃくちゃにする。招待客たちがパニックにおちいって警察を呼びに行った時、ブルトンは逆上してバーンと窓をあけ、「ドイツ万歳!」と叫んだ。ミシェル・レリスは「フランスを倒せ!」と叫んで窓から身を投げ、集まった群衆の中に身を投じて危うくリンチされかけた。空になった部屋ではロベール・デスノスがカーテンレールをわしづかみにしてバランスを取っていた。こうして格式高い宴会は、一瞬にして崩壊してしまったという。

このような信じられない事件が頻繁に起こったカフェは、警察に目をつけられるようになっていく。

そもそもヨーロッパにカフェ文化が入ってきた頃から、どこの国でも、カフェという場は既成秩序を乱すような者がいるということで警察には目をつけられていたものである。とはいえ、ロトンドの主人リビオンは、決して警察の力を借りずに自分で喧嘩を仲裁し、店内の秩序を自ら保とうと努力していた。カフェでは振る舞いの自由が許されているとはいえ、このように騒がしくなったモンパルナスを離れ、静かな場所で議論や執筆活動をしようとし、他の地区に移った人が多いのも事実である。ちょうど一九三〇年代から、まだ村のような雰囲気のあったサン＝ジェルマン・デ・プレが次第に栄えた理由に、モンパルナスがあまりにうるさく観光化されてきたという事情もあるのである。

かけがえのない避難所

以上見てきたような様々な自由が保障され、客にとって居心地のいい場所になったカフェは彼らの真の「避難所」となり、彼らはそこに「住み」始める。二十世紀前半のパリは現在想像する以上に住環境が整っておらず、特に貧乏芸術家たちにとって彼らのすみかは決して居心地のいいものではなかった。たとえば洗濯船時代のピカソは夜中にろうそくの光を使って絵を描いていたし、一九二〇年代のヘミングウェイも、冬の冷雨が降る寒い中、部屋を暖めるために薪がいくら必要かを考えた結果、カフェに足を運ぶことにする。

そのホテルの最上階に私は一室を借りて、そこで仕事をしていた。〔中略〕そこはとても寒かったが、小枝のひとたばや、枝から点火するための、松の木を短く鉛筆半分くらいの長さに割ったものを針金でくくった三つのたばや、さらに、部屋をあたためる火を作るために、どうしても買わなくてはならない半乾きの固い薪のひとたばを手に入れるには、どのくらい金がかかるか、私にはわかっていた。そこで、私は、街路の向う側へいって、雨の中の屋根を見上げ、煙を出している煙突があるかどうか、また煙の出具合はどうかを見た。ところが煙が出ていなかったので、〔中略〕燃料がむだ使いされ、同時にお金も浪費されていることなどを考えながら、雨の中を歩きつづけた。

〔中略〕

しまいにサン・ミシェル広場にあるカフェへやってきた。〔中略〕それは、あたたかく、清潔で、親しみのある気持の良いカフェだった。私はコート掛けに私の古いレインコートをかけて乾かし、ベンチの上の方の帽子掛けに、自分のくたびれて色のさめたフェルト帽をかけ、カフェ・オ・レを注文した。ウェイターがそれをもってくると、私はコートのポケットからノートブックを出し、鉛筆をとり出して、書きはじめた。[54]

こうして彼は寒い部屋を抜け出し、暖かく環境の整ったカフェで執筆する習慣をつけてゆくのである。また、第二次世界大戦中のボーヴォワールも同様に、部屋の寒さに耐えられずにフロールへと通い始めることになる。

私の部屋の凍りつくような湿気の中で勉強するのはとうてい不可能だった。キャフェ・フロールは寒くなく、電燈が消えた時でもアセチレンのランプでも少しは光があった。この時から私たちは暇な時間があるとキャフェ・フロールに行って腰を落ち着ける習慣がついたのである。〔中略〕とくに冬は、私は開店と同時に来ていちばん良いストーヴの煙突の脇の最上席をとった。[55]

こうして彼らは自分にとって一番居心地のよいカフェを探し出し、それを「自分のカフェ」にする。先述したように、カフェにおいては客に対する様々な配慮が要求されるため、素晴らしい雰囲気のカフェをつくるというのは並大抵のことではない。そして、残念なことに世の中には良いカフェが数多く存在しないが故に、配慮の行き届いたある特定のカフェに、それを求める客が集まってくる。カフェの主人は、こうして自分の商売をうまくいかせるために客たちが何を求めているのかを敏感に察知しながら、カフェという空間をつくってゆく。

カフェという場所は主人が所有する場なくしては成り立たないし、また、その場を維持するために客たちが払うお金なくしても成り立たない。良いカフェというのはこのように主人と客との双方向の視線があって成り立つものである。客の方も、あえてそのカフェを選んでいるわけであるから、「自分のカフェ」が存在していてくれないことには自分の居場所を失ってしまう。ヘミングウェイは先述の友人がクロズリーに来たときのことをこう回想している。

さて、それが偶然の出会いであり、その男は全くふらりと入って来ただけであって、これからずっとここを荒らすわけではないだろうと思って、ひとまず引上げることだってできた。他にも、仕事するのに良いカフェはいくつかあった。けれど、それらへは相当長い道のりがあり、このカフェが自分のホーム・カフェになっていたわけである。クロズリ・デ・リラから追い出されるなんて、とんでもないことだった。[56]

彼がここを選んでいるのは、ここだからこそ安心して書けるからである。もしクロズリーを追い出されたら？　もし騒々しいカフェになってしまったら？　もしここが閉店してしまったら？　彼は居場所を追われてしまう。それほどまでにあるカフェに通う者にとってはそのカフェの存在や存続というのは重要なことである。

また主人の方は、生きていくためにこの商売を続けることが必要であり、よりよい商売のためには客の満足度を上げ、確実に通ってくれる者を増やすことが重要である。カフェに来るかどうかというのは完全に客の自由意志にかかっている。主人はせいぜい来なかった常連客に不平を言うことくらいはできるが、彼を完全に引き留めるような権利も力も持っていない。あるカフェとそこに通う者たちの関係性というのはがっちりしているかのように見えて、かなりもろい偶然性の上に成り立っているものなのである。

だからこそ、あるカフェの持っていた魅力が少しでも失われたり、その場の雰囲気が変わらなくても客自身がカフェを変えて人生のステージを変えようという気持ちになることで、カフェとそこに来る客たちとの関係性は変わってしまう。かつてのウィーンのカフェでは、給仕が一人変わるだけで無政府状態になると言われており、常連客は雰囲気の変わってしまったカフェにあまりいい印象を抱かない。

実際、歴史にその名を残しはしたが、大きく形を変えていってしまったカフェは数多い。たとえばモンマルトルの有名なラパン・アジルも、店主のジルがかつては芸術家たちに優しくしていたものの、有名になってからは売れている芸術家しか相手にしなくなったとピカソ周辺の若き芸術家たちに批判されている。

ロトンドは、主人のリビオンがいなくなった後、後継者によって事業を拡大されダンスホールまで作ったことで、かつて通った客たちに批判されている。かつて主人のリビオンと仲のよかったモデルのキキが、帽子をかぶっていないからという理由で給仕を拒否され激怒したのもこの頃だ。そしてロトンドが変わり始めた頃、まだ寛容だった向かいのドームに客が流れていったのである。

しかし、何度も言うように、居場所のない者にとってあるカフェというのはそのカフェでなければならないかけがえのない存在である。そのカフェが消えたとき、新たなカフェを見出せなければ彼らは居場所を失ってしまう。どれほどまでにカフェという場が居場所のなかった芸術家たちにとって重要であったかを、十九世紀末のウィーンのカフェ、グリーンシュタイドルに通った辛辣な批評家、カール・クラウスはこう述べている。

《ウィーンはいま、大都会になるために取り壊される。》、《古い家並みとともに、われわれの記憶の最後の列柱が倒れてゆく。》そしてまもなく、遠慮会釈もないつるはしが尊き〈グリーンシュタイドル〉をも打ち壊してしまうだろう。その結果を見極めずに建物の持ち主がくだした決断。われわれの文学は宿なしの時代を迎え、詩人たちが作品を紡ぎ出す糸は無残にも断ち切られる。自宅では文士たちもひきつづき楽しい社交にいそしむことだろうが、他に類を見ぬほど文学交流の中心たりえる資格をそなえていたと思われるこのカフェでこそ、職業生活、つまり多様な神経の、いらいらと興奮をともなう仕事が進められたのである。[57]

結局、グリーンシュタイドルにいた客たちはそのまま近くのカフェ・ツェントラールに流れ、ツェントラールは文学カフェとして歴史に名を残すことになる。ウィーンやパリのようにカフェに囲まれた街に住む者は幸運である。彼らはたとえその居場所を失ってしまっても、何千とある同様のカフェの中からそれなりにいい場所を選び取ることが可能だからである。場があれば何かが生まれるわけではないにせよ、何かが生まれるためには居続け、語り続けることのできる場が必要である。志があったにせよ、それをわかちあい、ともに切磋琢磨しあえる仲間に出会える場がないのなら、孤独の果てに志まで失われることもある。現在でも芸術の都としてその名を世界に轟かせているパリやウィーンが、カフェに囲まれた街であったというのも決して偶然の一致ではないのだろう。

1 藤田嗣治『藤田嗣治書簡―妻とみ宛(一)』、資料番号十四
2 ルイ＝セバスチャン・メルシエ『十八世紀パリ生活誌 タブロー・ド・パリ(下)』、四五頁
3 Gérard-Georges Lemaire, *Les Cafés littéraires*、二三五頁
4 シモーヌ・ド・ボーヴォワール『娘時代―ある女の回想』、二〇四〜二〇五頁
5 シモーヌ・ド・ボーヴォワール『娘時代―ある女の回想』、五七頁
6 André Salmon, *Souvenirs sans fin 1903-1940*、八八三頁
7 シモーヌ・ド・ボーヴォワール『娘時代―ある女の回想』、二四九〜二五〇頁
8 シモーヌ・ド・ボーヴォワール『娘時代―ある女の回想』、二五三頁
9 シモーヌ・ド・ボーヴォワール『娘時代―ある女の回想』、二七五頁
10 平田達治『ウィーンのカフェ』、二五四頁
11 シモーヌ・ド・ボーヴォワール『女ざかり―ある女の回想(上)』、二六五頁

12 シモーヌ・ド・ボーヴォワール『女ざかり―ある女の回想(下)』、二〇頁
13 イリヤ・エレンブルグ『芸術家の運命』、四〇頁
14 イリヤ・エレンブルグ『わが回想(一)』、一九一頁
15 イリヤ・エレンブルグ『芸術家の運命』、二四～二五頁
16 アーネスト・ヘミングウェイ『移動祝祭日』、一〇〇～一〇一頁
17 シモーヌ・ド・ボーヴォワール『女ざかり―ある女の回想(上)』、三二五～三二六頁
18 シモーヌ・ド・ボーヴォワール『女ざかり―ある女の回想(下)』、一五八頁
19 Arnaud Hofmarcher, *Les Deux Magots, chronique d'un café littéraire*、六六頁
20 マン・レイ『マン・レイ自伝 セルフポートレイト』、一二二頁
21 藤田嗣治『藤田嗣治書簡 ―妻とみ宛(一)』、資料番号二十
22 シモーヌ・ド・ボーヴォワール『娘時代―ある女の回想』、二一一頁
23 Léon-Paul Fargue, *Le Piéton de Paris*、三一頁
24 シュテファン・ツヴァイク『ツヴァイク全集(一九)昨日の世界Ⅰ』、六八～六九頁
25 André Salmon, *Souvenirs sans fin 1903-1940*、九三頁
26 ジャニーヌ・ヴァルノー『ピカソからシャガールへ ―洗濯船から蜂の巣へ―』、一八五頁
27 アーネスト・ヘミングウェイ『移動祝祭日』、一一五～一一六頁
28 ユルゲン・ハーバーマス『公共性の構造転換』、五六頁(著者要約)
29 クリストフ・デュラン＝ブバル『カフェ・ド・フロールの黄金時代 よみがえるパリの一世紀』、九六頁
30 赤木昭三／赤木富美子『サロンの思想史』、一七九頁
31 赤木昭三／赤木富美子『サロンの思想史』、八五頁
32 富永茂樹『理性の使用 ひとはいかにして市民となるのか』、二〇七頁
33 赤木昭三／赤木富美子『サロンの思想史』、二一〇頁
34 アーネスト・ヘミングウェイ『移動祝祭日』、三四頁

35 赤木昭三／赤木富美子『サロンの思想史』、三〇九頁
36 赤木昭三／赤木富美子『サロンの思想史』、三一〇頁
37 赤木昭三／赤木富美子『サロンの思想史』、三一〇頁
38 富永茂樹『理性の使用 ひとはいかにして市民となるのか』、一八七頁
39 ジャン・ジャック・ルソー『告白(下)』、二二九〜二三〇頁
40 赤木昭三／赤木富美子『サロンの思想史』、二二〇頁
41 イリヤ・エレンブルグ『わが回想(一)』、一八三頁
42 マン・レイ『マン・レイ自伝 セルフポートレイト』、二二六頁
43 シモーヌ・ド・ボーヴォワール『娘時代—ある女の回想』、三二二頁
44 Fernande Olivier, *Picasso et ses amis*、十一頁
45 Fernande Olivier, *Picasso et ses amis*、七二頁
46 平田達治『ウィーンのカフェ』、十七頁
47 イリヤ・エレンブルグ『芸術家の運命』、六〇〜六一頁
48 Fernande Olivier, *Picasso et ses amis*、一七三頁
49 シモーヌ・ド・ボーヴォワール『女ざかり—ある女の回想(下)』、一五七頁
50 アーネスト・ヘミングウェイ『移動祝祭日』、一一四〜一一五頁
51 筆者のロトンド主人へのインタビューによる(二〇〇六年十月、ロトンド店内にて)
52 マン・レイ『マン・レイ自伝 セルフポートレイト』、一五一〜一五二頁
53 藤田嗣治『巴里の昼と夜』、二四頁
54 アーネスト・ヘミングウェイ『移動祝祭日』、三〜五頁
55 シモーヌ・ド・ボーヴォワール『女ざかり—ある女の回想(下)』、一五四頁
56 アーネスト・ヘミングウェイ『移動祝祭日』、一一五〜一一六頁
57 クラウス・ティーレ＝ドールマン『ヨーロッパのカフェ文化』、一三〇頁

column

サードプレイスとしてのカフェ

映画『アメリ』の舞台となったモンマルトルの
カフェ・デ・ドゥ・ムーラン

家庭でも、職場でもない、第三の場――サードプレイスという概念についてご存知の方は、何故本書中、この言葉に関する言及が一つもないのか疑問に思われたことだろう。理由は簡単で、この本の執筆当時、レイ・オルデンバーグの『The Great Good Place』の邦訳は存在せず、主に二十世紀前半のフランスのカフェや芸術家について研究していた私は、英語で書かれた原書の存在を知らなかったからである。私がその本の存在を知ったのは本書の出版後に、内容に関心を抱いてくれた先生方が勧めてくれてからだった。本書の誕生とほぼ同時に息子が生まれ母親になった私は、子育ての合間を縫っては辞書を引き、なんとか時間をつくってこの本を読んだ。そして我ながら驚いたのは、日本で書かれた私の本とアメリカで書かれた彼の本との相似点の多さである。何故両書に共通点が多いかといえば理由は単純で、二冊の本に共通するのは、実際にカフェやサードプレイスに通う経験を通して、場の特質を考察しようとしている点である。カフェの常連となり人との出会いを楽しんだことのある者は、どちらの本を読んでも「そうだよ、カフェっていうのはそういう場なんだよ」と言うだろう。『The Great Good Place』の邦訳である『サードプレイス　コミュニティの核になる「とびきり居心地よい場所」』が二〇一三年に出版されてから、たった数年で、この概念は一気に日本に広まった。とはいえ原書を何年も読んできた者からすると、日本ではサードプレイスという言葉だけが一人歩きしているように思えてしまう。私が主に疑問を抱いているのは次の二点である。一点目は、彼が冒頭で長々と説いた、インフォーマル・パブリック・ライフの中核としてのサードプレイスという概念がほぼ読み飛ばされているということである。日本ではビルの三階にあってもサードプレイスとして成り立つといった風潮だが、オルデンバーグはサードプレイスはインフォーマル・パブリック・ライフの中核として機能する場だと述べている[1]。インフォーマル・パブリック・ライフとは、気軽に行けて、予期せぬ誰かや何かに出会えるかもしれない場所であり、バカンスを想起させるリラックスした雰囲気が特徴である。こうした場は一般的に、人の集まる街路や広場のような路面に存在する。そうした場の中心点にカフェのような店があることの重要性が、日本でしっかりと認識されているようには思えない。特にオープンカフェが街の活性化にいかに役立つかについては二冊目の本でしっかりと語るつもりである。

二点目は、サードプレイスという概念が、家庭でも職場でもない三つ目の場であるという点にばかり力点が置かれていることである。確かに、家庭でも職場でもなく、自分の時間を持ちたいときに寄れるカフェは日本でもぐっと身近な存在となり、仕事帰りなどに一人でそうした時間を過ごせることは非常にありがたい。とはいえオルデンバーグが提唱するサードプレイスの概念は、ただ職場でも家庭でもないだけでなく、そこで誰かと気軽に落ち合い会話することこそが重要なのである。

サードプレイスという概念が広まった一方で、多くの個人経営のカフェは苦戦している。二〇〇〇年頃から東京ではカフェブームが起こり、都心にも個性的なカフェが次々とオープンしたが、当時有名になり、今でもそこに残っているカフェはごくわずかであり、三年前に出版されたガイドブックすらたいして使いものにならないほど、生き残るカフェは貴重な存在である。個人経営のカフェには競争相手があまりに多い。料理の質では、きちんとした修行を積んだシェフのいるレストランに負けるかもしれないし、ドリンクの味が並みであれば、値段の安いものが選ばれるだろう。サードウェーブ系の店を訪れた後、「この店とコンビニのコーヒーの違いが私にはわからない」と言う声もよく耳にする。そう思った彼らがどちらかを選ぶとなったら、選ぶのは街角にあり、安くて便利なコンビニの方だろう。

では人々が個人経営の店にこそ求めることは何なのだろう？　コーヒーの味わいの良さ？　パティスリー並みのケーキ？　それとも長居できること？

邦訳からまだ六年しか経っておらず、本の価格は四〇〇〇円以上もするにも関わらずこの言葉が日本でここまで認知されるようになったのは、こうした場を人々が求めているからだろう。一方で、実際にサードプレイスとして機能している一般のカフェはごくわずかである。日本にはカフェや飲食店は山ほどあり、毎年カフェのガイドブックが出版されているというのに、そこに行けば

楽しそうに語り合う人々で満ちているパリのカフェテラス

誰かと気軽に会話ができ、ほっとして気分が少し上向きになる、そんな温かみのあるカフェに出会うことは難しい。

　とはいえそんなサードプレイス的なカフェこそ、今の社会が求めているものではないだろうか。いまどき、質の高いコーヒーを飲むことだけであれば自宅で十分実現可能である。そんな中、人々があえて家の外の場に求めることの一つは、家庭内では実現できない、他の人々とのちょっとした触れ合いの機会ではないだろうか。高齢化社会がどんどん進み、引きこもり状況にある人も増えているといわれる今、人々の生活圏に、サードプレイスとして機能する場は欠かせない。サードプレイスでは、飲み物や食べ物の質は良いに越したことはないものの、それほど重要なものではない。飲食物はその空間へ入るための入場料、エクスキューズとしての役割の方が強いからだ。そこでゆっくり滞在することができ、他ではできない心の交流や心温まる経験、いい時間が過ごせたなと思えるのであれば、人は感謝の気持ちとともにその対価を支払うだろう。カフェでの経験がそこでしかできない経験に変化したとき、ドリンク代は純粋な飲み物代としてでなく、経験料という認識に変化する。

　フランスやイタリアにおけるカフェ、イギリスにおけるパブが成り立ってきたのは、そこでただ喉の渇きを潤すためだけでなく、人に出会い、自分を受け入れてほし

地元の人たちでにぎわうモンマルトル裏手のカフェ

いという欲求を満たしてくれる場だったからである。そこで何より大切なのは温かさであり、オルデンバーグは、「温かみのない家庭は存在するが、温かみのないサードプレイスはありえない」と述べている。[2] 人がサードプレイスに行くのは、銀行やショッピングでは満たされない、ふれあいの欲求を満たすためなのだ。人は人から得る刺激を欲しており、人と一緒にいたいと願いつつも、干渉されるのは嫌という矛盾を抱えているからこそ、店主や隣り合った人と気軽に会話のできるカウンターがあり、座りたければ席に着いて放っておいてもらえるという、自由度が高く、使い勝手のいいカフェが重要な場となるのである。個人経営のカフェはそんなサードプレイスとしてのポテンシャルを持っているといえるだろう。

1 Ray Oldenburg, *The Great Good Place*、一一六頁
2 Ray Oldenburg, *The Great Good Place*、四一頁

カウンターは常連客とスタッフとの何気ない会話の場

5

商売人としての主人

カフェの主人の重要性

芸術や文学の歴史をたどると、名前が挙がるのは常にカフェに集った「天才」たちやカフェの名前の方であり、そのカフェという場をつくった主人について言及されることはほとんどない。しかし、芸術や文学の分野で天才的な人物がいるように、場をつくることにかけて天才的な人物というのも世の中に存在するものである。

ルイ・アラゴンは『パリの農夫』の中で、「ひとびとはバアのおやじの役割というものに批評精神を向ける習慣をあまりもたない。おやじというものは、真の文明を維持していく上で、有力な位置にあるひとたちなのだ」と述べている。[1] パリには実際に主人の偉大さを実感し、それを後世に伝えようとする人たちが少しでも存在するだけ、今は亡きカフェ店主たちも自らを誇りに思えることだろう。アラゴンは同書の中で、彼らシュルレアリストの集ったカフェ・セルタの主人を賞賛している。またアンドレ・サルモンは、モンパルナスのロトンドの横手のバルザック像があるところに、ロトンドの主人リビオンの銅像を建ててしかるべきだと言っている。[2] なぜならリビオンこそがモンパルナスの芸術家たちを支え続けた人物だからである。

天才になろうとしてもがいていた者を受け入れたカフェにおいては、主人の果たした役割は非常に重要である。というのも、敏感な感受性をもった芸術家たちにとって真に居心地のよい場所をつくることは、並大抵のカフェ店主にできることではないからである。そして、強い志をもって「ここではないどこか」を求めた者たちと、場をつくることが天才的だった者たちとが運良く出会ったとき、多くの要素がお互いに作用し合って、歴史を変える空間がそこに誕生したのである。五章では、歴史に名を残したカフェの主人に共通する点を探り、カフェが素晴らしい場になるために必要となった要素が何であるかを見ていきたい。

仕事で育まれてゆく愛情

ところで、成功するカフェ店主とは一体どんな人なのだろうか。カフェ店主はもともと社交的で人に優しく、寛容で慈悲深いパーソナリティの持ち主でないといけないのだろうか。実は、カフェという場を真に客の満足する場にできるかどうかは、このようなパーソナリティよりも商売人としてのセンスにかかっているようである。というのも、サロンに構造上のからくりがあるように、カフェにも構造上のからくりがあるからである。

私事だが筆者は大学院を休学して一年半、浜名湖周辺で小さなカフェを運営したことがある。同じ私という人間が、カフェの主人とサロンの女主人という一見同じような方法で人をもてなそうとするときに、いかに異なる感情と態度を持つことになるかを体験できたのは非常に貴重な経験だった。まさに人は置かれている状況によっていかようにも変わっていくのである。

たとえば筆者はもともとのパーソナリティとしては、話の合うごく少数の人と深く話をするのを好み、たくさんの人と広く浅く知り合いになりたいとは思っていない。それ故、社交的なパーティなどに行っても話す人は限られている。個人として好きなように振る舞ってよければ、私はそういう人間である。

ところが同じ私がカフェのカウンターに立ち、目の前にお客さんが座った瞬間に別人のようになる。カウンターにいる私は、誰の話にも心から興味を持ってじっくりと聞き入り、あいづちを打つ。友人たちからは話したがりと思われている私であっても、カフェのカウンターでは熱心な聞き手になるのである。

カウンターに来たお客さんというのは明らかに話をしたいオーラを持っている。彼らがあえて他の席でなく、つかつかとカウンターを目指して座りに来るのは誰かと話がしたいからである。カフェ店主としての私には客の要望を察知することが望まれており、彼らがカウンターを目指して歩き始めるのを見た瞬間から、逃げることは許されない。そこで彼らが支払う小さなお金がまるで機械にコインを入れるように私の中で音をたて、カフェ店主としてのスイッチがオンになる。つまり、カウンターに入った私というのは私ではあれ、それは商業的な態度を持った店主としての自分なのである。この経験を重ねることで、通常であれば選り好みをしている私でも、実は誰とでも共通の話題を見つけることができ、会話を成り立たせられることに気がついた。

こうしていくうち、初めはただの他人だった見知らぬ誰かを人に紹介できるほどまでに知ってしまうから面白いものである。また初めは商売上の理由からそう振る舞っていた私でも、二度、三度、彼らがカフェに通ってくれると自然とお客さんを愛せてしまう。しかもそれは演技ではなく、心から湧き出る感情なのである。アンドレ・サルモンはロトンドのリビオンについて説明する中で、「理解すること、それは愛することである」と述べている。[3]もともとは小さなお金と引き替えに私が提供した会話やサービスであっても、それは回を重ねるうちにその人という一人の人間に対する愛情に変わってゆく。私は今でも彼らのことを自分のお客さんだと思っているし、彼らに人間としての愛情を感じている。これは恋愛や友情というような感じではなく、「店主」と「お客さん」との絆のようなものである。カフェという職業を通した場合、商売が好きで、人と話すのも好きなような人間であれば、もともとすべての人を受け入れようという心優しく慈悲深い人でなくとも、たくさんの人を心底愛せてしまうから不思議なものである。

また、筆者が通っていたGという喫茶店のマスターには、四〇年間も年賀状のやりとりをしているお客さんがいるそうである。彼らは京都に来る機会があった際には真っ先にタクシーでそこに立ち寄るという。そんな彼らに会えるかもしれないという期待をもって、自分一人でも日曜はなんとか店を開けておくのだと、マスターは語ってくれたことがある。その話を聞いたのは、筆者がカフェ研究の論文を大学院に提出した直後のことである。三日間何も食べていなかった私はコーヒーを飲むことが決して身体にはよくないことを承知の上で、真っ先にその喫茶店へと向かっていった。そこで長々と聞かせてもらった思い出話は、まさに私が論文に書いた「客に対する主人の愛情」の話であって、その晩私は深く感動したのを覚えている。何年も会っていなくても、カフェで何回かしか会っていなくても、店主と客との間には、はかりしれない絆が生まれることがある。そしてそういった主人に共通するのは、誰にでも優しく社交的なパーソナリティというより、商売人としての長期的な観点なのである。

大切にされる常連客

歴史に名を残したカフェの主人に共通している点は、商業的な態度である。ではそれは、どんなものなのだろうか。成功するために大切な商売人としての視点とは、第一に、常連客を大切にすること、第二に、自分で独立して事業を経営していること、第三には人と話をするのが好きなことが挙げられる。

まずは第一点目の常連客を大切にすることについて見ていきたい。パリのカフェには常連客がつきものであり、フランス語で常連という言葉は「柱」をも意味する単語である。なぜ常連客がそんなにも大事な存在なのかといえば、彼らは店主に確実な収益を保証してくれるからである。カフェに客が来るかどうかは完全に客の自主性に任されており、努力しなくても人が集まるような立地でない限り、店を常に満席に保つことは難しい。店主の方は営業時間が存在するため、客がいようがいまいが朝から晩まで店を開けるが、客たちが来るか来ないかは、天候や彼らの気まぐれな気分ひとつで変わってくる。

しかし一度常連になり、そのカフェに通うことを自分の生活のリズムの一つに組み込んだ者は、雨であろうが台風だろうがほぼ確実に通ってくれる。また一度その店が気に入った者は、口コミで店の評判を広めてくれる。したがって彼一人ではあまり大金を払わなくても、彼の友人たちが集うことで店の売上への貢献になるのである。こうして常連客は主人にとって、店を支えてゆくためのかけがえのないパートナーとなってゆく。常連客もその店の雰囲気や主人に共感を持っているが故に通うわけであり、主人やギャルソンとともに店の雰囲気を保とうと努力さえしてくれる。満席になったカフェに一見の客が訪れ、主人が席を探して困った時に主人を気にかけ、さっと席を立つのはいつも常連客である。

では常連はいかにして常連となるのだろうか。それには主人の努力が必要である。特にパリのように交差点ごとにカフェがあるような街では、他の店と同じようにしていては大きな成功は見込めない。こうして歴史に名を残したカフェの主人が取った策というのは、他の店では追い出されるような客たちを受け入れるということだった。たとえば、一九一一年にまだ田舎的な雰囲気の残るモンパルナスの労働者向けの小さなビストロを買い取ったヴィクトール・リビオンは、サルモンによれば「誰とでもすぐ友達になれた」そうである。[4]リビオン曰く、それは「商業的な態度」だった。なぜ彼が商売のことを考えて誰とでも友達になろうとしたのだろうか。それはモンパルナスがまださびれた郊外であり、待っていたらお客で溢れるような場所ではなかったからである。サルモンはリビオンの取った戦略についてこう述べている。

初期のロトンドは、とても小さなバーと、壁ぞいにかろうじてつくられた長椅子とその前にある長いテーブルがあるカフェだった。

図16　1914年のロトンドのデッサン。右の柱の影の人物が主人のリビオン

〔中略〕リビオンはかれの資本でビュットショーモンやクロワニヴェールに店を出すこともできたのだが、モンパルナスにすっかり一目惚れしてしまったのだ。それとともに彼のなかに帝国主義的精神がめざめてきた。彼はすぐに、彼のお客たちを深く愛することによって強国になろうと望んだのである(図16)。[5]

そうして彼はこの企てを見事に実現させるのである。サルモンが、ロトンドの横手にリビオンの銅像を建ててしかるべきだと述べているように、リビオンのカフェ、ロトンドによってこそモンパルナスの時代は始まった。リビオンは深く客を愛し、客たちは彼を父親として、ロトンドを我が家と感じるほどだった。とはいえリビオンは初めから芸術家たちを愛していたというわけではない。ロトンドの常連であったイリヤ・エレンブルグは、リビオンが初めは芸術家たちに違和感を覚えていたと述べている。

リビオンは、この小さなカフェを買った、人のよい、太っちょの、飲み屋のおやじであった。偶然「ロトンド」は、さまざまな国のことばを話す変わり者たち、マックス・ヴォローシンのいい方をすれば「ろくでなしども」――その後、何人かの有名な人びとを出した詩人や画家たちの本部となった。リビオンは、ごくあたりまえの中産ブルジョアであったから、最初の中、これらいたって風変わりな客たちに白い目を向けていた。どうも、彼は私たちを無政府主義者ととっていたらしい。その後、彼は私たちに慣れ親しみ、私たちを愛するまでになった。[6]

この話からも、カフェの店主は初めから風変わりなお客を受け入れられる心をもった特別な人間というわけではなく、商売だからこそ彼等を受け入れられたということがわかる。カフェ店主には客と違って逃げる自由も客を選ぶ自由も存在しない。店主の意図とは無関係に、彼らがそこを気に入ったのならば彼は受け入れざるを得ないのである。そうして次第に彼らの顔を見慣れ始め、彼らも常連になってくれると、主人にとって彼らはいつも来てくれる大切な客という位置づけとなる。

ロトンドのリビオンは貧しくてお金を払えないような芸術家や本気で政治的策略を練るレーニンのような亡命者を受け入れた。また、ブバルが買った当時のフロールはさびれており、彼は隣の上品なドゥ・マゴから追い出された騒々しいジャック・プレヴェール一派を受け入れた。セルタの主人も騒々しく怪しげな企みをするダダイストのメンバーたちを受け入れている。彼らは芸術家か作家かもしれないが、それよりもまず店主にとってはコーヒーを一杯頼む客か、アペリティフを飲む客かというのが重要なのである。それゆえ、外の世界では非難されるようなダダイストのメンバーたちにとっても、カフェは快適な空間だった。アラゴンはセルタでの彼らの扱われ方をこう述べている。

レジには、もっともときどき奥のテーブルにすわってひまつぶしをしていることもあるが、親切で愛らしい婦人がいる。非常にやわらかな声をしていて、だから、白状してしまうと、かつてぼくは彼女の声が聞けるという楽しみだけのために、しばしばルーブルの54―49へ電話をかけたものであった、〔中略〕《ダダのかたはどなたもいらっしゃってません、ムッシュウー》。これはダダということばが、ここでは他所とちょっと違った意味で使われており、もっと単純に理解されているということである。このことばは、無政府状態《アナルシー》や反芸術《アンチ・アール》を指すのでもなければ、ジャーナリストをひどく恐れさせたものを指すのでもない。〔中略〕ダダであるということはなんら不名誉ではない。それは、常連のグループ、時としてちょっとそうぞうしいかもしれないが好感のもてる若い連中のグループを指しているだけのことだ。ここのひとは、金髪のかたというのと同じようにダダのかたというにすぎない。特別視することはかえってためにならない。[7]

カフェの外の世界においてはたとえ危険なダダイストのグループとして認識されたとしても、彼らも一人の人間である。また、先述したように、彼らはもともと反抗したくてあえて反抗的態度を取ったというよりも、自分の考えを追求した結果としてその行為が反抗的と捉えられてしまったのである。そのため、彼らを非難すべき人間としてではなく、ちょっと騒々しいくらいの連中として認めてもらえるということは彼らにとっては本当にありがたかったことだろう。世間では「ダダ」は「金髪の方」と同じように使われる言葉では決してない。しかし、実際には彼らが、金髪の方と同じように彼らの存在を認めてもらいたかったのだとしたら、一杯の飲み物を前にして属性が消されるカフェという空間は非常に居心地がよいものだっただろう。

これらの主人はもともとそういった人が好きで理解があったというわけではないが、商売のために仕方がないと受け入れたのである。これらの主人は居場所を追われた者に温かく長居できる居場所を提供した。それゆえ、他で受け入れられなかったような者にとってはそのカフェはよりいっそう「ここしかない」場所になる。そうしてそこの居心地がよければよいほど彼らは忠実な常連客となるのである。

結果としてロトンドを有名にしたのは当時の貧乏芸術家たちであったし、フロールを有名にしたのはジャック・プレヴェール一派であった。またセルタの名前を歴史に残したのはパリのダダイストたちである。とはいえ、カフェの主人が持っていた長期的視野というのは歴史に名を残すといった大それたことではなく、客を愛し、居心地のよい場所を継続的に提供することで確実な売上を増やしていこうとする商業的視点である。

主人の意志にそった事業経営

歴史に名を残したカフェ店主に共通している第二点目として、彼ら主人は雇われ人ではなく、自分の人生をかけた事業としてカフェを経営していたことが挙げられる。そのため、彼のカフェはまさに彼自身の考えを具現するようなカフェであり、彼の意志にそって経営することが可能であった。

通常パリのカフェ店主は、基本的にはまず十代の頃に三年間ほどギャルソンとして修行を始め、その後三年ほどは会計係に、その後で店の管理を任されるようになる。この間に彼らは必死でお金を貯めて、元の店の主人からの信頼によってお金を借り、独立して自分の店を持つようになるのである。自分の店を持った主人は、ようやく自分の思い通りに経営できるようになっただけでなく、自分の管理下でお金を工面することも可能である。たとえばリビオンはお金のない客たちのクロワッサンの勘定をあえて忘れてあげることが幾度もあった。また、お金の代わりに絵で支払うことを認めてあげることも可能であった。フロールのブバルも客にお金を貸すことが何度もあり、きっちりと手帳に記入していたそうである。このような裁量をきかせることができるのもそれが自分の店だからであり、その行為の責任を自分が背負っているからである。

リビオンやブバルはこのような行為をただ優しさだけで行っていたわけではない。たとえばリビオンは、このような態度は商売上のものなのだと説明していた。というのも、たとえそうした客がたくさんのお金を持ってはいなかったとしても、彼らは三スーを手に入れるとすぐに構わず使ってくれるからである。

主人が他の店にはないような配慮を示せば示すほど、客たちはここにしかない温かさを感じ、ここで得たものをまた返そうとしてくれる。彼らはこんなありがたい店はないと思ってよりいっそう忠実に通ってくれる。そうして次第に顧客は増え、彼らの確実な口コミによって店の評判は高まってゆく。

するとは店主は、たいした金額ではないものが、結果として店の広告費用になっている事実に気付く。ある店を「ここしかない」と思って好んだ者は熱烈な気持ちでその店について人に伝えてしまうものである。次第に評判は口コミだけでなく、そこに通った者たちが書いた文章が出版されることで、世界にその名を轟かすことになってゆく。ロトンドやフロールの名が世界中に知られ観光地とまでなったのは、店主が莫大な広告費を払って宣伝をした結果ではない。そうではなく、そこに通った者たちが自主的な意志で店を評価し、それを伝えていったからである。その広告料に対して店主が払った金額といえば何杯かのコーヒー代であり、原価を知っている者にとっては決して高くはない金額である。

カフェ関係者の間ではよく話題になることではあるが、実際のコーヒーの原価というのは客の想像以上に安く、パリのカフェの場合、原価は定価の一〇分の一程度だと言われている。客の目からはどんなにコーヒー代が安く見えても、店主はそこにどれだけ利益が含まれているかを知っている。だからこそ、彼が客に他のサービスを提供したとしても、実はそれをしていいくらいの値段はコーヒー代にすでに含まれているのである。また、原価の安いコーヒーを何杯かおごるというのは、店主にとってたいした不利益とならないばかりか、それだけのことで客からの評価は想像以上に上がってしまう。費用対効果を考えるとなんと有効なことだろう。

このように、一時的な視点では利益にならないように見える店主の寛容な態度こそが、実は長期的な利益を約束することがあるのである。一時的な感情に流されず、長期的な視野をもって彼らを忍耐強く受け入れたこと。そこに彼らの真の商売人としての視点があるといえるだろう。

話し好きな主人

歴史に名を残したカフェ店主の第三の共通点としては、話し好きだったことが挙げられる。リビオンは誰とでも友達になり、親しげに声をかけていたようであるし、ブバルの話術は作家たちから賞賛されるほどであった。

話をすることが好きで商売も好きな人であれば、カフェというのは労働時間こそ長いもののなかなか良い仕事である。自分が動かなくても面白い人物が次から次へとやって来て、彼らと毎日話していられる。また、自分がその話で大いに何かを得ていたとしても、その話をしてくれた人からお金まで受け取ることができるのである。

とはいえ、カフェの主人はその役割上、決して会話の主役で居続けられない。彼らがすべきことは客が心地よく時を過ごせる空間を維持し、注文に合わせて素早く飲み物を出すことである（図17）。心地よくするためのきっかけとして話をすることはあっても、主人は全体を見なければいけないが故に、誰か一人との会話に全神経を集中させているわけにはいかない。あくまでも主人は客の居心地をよくさせ、必要と判断した場合、つまり相手が話をしたそうにしていると察知した時、心を和ませるために会話をするのである。したがって、主人は議論をするわけでもなく、非常に深い話ができるというわけでもない。とはいえカフェ店主の何気ない話自体が、誰かとただ話をしたかった客にとってはこの上ない慰めとなることがある。

　実際筆者がこの研究中に通った店でも、辛い時の救いとなったのは悩み自体に関する深い洞

図17
レジに立ち、
店内全体を見守るリビオン
左奥の長髪の男性は
常連客のイリヤ・エレンブルグ

察やアドバイスではなく、何気ない天気の話題やニュースなど、ちょっとした会話であった。泣きたいような気分の時でも、そうすることで気がまぎれ、なんとなく応援された気分になって頑張ろうと思えてしまうのは不思議である。カフェの主人は深刻なカウンセリングに応じてくれたというわけではなく、ただ何気ない話をしてくれただけである。しかしそれだけで客は存分に救われた気分になり、よりその店に愛着がましてて感謝をし、もちろん飲食代も払って帰る。仕事としてちょっと相手を気にかけてあげるだけで人には感謝され、お金も入り、よくしてあげた分だけ評判になり、次第に客が増えていく。店主が話好きで商売も好きな人であれば、これほどありがたい仕事もなさそうだ。

こうして主人が自分の仕事を心から愛し、商売人としての心意気を持ったとき、カフェは素晴らしい空間となっていく。客を喜ばすことは結果として自分の売上に跳ね返り、自分が喜ぶことになる。カフェという場にはサロンとは違った構造があり、主人がカフェという商売を大事にすればするほど、そこに居る誰もが喜ぶ素晴らしい空間が出現するのである。

カフェが育む主人と客との相互利益

サロンの主人とカフェの主人は、役割としては同じような場をつくることであっても、行為に対して返ってくるものがまるで違う。そのため、結果として両者の主人は客に対してまるで異なる感情を抱くようになっていく。

サロンの主人の場合は、彼女が無償で与える空間や飲食物や労力に対し、参加者から返ってくるのは感謝や気の利いた会話やお世辞などである。ところが彼女の行為は無償の行為の連続なため、誰も彼女が与えたほどには彼女に返せない。そのため、ただ支配者であることに喜びを感じるような人間でない限り、与えるだけの彼女にはうっぷんがたまる一方である。お金がありそうな雰囲気を演出し続けるため、実際の懐具合はどんどん貧しくなってゆく。人を家でもてなそうとすればするほど、見かけとは反対に散財してゆくものである。なぜならもてなすために必要なものを用意するのにはお金が必要なのだが、サロンでは誰もお金では彼女に返礼しないからである。若き日のルソーが出会い、様々な人を援助していたヴァランス夫人（ルソーは彼女をママンと呼んでいた。まさに母のように一方的に与える存在であり、ルソーは有名になってからも熟慮の末、彼女に援助はしなかった）も、人を家でもてなしすぎた結果として後年は散財し、いいよる男たちにたかられる身となっていた。

それに対してカフェの主人の場合は、彼が提供する空間や飲食物や労力はすでにメニューに設定された値段の中にきちんと含まれている。それどころかこの対価の中には、彼が今後も事業を続けていくための利益も含まれているわけである。ところが客の方は、自分がお金を払っている側なのに、店主の気の利いたサービスに胸を打たれることがある。そして客の側にも心地よい感情や店主に対する感謝が生まれ、彼はまた来ようとしてくれる。彼の再訪は店主にとっての利益であるから、店主は心から彼の再訪を願うことができる。

しかも、初めは営利を目的として客たちと接していたとしても、次第に店主はそれ以外にも得るものが多いことに気がついてゆく。それは彼の見知らぬ世界との出会いである。主人はカフェという動かない場で変わらず自分の仕事をしていくだけで、未知の世界にまで目を向け、飛び交っている様々な情報に耳を傾けることが可能である。こうして主人は客に要求している対価だけでなく、思いがけない出会いや喜びまで手にすることができるのである。

エッフェル塔に負けないほど世界的に有名なフロールという店をつくりあげたブバルは、ついにレジオン・ドヌール勲章の受賞をもちかけられるまでに至る。しかしこのときブバルは「レジオン・ドヌールだって？　いったいどうして？　私は自分の仕事をしただけなのに！」と言って辞退している。[8]この逸話からも、商売人としてのカフェ店主が本来の役割をきちんと果たすことが、どれほど無理なく社会的に意義のある場をつくり出すことになるのかがわかるだろう。

主人からの承認

カフェに通い始め、ここを自分の避難所と感じ始めた者たちが、主人に自分の存在を快く受け入れてもらえることで、そこは真の居場所となってゆく。主人にとっても、何度も来てくれる常連客は一見の客よりありがたい存在であり、いつも来るその人がどんな人なのか、多少は気になるところである。そこである時、何かの拍子にその客と話がはずむなどして、以降主人に名前で挨拶されるようになると、よそよそしかった他人行儀な関係性が、急に親密になってくる。

ロトンドのリビオンの場合は、サルモンが「誰とでも友だちになれた」と表現したように、客の名前をきちんと知っていた。それどころか彼はほとんどの客を名字ではなく「キキ」のように名前で呼んでいたそうである。実際ひと口にカフェとはいっても様々なカフェがあり、十九世紀に大通りを中心に栄えた非常に大きく豪華なブルジョワ風のカフェから、初期のロトンドのようにバーカウンターと小さな空間くらいしかないようなところまで様々である。初期のロトンドはどちらかといえば庶民的なカフェだったため、店主と客との距離も近く、親しげな雰囲気がただよっていた。

さて、ロトンドに通い始めたばかりで、のちに藤田のモデルともなるキキは、帽子をかぶっていないという理由で常連客がたまっている奥の空間へは出入りさせてもらえなかった。先述したように、当時のカフェには女性は帽子をかぶっていくのが当たり前とされており、帽子をかぶらないフランス人女性は娼婦だとみなされていた。キキはすでに仲良くなった画家の友だちと一人離れて行儀よくすることが嫌だったために帽子はかぶらずにいたのだが、奥の空間に行けないとトイレに行くこともできなかった。そこであるときリビオンはこう言った。「キキ、帽子を見つけてくればいいじゃないか。そうしたら奥の空間にも行けるようになるんだよ。」キキは常連たちの世界にも興味があったため、ついに帽子を見つけてくることにした。そしてその日から、キキの人生は大いに変化してゆくのである。

リビオン父さんは変な帽子をかぶっている私をみて笑わずにはいられなかった。私はこの思い出深い変な帽子のおかげで奥の空間にも行けるようになったのだ。ああ！みんなが私を遠くから気付いてしまう！

こうして私は本当の居場所を見つけたのだ。画家たちは私のことを受け入れてくれた。もう悲しみの時間は終わった。まだお腹が減ってもご飯にありつけないことはあったけど、みんなと笑っていればそんなことも全部忘れられるのだ。[9]

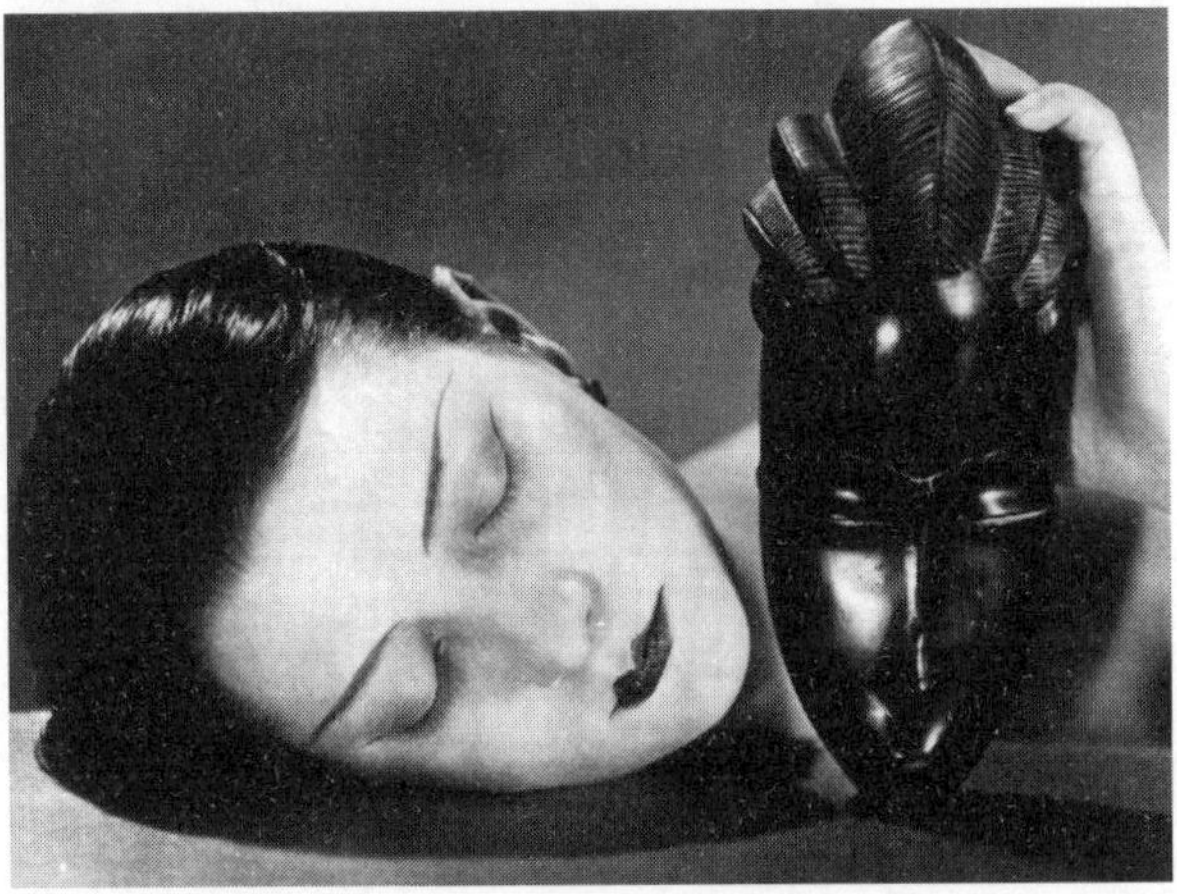

図18
マン・レイのモデルとなったキキ
マン・レイ「白と黒」、1926年、パリ、国立近代美術館蔵

このことから、主人にここで自由に振る舞ってよい権利を承認されることによって、これまでとは違った世界が開けてくることがわかる。このときからキキは急速に世界が開け、リビオンや常連たちとの会話を通してネットワークと見聞を広げていく。彼女は藤田やキスリングをはじめ、数々の画家のモデルや写真家マン・レイのモデルとなり、のちに「モンパルナスの女王」と呼ばれるまでになるのである（図18）。

また、一九四一年にフロールに通い始めた当初のサルトルは、毎朝そこに通っていたとはいえ、主人のブバルは彼が誰であるかを知らなかった。ブバルが初めてサルトルをサルトルという名前だと知るのはある日フロールに電話がかかってきた時のことだった。ブバルはその時のことを思い出してこう言っている。

「私にはサルトルという名前の個人的な友人がいるのですが、彼は店にいなかったので、そう電話に答えたんです。でも、絶対に店にいるはずだと、相手は何度もしつこく頼みます。ついに私は決心してサルトルさん、と呼んでみたところ、我らが偉大なジャン＝ポールが立ち上がるのが見えました。『サルトルは、私です』

この瞬間から、彼は私の友人になりました。午前中しょっちゅう二人でおしゃべりをし、そのうちに、彼に頻繁に電話がかかってくるので、彼専用のラインをひいてあげるのが便利だろう、と判断しました。」[10]

この時、つまり彼の名前を知った時からサルトルはブバルの「友人」となるのである。「いつもいる誰か」から「サルトルさん」へ、名前を認識し、名前を呼ばれることで居心地も愛着も変わってゆく。こうしてサルトルは彼用の電話をひいてもらえることになり、ボーヴォワールとともに、空襲警報が鳴っても店の外へは追い出されず、特別に二階に避難させてもらえるようになる。

たとえこのように主人に承認されなくともカフェに居続けることは可能である。しかし誰であれ、一杯の飲み物しか頼まずに長時間居続けることは多少気がひけるものである。彼らはそこに居続けることで、いつか文句を言われ、その場を追放される可能性を感じていないわけではない。たとえばボーヴォワールは、彼らと同じくフロールにいた青年ムルジに対するブバルの感情をこう書いている。「ブーバルはムルジが嫌いだった。なぜなら、彼はみすぼらしい様子をしていたし、髪もぼさぼさだし、何時間もテーブルを占領してお替わりの飲み物も注文しないからだった」[11]。それでもムルジは居続けたとはいえ、嫌われている場所に居続けるのは体力がいるものである。

しかし店主にきちんと承認されれば、自分の側だけでなく相手からも存在を認めてもらえたことになり、「居たっていいはずじゃないか」という自己弁護的な気持ちから、「自分が居ることで相手は喜び、笑顔になってくれてさえいる」という居心地の良さに変わってゆくのである。

主人の紹介とネットワークへの参入

カフェに通った客たちは、主人に承認されることによって居心地が変わるだけでなく、そこに集う客たちとつながってゆくことが可能である。というのも、主人はカフェにいるほとんどすべての人とつながっている存在だからである。主人は少なくとも客に簡単な挨拶をし、常連客がどんな人かを知っている。ある特定の時間の状況だけを知っている常連と違い、主人は一日中の客の動きを知っている。個々の客と会話によってつながりをもっている主人は、カフェ内のネットワークの構造を支配している人物である。カフェでは主人という視点のもとで客たちすべてが平等であり、主人は特別な立場にいる存在である。

カフェという空間に通う客たちはその空間をつくる主人のことを信頼している。常連も、主人がキキのような新参者を紹介すれば、主人のことを信頼しているために、キキとも会話してみようかという気になれる。そのため、主人に承認され、主人の口を通して誰かに紹介されることで、新参者は主人の築いたネットワークに参入できることになる。ただ主人に承認されるだけで、カフェの常連のほとんどに対して主人を通じて紹介してもらえる可能性を持つわけである。

だからこそ、カフェという空間の中で主人にきちんと承認されるということは、新しい出会いによる自分の世界の広がりを意味しうる。平等な意識をもった客同士が主人を通じて簡単に紹介されると、それだけですぐに会話が生まれることになる。先述したように、あるカフェに通う者たちはすでにいくつかの共通項を持っており、カフェ内での事件についても把握しているため、客たちは会話をしやすい要素を持っている。初期のロトンドは小さなバーカウンターと少しの席しかない小さな店であり、主人のリビオンはそこに立ち、誰とでも友だちになれた。そこでリビオンがカウンターに来ていた他の客にひと声かけ少し紹介するだけで、客同士が自発的に声をかけるよりも簡単に会話がしやすくなる。

実際、フランスのカフェといえども、見知らぬ客同士が自然に会話を始めることはそう頻繁にあることではない。イベントや事件など、明らかにお互いに共通している話題があれば見知らぬ人同士でも会話はできる。とはいえ、ランダムに選ばれた人同士では簡単な会話はできても、それを何十分も続けることは難しい。それに対して主人はいつも客を見ているため、ある程度同じ匂いを持っているような客をしっかり知っている。カフェ内の情報を他の誰よりも蓄積している主人に紹介してもらってこそ、客たちも出会うべき人と会うことが出来るのである。

初期のロトンドは非常に多くの人が出会い、またたく間にモンパルナスの中心として機能していった。ここでは、客が一番会話しやすいカウンターにリビオンがいたということが重要である。カウンターでの会話を通して、彼は客同士が簡単につながり、自由な議論の生まれる空間をつくりだしていったのだ。

カフェのカウンター文化

ここで、パリのカフェにおいて重要な役割を果たすカウンターについて考察したい。外国人の目からすると、パリのカフェというのはテラスが特徴的だが、実はパリの一般的なカフェにおいて重要なのはテラスよりもカウンターの方である。参考までに述べておくと、外国人がパリでよく目にするテラスが特徴のカフェは、どちらかというと高級なランクのカフェである。フランスでより一般的で庶民的なカフェというのは、映画『アメリ』の舞台となっているカフェ、デ・ドゥ・ムーランのように、「カフェ・タバ」といって、タバコや賭クジを購入できるようになっているカフェである。これらのカフェは常連客のためのカフェのようになっており、筆者のようにカフェの研究をしている者でも躊躇してしまうほど入りづらい閉鎖的な空間である。庶民的なカフェは次々とやってくる客たちを手際よくさばくカウンターが特徴的で、ゆっくりとイスに座って本を読んだりノートを広げて何かを書いたりするような客はまれにしかいない。カウンターはまさにカフェにおける合理的行為、つまり濃いコーヒーをぐっと飲んですぐに出て行くという行為がなされる場所である。パリのカフェではカウンターでの立ち飲みは、席に座るよりも料金が安く設定されており、エスプレッソやアペリティフを一杯飲みに行きたい客や、主人と会話をしたい常連客は真っ先にカウンターへと向かう。主人はここで飲み物をつくりながら客と雑談を交わし、つながりを築いていくのである(図19)。パリのカフェはバーにある魅力を内包していると先に述べたが、通常カフェにはこのようなカウンターがあり、ワインや食前酒などの酒類も頻繁に飲まれている。ここでは先述のリビオンのような主人が介在することで、客同士で簡単に会話が生まれていく。映画『アメリ』をご存知の方は、アメリが電話ボックスに宝箱を置いた後で、宝箱を見つけて涙ぐむ登場人物とアメリとが、カフェのカウンターで出会うシーンを思い出してみてほしい。見知らぬ客同士である彼らはおのおのカウンターでお酒を注文し、アメリは感動している男性の話におどおどしながら少し耳を傾ける。その会話には仕事を続けながらも話に相槌を打とうとする主人が存在し、見知らぬ他人同士の二人は少ししか言葉を交わさぬものの、お互いに感動を共有し合っているのである。

図19 現代のパリのカフェのカウンター

筆者はモンパルナスの歴史家の方に、リビオンがロトンドを買い取る以前に働いていたのはカフェ・ダンチッグというカフェだと教えてもらい、そこを訪ねたことがある。カフェ・ダンチッグはシャガールやザッキンはじめ、ロシア人芸術家たちが大勢住んだラ・リューシュ（蜂の巣）のすぐ近くにあるカフェである。ここは道幅の都合上カウンターを中心とした細長い小さな空間で、筆者のような外国人にはとても入りづらい、常連のための庶民的なカフェだった。筆者が勇気を振りしぼって入ったカフェ・ダンチッグにはかなり細長いカウンターがあり、カウンターの客のほとんどは立ち飲みで、イスは三脚程度しか置かれていなかった。次々にやってくる常連たちは皆が皆知り合いで、互いに挨拶を交わしていた。カウンターという境界はあれど、まったく同じ高さの床に立って客たちに飲み物を出す店主の目線と客の目線はまさに等しく、彼らは兄弟のようだった。ここでは彼らは賭クジの話をしたり、日常的な会話をしたりし、決して筆者ほど長居をすることもなく、さっと店を去ってゆく。非常に庶民的なこのカフェ・ダンチッグを経験したとき、ああまさにリビオンの初期のロトンドとはこれなのか！と筆者は一人感動したものである。ここでは店主は客とまさに友人であり、いってみれば大家族の長男か父親のような存在である。店主は彼らのことを丁重に扱うというわけではないが、さりげなく気は遣い、明らかに愛情をもって彼らの人生を応援している。この長いカウンターと庶民的な雰囲気は、道幅が変わらない限り一〇〇年前でも変わっていないのだとしたら、リビオンがロトンドに持ち込んだ雰囲気もきっと同じものだっただろう。

パリのカフェ文化を支えるアヴェイロネ

それではここで、現在のパリのカフェを形作るカウンター文化と、それを支えるアヴェイロン県人について見ていきたい。実は先述した以外にも、歴史に名を残したカフェ店主には重要な共通点があり、それは、彼らのほとんどがアヴェイロン県、またはオーベルニュ地方出身だったことである（オーベルニュ地方とアヴェイロン県は厳密には違う区域だが、パリに住む者はこれらをほとんど区別しない。一般に彼らはオーベルニャと呼ばれているが、アヴェイロン県出身者たちは「アヴェイロン」という土地に非常に誇りを持っているため、本書では基本的には彼らをアヴェイロネと呼ぶことにする）。様々な記述からわかっている限りでは、ロトンドのリビオン、ドームのポール・シャンボン、クーポールをつくったルネ・ラフォンとアーネスト・フロー、ブラッスリー・リップのマルセラン・カゼズ、そしてフロールのブバルは皆この地方出身者なのである。二十世紀半ばには、パリのカフェ経営者の八割くらいがアヴェイロネであり、現在でも割合は減ったとはいえ、パリのカフェの六割くらいを支配しているのはアヴェイロネだと言われている。ここではカフェ経営に非常に向いていたとされる彼らの気質について考察したい。

簡単に彼らの歴史を紹介すると、中央山岳地帯という、フランスの中でもやせた土地に住まう彼らは、たくさんの家族を養いきれずに十九世紀頃からパリへ移住していった。「一人のオーベルニャは二人のユダヤ人に匹敵する」と言われるほど、けちで働き者の彼らは、少しでも早くお金を貯めて故郷に還元できるようにと、パリの中でも厳しい仕事につくことを好んでいた。彼らは十八世紀から十九世紀後半にかけては、まずアパルトマンに水を運びに行く仕事をしていた。水を運ぶというのは非常に重く、体力のいる仕事である。しかし、水自体は噴水から汲んでくればよかったため、原価はただで、彼らに支払われるお金はすべて利益となっていた。また、アパルトマンの中でお風呂に入る女性のために、熱いお湯を運ぶ仕事をする者たちもいた。ブラッスリー・リップの主人、マルセラン・カゼズは少年時代に実際にこの仕事をしていた人物である。彼らは女性たちのために何度も重いお湯を持って階段を登ってゆき、彼女たちが気分よく入浴している間は外で待ち、また汚れたお湯を階下に運んでゆく。その後、パリの水道事情が多少改善されたため、アヴェイロネたちは石炭商人やワイン商人となっていった。アヴェイロネが選んだ仕事は、ほとんどが身体を使った重労働である。しかしこれらは工場労働とは違い、すべて自分の力で稼ぎも変わるため、自由を求め、独立心の強い彼らには向いていたのである。

アヴェイロン県、オーベルニュ地方というのはパリとはまるで違った場所であり、この地方出身者には往々にして見られる主な特徴が三つあったそうである。ロジェ・ジラールの著書、« Quand les Auvergnats partaient conquérir Paris »(『オーベルニャがパリを征服しに旅発った時』未邦訳)によれば、一つ目の特徴は、労働者、工員的な働き方を断固として拒否したことである。他の地方出身者たちは都会に出たとき、往々にして工場で働くようになる。ところがアヴェイロネたちは非常に愛郷心が強く、少しでも早く故郷に帰りたいと思っていたため、最小限の時間で最大限にお金を稼ぐ方法を模索していた。彼らは工場労働者たちより労働条件が厳しくても、もっと働き、働いた分だけ自分にお金が入る仕事を好んだのである。その点、厳しい仕事だが原価はただという水運びはまさにアヴェイロネを象徴するような仕事である。

二つ目の特徴は、暗い空間に閉じ込められるよりも屋外での労働を好んだことである。彼らは広大な農地での生活に慣れているため、一日中部屋の中に閉じ込められているのは耐え難かった。彼らは村民の気質として根っからの明るさを持ち、パリという首都でさえ中心人物となりうるほど人と接することがうまかった。

三つ目の特徴は、信仰心や愛郷心の強さである。彼らは非常に伝統的な地域に住んでおり、伝統的な価値観、たとえば名誉や勇気や忍耐強さを重んじていた。この点では、軽やかで気分屋のパリジャンとは対照的である。[12]

さて、彼らは水運びの仕事がなくなってしまうと、炭商人以外の仕事も見出さなくてはならなくなった。というのも炭が売れるのは主に冬の間だけだからである。そこで彼らはワインの小売りにも手を出した。炭屋は非常に小さな店であったが、ここで主人の配達中に、奥さんが炭の注文を受けながらワインを飲ませるという程度にワインの小売りがはじまった。炭が売れない暖かい季節にはワインの売上が伸び、この二つの事業はうまい具合にぴったりとあてはまっていたそうである。次第にワインを飲みに来る客が増えてくると、奥さんが料理や子育てをしている間に主人がカウンターに立つようになる。彼らは稼げるはずの時間を決して無駄にしたくないため、奥さんも主人も手があかないときにも店を開けていられるように、次第に若者（ギャルソン）を雇い始めるようになる。このようにして彼らの事業が成立していく。

　次第に彼らはワインだけでなくコーヒーも扱い始め、カウンターのある炭屋兼ワイン屋兼カフェがパリ郊外に増えてゆく（図20）。何故郊外かといえば、郊外の方が家賃が安いからであり、炭屋という事業が中心であれば立地は関係なかったからである。パリ郊外といえばまさにか

図20
アヴェイロネの炭屋兼カフェ
木、炭、ワイン、リキュールが買えると書かれている

つてのモンマルトルやモンパルナスであり、そこには地方出身のアヴェイロネだけでなく、貧乏芸術家たちも集まっていた。彼らが開いた小さなカフェやレストランは、同じような境遇を心得ていたためか、若者たちにツケをきかせてあげる店が多かった。

アヴェイロン県はフランスの中でも非常に交通の便が悪く、あまり外部との交流のない地域である。独特の方言のなまりも強く、他の人たちとは違うという意識をアヴェイロネたちは持っていた。彼らはその独自性に誇りを持つとともにコンプレックスを抱いていた。パリに一人で上京しても、彼らは異邦人のような印象を抱いたことだろう。彼らはほとんど無一文で、家族が渡してくれた紙に書かれた知人を頼ってパリに到着するのであった。まだ十代の彼らをパリで受け入れたのは、同じ地方出身の者たちであり、アヴェイロネたちは強固なコミュニティを持っていた。

彼らが置かれたこのような状況は、カフェに通った異邦人たちの状況と重なってたのではないだろうか。歴史に名を残したカフェ店主は、客たちに初めはとまどいながらも彼らを愛し、存在を認め、応援していくことになる。なぜ彼らにそれができたかといえば、おそらくそれは商売人としての視点だけでなく、大都会パリでもがこうとする目の前の客たちと、かつての自分を重ね合わせたからではなかろうか。同じように初めは異世界での孤独を感じながらも、なんとか独立の夢に向かって動き続け、ついにその夢を達したカフェ経営者たち。彼らは同様にもがき、自分の夢に向かおうとする若者たちを、単に主人としてだけでなく、人生の先輩として応援しようとしたのではなかろうか。他人のように見える人たちが自分の姿とふと重ね合わさったとき、彼らに対する真の共感が生まれ、それが応援の源となっていったと筆者には思えてならない。

筆者がインタビューをした何人かのアヴェイロネたちは、彼らがパリジャンとは違って自慢できるような教育も受けていないのに、エッフェル塔と同じくらい有名なカフェの経営者となることがどれほど誇りであるかを教えてくれた。クリストフ・デュラン＝ブバルは、「パリの八割以上のカフェの主人をアヴェイロネが占めることで、自分たちがフランスの文化を支配しているような感じがしていた。その事実により、自分たちもフランスにとって重要なのだと実感することができたのだ。彼らはカフェという文化がフランスの歴史においてとても重要なものだと思っていた。彼らにとってカフェ店主をするということは、フランスの国民生活に参加することを意味していたのである。」と教えてくれた。[13] 彼らは特権的なものを何も持っていなかったが、彼ら特有の勇気と忍耐とで大都会パリに強国を築き上げた。フランス文化と切っても切り離せないカフェを、今や支配しているのは他の誰でもなく自分たちであるというのは、愛国心の強い彼らにとってどれほど誇りになるだろう。カフェに集った天才たちも、自力でなんとか夢に向かって走っていったが、彼らの先を走り、彼らを励まし続けていたのは、自力でパリを「征服」し、自分の世界を築きあげたカフェ経営者たちであったのである。

客に対する主人の愛情

このように、カフェの主人は、前に進もうともがいている客たちを同じ人間として応援する。主人の支援というのは、一般に思われているように絵画や小説のひとつひとつの作品に対してされるものではなく、一人の人間に対してなされる応援である。実際、ロトンドのリビオンは彼らの絵をもらったとしてもそれで儲けようなどと思ってもみなかった。またフロールのブバルも、客たちの書いた哲学書は一冊も読んだことがないそうである。[14] 彼らは作品ではなくそこにいる、何かをなそうとしている人間を同じ人間として応援しているのである。自分が「何者か」でなくても、まだ「何事か」をなせていなくても、一人の人間としてその存在自体を受け入れてもらえ、温かく見守ってくれる主人がいてこそ、彼らは安心してそこに居続けることができる。このように温かく客たちを受け入れたロトンドのリビオンは、客たちからパパと呼ばれていた(図21)。キキは回想録の中で、「この神聖なロトンド、みんなここに自分の家に帰るような気持ちで行くのだった。私たちは家族のような気持ちでいた。リビオン父さんは最も素晴らしい人だった。彼はいたずらっ子の芸術家たちを愛してくれていた」と書いている。[15]

実際リビオンは、「いたずらっこの芸術家たち」が相当な悪ふざけをした場合、威厳をもって叱りつつも愛情を示すことが多々あった。彼は、常連の何人かが店の食料品を盗もうとした場合でさえも、

「降りてこい、この馬鹿者たち！」と怒りながらも、ギャルソンに命じて彼らにサンドイッチを与えてやるということまであった。このように、リビオンは批評家のような目線で彼らを見るのではなく、貧しく、飢えた芸術家の卵たちの苦しさを同じ人間として理解してやり、自分に出来る範囲の応援をしてあげていた。藤田も自身のエッセイの中でリビオンについて、「当時のロトンドの親父さんは、とても親切ないい男で、絵も好きだったと見えて、我々画家仲間を歓待した。金のない画家には、五十フラン位ずつ貸してくれる事もあつた」と述べている。[16]

また、貧乏な芸術家たちの中には、ロトンドの食器一式をこっそりと家に持ち帰り、それを使用して生きていた者もいる。しかしリビオンはそれをとがめるようなこともしなかった。貧

図21
現存する唯一のリビオンの写真（左から3番目）
ロトンドのテラスにて

しい生活をしていたモディリアーニの絵がついに高価格で売れた時、その祝宴に訪れたリビオンはモディリアーニの家の家具や食器が一式ロトンドのものであることを発見した。その時の様子をキキはこう述べている。


モディリアーニが遂に一枚の絵にべらぼうな値段をつけてくれたメセナを見つけた。それは二、三百フランくらいしたから、私たちは素晴らしい食事をみんなですることにした。リビオン父さんはそのディナーの晩に楽しい仲間たちと一緒にやってきたのだが、モディリアーニはなんだか居心地が悪そうだった。というのも実は、そこにある椅子も、ナイフも、グラス類も、お皿も、円形テーブルに至るまで、リビオン父さんはロトンドの店の物だと気が付いてしまったからだ。彼は立ち上がったかと思うと何もいわずに出て行ってしまったのだ！　モディリアーニは友人たちをののしった。

「馬鹿野郎！　彼をここに連れてくる必要があったのかよ？　俺だって、そりゃお前たちと同じくらい彼のことが好きだけどさ、彼を招待しなかったのはここにある食器が全部彼の店から盗んでいったものだからなんだよ！」

それでみんな互いに顔を見合わせて苦しい気持ちで一杯になってしまった。そうして何分が経ち、もう食べる気などなくなってしまった！　遂にドアが開いた。全員の眼がドアに向けられ、何が見えるかと思っていた。リビオン父さんが戻って来た。びっこをひいて、腕にはワインの瓶を抱えながら！

「うちの店から来てないものはワインだけだったからね、それを探しに行って来たのさ。さあ食べよう！　腹ぺこで死にそうだ！」

この話が創り話じゃないなんて信じるのは難しいでしょう！　でもここにはなんの誇張もないことを保証します。それに、この時期にロトンドに通っていた人に尋ねてみてください、彼だって私と同じ話を語るでしょうからね。[17]

このように、彼は芸術家たちの奮闘を心から励まし、温かい心で見守っていた。モディリアーニが酒代を絵で支払っていたことがあるというのは有名な話であるが、その行為はお金を払えない者を助けるためであって、彼が絵を集めて儲けようとしていたからではない。そのことについてイリヤ・エレンブルグはこう述べている。

彼に、絵で一財産つくった者がある、つまり、全然無名の画家からただみたいな値で絵を買い取り、二十年ほどして、それらを莫大な値で売ったのだ、と話した人があった。そういう手で大儲けしてやろうという考えにはリビオンは気乗り薄であった。賭博はいやだ、絵を買うなんていうのは富くじを買うも同然で、千人の画家のうち一人でも出世すればいいほうだ、と彼は私にいったことがある。むしろ飲み物で稼ぐにしくはない、と彼は考えていた。[18]

「むしろ飲物で稼ぐにしくはない」とはまさにアヴェイロネらしい堅実な考え方である。画商のように誰か一人をひいきするのではなく、有名無名に関わらず平等に彼等の成長を応援し支援したリビオンのような主人がいてこそ、まだ無名の画家たちは他にはない自分の居場所を見出すことが出来たのである。藤田、モディリアーニ、スーティンなどまだ無名の芸術家にとって、「パパ」と呼ばれたリビオンはロトンドという大家族の温かな父親的存在だった。彼は注げる限りの愛情を注ぎ、「我が家」を守り、彼のこどものような芸術家たちを支援し、ときにはパンを分け与えた。そして芸術家の卵たちはこの居心地のよい「居場所」と同時に、ロトンドに惹き付けられた者たちのネットワークを活かして「仲間」や、自分を乗り越えようとさせるほどの先輩たちと出会って己を磨き、後世にもその名を知らしめるほどの芸術家になっていくことになる。

同じくフロールの主人、ポール・ブバルも自分の客を愛し、フロールという世界を大切に守り通してきた。フロールはドイツ占領下の時代にあってもドイツ兵が店内まで入ることはほとんどなかった。また警察もブバルのことを信用していた。彼がいかに自分の店を愛していたかを、サルトル、ボーヴォワールがいた時期のフロールを知るボリス・ヴィアンは、『サン＝ジェルマン＝デ＝プレ入門』の中でこう述べている。

ブーバルがくつろげる唯一の場所、それはフロールだ。食事のときもフロールから離れなくてよいように、レンヌ街とゴズラン街が交わる角の建物にアパルトマンを買った。彼はそこから望遠鏡とレーダーを使って、金庫とボーイとテラスを…つまり、彼のフロールを、監視しているのである。彼の照準線上に1本の木があったが、不思議なことに枯死してしまった。[19]

ブバルにとっても、フロールの主人という立場は天職だった。「彼は絶対に他の仕事を提案されたとしても断っただろう」とブバルの孫であるクリストフ・デュラン＝ブバルはインタビューに応じた際に語ってくれた。「なぜならフロールはエッフェル塔と同じくらいに有名であり、それほどの場所の主人であることが彼の誇りだったのだ。[20]」彼はフロール以外での人生など考えもしなかった。というのは、彼がつくっている空間を気に入り、居場所にして、多くの著名人が育ち、まさにそこをつくっているのは他でもない自分なのだという誇りがあったからである（図22）。クリストフ・デュラン＝ブバルは、ブバルがいかにフロールを愛していたかを著書『カフェ・ド・フロールの黄金時代　よみがえるパリの一世紀』の中でこう描く。

フロールは毎日午前二時まで快調にやっている。一方オーナーは、本当に渋々と十一時頃には眠りに帰るのだ。まるでそこにカード仲間をおきざりにしてきたかのように、彼は悲しいのだ。〔中略〕このもう一つの人生、つまり彼が支配する店という集団の人生を考え続けることで興奮してしまって、オーナーはちっとも眠くならないのだ。あるいは眠れるにしても、明け方になれば、また自分が実際に行っていることに出会えるという興奮のうちにだ。それは、彼の心臓に合わせて鼓動を打つ魔法の事業。彼が設定した脈と呼吸のペースで生きる愛しい子供。そこに自分の魂をたっぷりと注ぎ込んだ、ほとんど母親のような店。それは祈りや孤独な天才が夜につく

図22 1943年のポール・ブバル

りあげる作品に似ている。[21]

このように、彼らは自分のカフェという事業を深く愛し、そこに集う客を愛した。彼らは天才が作品に自分のすべてを捧げるように、すべてをカフェに注いだのである。サルモンが述べているように、リビオンは客を深く愛することで、立地条件が良いとされていた他のカフェには負けないほどの「強国」をつくりあげることができた。現在のロトンドの主人は、筆者のインタビューに応えた際に、「パリのカフェ経営者の多くを占めるアヴェイロネにとって大切なことが三つある、と言われている。一に立地、二に立地、三に立地だ」と教えてくれた。[22] それほどまでに彼らは本来商売を左右する立地条件を気にしている。フロールの主人、ブバルも、もともとはもっと人の集まる東駅周辺などに店を出すことを考えていたのだという。立地が良ければ一人一人を深く愛さなくても客は集まるものである。しかし、まだ繁栄していなかったモンパルナスやサン＝ジェルマン・デ・プレにおいて、商売人のリビオンやブバルが取った方法は「きちんと客を愛して常連を増やす」という方法だった。そして彼らはこの方法を取ることによって、他のどのカフェにも負けない名声をもつカフェをつくることができたのである。

戦時中の真の避難所

リビオンやブバルがそれほどまでに客を愛し、大事にすることができたのは、単に商売人としての才能があったからだけではなく、戦争という悲劇を体験し、大切な客を急に失う悲しみを痛感したからでもあるだろう。小さなコインから始まった商売上の関係性が、次第に本当の愛情に変わった後で、その存在を失うというのは本当に悲しいものであったろう。それまで芸術家で満ちていたロトンドは、第一次世界大戦勃発と同時に姿を変えることになる。アンドレ・サルモンはこの時のロトンドの様子をこう書いている。

ロトンドにおける戦争は独特の色彩を帯びていた。リビオンは客達に何杯もおごり続け、器を満たしつづけていた。彼はベルフォールのライオンの方へと向かう戦士たちの初回の行進を見て心から苦しんだのだろうと思う。動員の日の夜に、通路を荒々しく行進し、握りこぶしを張り上げ、口という口から罵詈雑言を吹き出しているあの姿をみて。[23]

戦争に行ってしまえば彼の愛した客たちは二度と帰ってこないかもしれない。通常の状態であれば、一期一会とはいえ、カフェを続け、本当に客を大切にする態度を示せば、往々にして彼らはまた来てくれる。ところが戦争になってしまうと次に会えるかどうかは彼らの意志や態度とはまるで無関係になってしまう。本当に愛情をもち、お互いに心を通わせていた者たちだけに、その別れほど悲しいことはない。だからこそ彼らはお互い精一杯の心を込めて、最後の時かもしれない時間を大事にするしかなかったのである。

こうして客たちが前線に行き、戦争中のロトンドは一気に姿を変えてしまう。ロジェ・ワイルドによれば、ロトンドにはほとんど客がいなくなり、泥棒たちしか残っていなかったそうである。

とはいえ、ここには健康上の理由から外国人部隊にも入隊を拒否された者たちが残ることになる。こうして戦時中のロトンドにはピカソ、モディリアーニ、キスリング、藤田、ディィエ

図23
ロトンドのテラスに座る藤田

ゴ・リベラ、オルティス・デ・サラテなどが通い始めるようになる。藤田のように、たまにしかロトンドに行かなかったような者が頻繁に通い始めるのも第一次世界大戦中のことである(図23)。ピカソも、一九一五年に当時一緒に住んでいた恋人のエヴァが死んでしまった絶望感に加え、親友のアポリネールも前線に行ってしまい、孤独感から逃れようとしてロトンドに通ったようである。また、ジャン・コクトーやガブリエル・フルニエのように、それまではロトンドに足を向けなかった者も、孤独から逃れるために次第に足を伸ばすようになる(図24)。ガブリエル・フルニエはロトンドに足を向けた理由を、「友人たちが皆軍人になってしまった戦時下のパリに一人残され、私は孤独を乗り越えられる避難所を求めていた。そして私はロト

図24
1915年8月12日にジャン・コクトーが撮影したロトンド
左からオルティス・デ・サラテ、マックス・ジャコブ、キスリング、パケレット、ピカソ

ンドに足を踏み入れた」と述べている。[24]

ロトンドとフロールの歴史を見るとき、この二つのカフェに通った者たちが戦争を通じてより親密な関係性を築いていったことは注目に値する。戦時中はパリでの生活にも不安と危険が増大し、友人が戦地に出向くことも頻繁にある。街にいても、一人で家にこもっていても、未来への不安から逃れることはできない。このような状況下で不安が増大した人々はある一つのカフェに集まり、通常の状況下ではなかったほどの、不安を共有する親密な雰囲気を築いていく。彼らは通常の状態のようにただ同じ空間にいるだけではなく、戦時下という特殊な状況下で同様の不安を共有している。そのため、通常の状態では話すきっかけすらなかったような有名人と無名の若者とが会話をする機会も頻繁に存在していた。また、ボーヴォワールは、ドームでアンドレ・ジッドの『日記』を読んでいたとき、「こんな状況下で『日記』とはのんきなものですな！」と通りすがったアダモフに声をかけられたことがある。このように、同じ空間で、同様に不安を共有していることを知っているからこそ成立しうる出会いや議論が戦時中に生まれていったのである。

さて、一九一七年頃には、帰還した客がすぐにロトンドに戻り始める。負傷したアポリネールら芸術家たちも皆ここのテラスで落ち合っていた。彼らはここで再会を祝し、それからロトンドは大いに賑わいを取り戻す。そのころの様子をモーリス・ド・ヴラマンクはこう描写している。

ロトンドは第一次大戦の終わりごろには面白い光景を見せてくれていた。朝も夜も、国際的なボヘミアンたちがここでおちあっていた。男も女も皆、それぞれの趣味に応じて自然発生的に文学を論じたり、芸術を学んだり、「エコール・ド・パリ」を形成したり、カップルになったりしていた。夏の夕刻になると、大通りのブラッセリーにいる常連たちは、暑さで喉が渇くためロトンドのテラスに群がっていた。奇妙で不思議な光景は、もれなく地球上の全人類を表しているかのようだった。ここにいる人々は、特別にその国から唯一の代表者として選ばれたかのようだった。ひげを剃った者たちもいれば、ヒゲがはえていて、大きな黒い眼鏡をした者もいれば、長髪やスキンヘッドの者たちもいた。[25]

リビオンはというと、彼の金庫は客たちのパスポートで一杯になっていたのだが、忠実に帰ってくれた客たちのおかげで一文も失うことがなかったそうである。しかし、彼は戦時中でも客たちのためにタバコを探し回って買っていたため、戦争が終わる頃にはタバコの密輸の嫌疑をかけられ、警察に賠償金を支払うためにロトンドを手離さざるを得なくなる。こうして彼が手塩にかけ、世界的に名声を高めたロトンドがまさに軌道にのっていた時、彼はひっそりとここを去ることになるのである。

それでは第二次世界大戦時のフロールの様子はどうだろう。ボーヴォワールはドームに通っていた時に、戦争勃発の知らせを客の叫び声で知ることになる。彼女はもともとドームに通っていたのだが、戦争勃発後からフロールの存在も気にかかるようになる。彼女は一九三九年九月三日の日記に人々の不安な様子をこう記している。

晩、ジェジェとフロールにしけこむ。人びとは、まだ開戦が信じられないといいながらも、陰鬱な顔をしている。〔中略〕ドームでは警官が支配人を説得して、窓にも厚いブルーのカーテンをつけさせている。軍服姿のポズネルと、ハンガリア人を見かける。十一時、キャフェは客を全部追い出す。みんな歩道の際でぐずぐずしている。誰も家に帰りたくないのだ。[26]

彼らは不安をやわらげるために一人でいることを避けようとする。ところが戦時下に入ってフロールも休業し、彼女はようやく見つけた「小さな避難所」を失ってしまうことになる。とはいえ、フロールは同年九月五日に一旦休業したものの、翌月の十月十七日には再開する。その日からすぐまたボーヴォワールはフロールへと通い始める。「再開したフロールでオルガと宵を過ごす。フロールはどっしりした青いカーテンをめぐらし、新らしい赤い椅子を揃えて素敵だ。今ではキャフェが上手に燈火管制をすることを覚えて、店内の電燈を全部つけているから、外から入るとびっくりするほど明るい」と彼女は日記に書いている。[27] フロールの休業は戦時下の営業体制を整えるためだった。戦争が始まって客足が遠のいたとしても、この商売を選んだ主人はなんとかして生きていかねばならなかった。こうして明るくすることのできた店内と、当時まだ珍しかった石油ストーブ、また戦時下の暗いパリとのコントラストでより暖かみを増した店内は、パリに残った知識人たちの真の避難所となってゆく。このため、それ以前はモンパルナスのドームで執筆することを好み、フロールとドームを行き来していた彼女は、フロールを自分の居場所にするようになる。ボーヴォワールは当時のフロールという居場所のありがたさについて、「夜、寒い暗闇から、美しい赤と青の壁紙を張り廻らした電燈のともった暖かいこの隠れ家に入って来ると、いつも激しい喜びに打たれるのだった」と語っている。[28]

カフェの中では彼らは守られ、戦時下に一人で家に帰りたくない者たちは、閉店後も誰かの家に集まっては議論することが多かった。そのときに出会い、語り、新しい未来を模索した彼らの絆が深いのも、戦争のために以前にも増して関係が濃くなったという理由が考えられる。

1 ルイ・アラゴン『パリの農夫』、九七頁
2 André Salmon, *Montparnasse*、一二八頁
3 André Salmon, *Montparnasse*、一二八頁
4 André Salmon, *Montparnasse*、一二九頁
5 André Salmon, *Montparnasse*、一二八頁

6 イリヤ・エレンブルグ『わが回想(一)』、一八二～一八三頁
7 ルイ・アラゴン『パリの農夫』、九二頁
8 クリストフ・デュラン＝ブバル『カフェ・ド・フロールの黄金時代 よみがえるパリの一世紀』、一八六頁
9 Kiki, *Les souvenirs de KIKI*、一三四頁
10 クリストフ・デュラン＝ブバル『カフェ・ド・フロールの黄金時代 よみがえるパリの一世紀』、五一～五二頁
11 シモーヌ・ド・ボーヴォワール『女ざかり—ある女の回想(下)』、一五五頁
12 Roger Girard, *Quand les Auvergnats partaient conquérir Paris*
13 筆者のブバル氏へのインタビューによる(二〇〇六年一〇月、ブバル氏自宅にて)
14 筆者のブバル氏へのインタビューによる(二〇〇六年一〇月、ブバル氏自宅にて)
15 Kiki, *Les souvenirs de KIKI*、一三六頁
16 藤田嗣治『巴里の横顔』、一二九～一三〇頁(著者要約)
17 Kiki, *Les souvenirs de KIKI*、一四〇頁
18 イリヤ・エレンブルグ『わが回想(一)』、一八三頁
19 ボリス・ヴィアン『サン＝ジェルマン＝デ＝プレ入門』、一六八～一六九頁
20 筆者のブバル氏へのインタビューによる(二〇〇六年一〇月、ブバル氏自宅にて)
21 クリストフ・デュラン＝ブバル『カフェ・ド・フロールの黄金時代 よみがえるパリの一世紀』、九八頁
22 筆者のロトンド主人へのインタビューによる(二〇〇六年一〇月、ロトンド店内にて)
23 André Salmon, *Montparnasse*、一四〇頁
24 Jean-Paul Crespelle, *Montparnasse Vivant*、一二一頁
25 Gérard-Georges Lemaire, *Les Cafés littéraires*、一三九頁
26 シモーヌ・ド・ボーヴォワール『女ざかり—ある女の回想(下)』、一七頁
27 シモーヌ・ド・ボーヴォワール『女ざかり—ある女の回想(下)』、四二頁
28 シモーヌ・ド・ボーヴォワール『女ざかり—ある女の回想(下)』、一五七頁

カフェと人との相互作用

6

カフェに集う先輩世代との出会い

カフェという場の持つ力

「カフェに行くためにカフェに行く」というのは、カフェのメニューには書かれていないものを得るためにカフェに通うことである。では彼らは居場所以外に一体何を得ようとしてカフェという場に通ったのだろうか。カフェに通い、のちに名を成すことになった者たちは知っている。カフェには計り知れない力があって、その力を借りればうまくいく物事が存在するのだと。たとえばウィーンのカフェ・ツェントラルに通い続け、住所を聞かれると「カフェ・ツェントラル、ウィーン第一区」と答えていたという詩人のペーター・アルテンブルグはカフェの効用をこう述べている。

あれやこれやと、悩みが尽きないなら
——カフェに行くことさ！
彼女がとにかく何かまことしやかな理由で来れないなら
——カフェに行くことさ！

ブーツがぼろぼろになったのなら
――カフェに行くことさ！
給料が四〇〇クローネで、支出が五〇〇クローネなら
――カフェに行くことさ！
まこと慎ましく暮らしているのに、何の得にも恵まれないなら
――カフェに行くことさ！
医者になりたかったのに、いまはしがない官吏なら
――カフェに行くことさ！
気の合う女が見つからないのなら
――カフェに行くことさ！
心の中はもう自殺に追い込まれているのなら
――カフェに行くことさ！
人を嫌い軽蔑しながら、それでも人がいなくちゃ困るなら
――カフェに行くことさ！
もう何処にも付けが効かなくなったなら
――カフェに行くことさ！[1]

一体彼はどういう理由で「カフェに行くことさ！」と我々に語りかけているのだろう？　カフェに行けばこれらの問題も解決するというのだろうか？　アルテンベルグの言葉を聞くと、どうやらカフェには様々な問題の解決策があるようである。また、同時期にウィーンのカフェに通ったシュテファン・ツヴァイクは、好奇心に溢れた若者にとってカフェという場がいかに意味のある場であったかをこう語る。

あらゆる新しいものに対する最良の教養の場所はつねにカフェであった。〔中略〕ウィーンの相当なカフェにはあらゆるウィーンの新聞、そしてウィーンのだけではなくドイツ全国のや、フランス、イギリス、イタリー、アメリカの新聞が備えられ、そのうえ世界のすべての重要な文学・芸術の雑誌、〔中略〕も並んでいた。それゆえわれわれは、世の中に起るすべてのことを直接に知った。現われたあらゆる書物について、またどこで催されようとあらゆる上演について知り、すべての新聞の批評を比較した。オーストリア人がカフェにおいて世界のあらゆる出来事についてかくも包括的に研究し、同時にそれらを親しい仲間同士で論議できたということぐらい、オーストリア人の知的な活潑さと国際的視野とに貢献したものはおそらくないだろう。[2]

彼が熱を込めて語っているように、カフェという場は時代や場所によっては街のアカデミーと称され、大学よりもよほど勉強になる場と言われることがあったのだ。

また、詩人のアンドレ・サルモンは、一九〇三年に初めてカフェでの詩人たちの集いに参加した日に、先輩詩人のメシスラス・ゴルベールに「詩人になりたいならカフェに行け！」と忠告をされ、忠実にそれを守って詩人となった。その日先輩詩人は彼にこう忠告したのである。

「サロンでなんかやることは何もないさ、カフェに行くんだ。まず手始めにバルザールから、それからポール・フォールを喜ばせにクロズリー・デ・リラにな。そこでモレアスに紹介してもらえるだろう。そこら中のカフェに行くんだ。お金がなくたって行けばいいんだ。」[3]

こうして彼は実際に有名な詩人となり、芸術批評の役割もこなして「序文の王」と呼ばれるような存在となる。藤田の第一回目の個展の序文を書き、藤田の名前に箔をつけたのは他ならぬアンドレ・サルモンである。サルモンは先輩の忠告に従って熱心にカフェに通ってまたたく間に詩人となった。サルモンは彼の人生を変えたソレイユ・ドールの集いを思い返して、「私はその日、全人生のチャンスに賭けたのだ、と今でも思っている。おそらくこのチャンスを他の場所で試してみることもできただろう。そうしたら全く別の人間になっていただろう」と述べている。[4] また、彼は著書『終わりなき想い出』の中に、わざわざカフェの項をもうけ、そこで「カフェにおける文学の歴史」や、「カフェによって解明される文学」、「カフェにおける文学の偉大な時間」、「カフェというアカデミー」といったような本が書かれてしかるべきだと述べている。[5] それほどまでに、彼の人生、そして彼が関わってきた文学とカフェという場は切り離せないとサルモンは認識しているのである。

藤田もサルモン同様、異例の早さで成功を収めた人物である。「私の成功したのは非常に早かつた。真の貧乏生活はまる二年位。（中略）私の成功の早さは全く異例だと文士のマキ・ジャコブなぞが言つてくれました」と藤田はのちに述べている。[6] ちなみにこの「文士のマキ・ジャコブ」とは、ピカソ、アポリネール、サルモンの仲間であり、ともに洗濯船やカフェに通ったマックス・ジャコブのことである。藤田はその成功の理由を、「私が早く巴里を理解したことですね。もう一つは、巴里に長く居たことですね」と語っている。[7] では、「巴里を理解する」とは一体どういうことなのだろう。とみ宛の書簡を見る限り、藤田の大志は真摯ではあるが、確実に成功させるための「研究」もまた恐ろしいほど熱心にされていたことがよくわかる。パリに着いた初日からカフェに出会って「パリ」＝「カフェ」＝「自由！」というイメージを抱いた藤田嗣治。藤田は到着当初からカフェでの出会いや会話を楽しみ、ギャルソンやそこで出会った人たちにパリ生活の方法やフランス語を教えてもらったそうである。サルモンは藤田の手帳を見せてもらったときに、お金を払わずに映画を観る方法が書かれていたと述べている。

小さなマルゴ　彼女は僕に、お金を使わずに映画を観る方法を教えてくれた。出口側のドアから傘を忘れた、と言って入り、しずかに補助椅子に座って観るのよ、と。[8]

このようなことを偶然出会った人から聞くことを楽しんでいた藤田であれば、彼が偶然誰かの口から「画家になりたければカフェに行け」と言われたとしても決して不思議なことではない。先人たちの成功法を必死で研究し、愛する妻とみをフランスに呼び寄せるためになんとか急いで成功しようとしていた藤田。そんな彼はおそらくただの居場所を求めてカフェに通っただけではないだろう。カフェに通い始めた者は、そこに内在される様々な可能性に次第に気が付き始める。ロトンドに通った藤田も、「ロトンドのごときは世界的に有名なカッフェの一つで、画家は一度このカッフェを通らないと名前が挙がらないという一種の税関とさえ言われている。」と述べている。[9]選ばれしカフェというのはただ居心地の良い場所なだけではなくて、成功への階段も用意されている場所なのである。

それでは一体カフェという場には何が内在されていたのだろうか。六章ではカフェに内在されていた、「天才」になってゆくための様々な成功要因を探ってゆく。

カフェを選ぶのはアトラクター

あるカフェが文学カフェになるかどうかは、店主の趣向いかんではなく、中心人物となる一人の客がその店を選ぶかどうかによっている。たとえばクロズリー・デ・リラが詩人たちのカフェとなりその名を世界に轟かせたのは、詩人のポール・フォールが一九〇三年にそこを選んだからである。以降、本書では、あるカフェを「ここを自分たちの集まるカフェにしよう」と選び、以下の条件を満たす人物のことをアトラクターと呼ぶことにする。

（一）友人、知人をひきつける魅力をもち、彼らを集めることを好むこと。アトラクターは往々にして寂しがり屋で、ずっと一人で居続けることを好まない。

（二）すでにある程度成功して名が知られていること。アトラクターはそれなりに世に作品を出し、その名声によって後輩世代や知人を引き寄せる力をもつ人物である。したがって、まだ無名で絵もまったく売れていないような人物はここではアトラクターとは呼ばない。とはいえ、無名の者がのちにアトラクターとなっていくことは頻繁にあり、アトラクターであるかどうかは時期的な問題でもある。

（三）家などの閉鎖空間に閉じこもるよりも、カフェという開放空間にいることを好むこと。

こうしてアトラクターがあるカフェを選ぶと、彼がそこに人を呼び寄せるため、結果としてそのカフェには多くの人が訪れることになる。では彼らはどのようなカフェを選ぶのだろうか。アンドレ・サルモンは、「結局、ある作家が同業者とそこで会う約束をすれば、どんなカフェでも今日の文学カフェになるのである。文学カフェをつくろうと試みたカフェ店主は皆失敗した。というのは作家たちにカフェを自由に選ばせないといけないからなのだ」と述べている。[10]カフェという場は「文学カフェ」が生まれる前からパリに数多く存在するが、そこが文学カフェになったのは作家や芸術家たちがそこを選んだからであり、店主がそこを文学カフェにしたかったからというわけではない。フロールのブバルは、クリストフ・デュラン゠ブバルによれば「一冊も哲学書は読んだことがないし、文学にはまるで興味がなかった」とのことである。また彼は、ピカソのような人物と話すときであっても作品について尋ねることはなく、ピカソの展覧会にも一度も行ったことがないそうである。[11]

主人はそれに興味がないのに文学カフェや芸術カフェになるというのは、一見逆説的に感じられることである。ところがこれは逆説でも偶然でもなく、実は非常に重要な要素である。もし本気で文学カフェのような場をつくりたい人がいたら、ここは是非とも注意すべき点である。なぜなら店主が客の行為の内容自体に興味を持ち、少しでも干渉し出したときから、おそらくそこは真に時代を変えうる文学カフェとはなりえないからである。

というのも、先述したように、人とは違う価値観を持っている者たちは、周囲の人たちから断罪されることを恐れてカフェという場に避難しに来たわけである。ところが避難所であるカフェの主人にまでも彼の思考内容に口を出されるとなれば、彼らは気恥ずかしさと自尊心を傷つけられたような気になって、また行こうという気持ちになりにくい。カフェはわざわざ自分からお金を払っていく場所であるから、躊躇する気持ちが募るほど、彼らの足は遠のいてゆく。そうして次第に彼らはまた別の場所を求めてさまよい始めてしまうのである。彼らがひたすら望むことは、それを心から理解しようという気のない人に安易な気持ちで助言されることではない。この世界のスタンダードではないことをなそうとする客たちが望むのは、誰にも邪魔をされることなく自分の世界をきちんと築き上げることである。そのためにも、彼ら自身の奮闘する姿は応援するが、行為の内容には無関心でいてくれるという態度が非常に重要なのである。

一般に、芸術に理解があったといわれるリビオンにしても、エレンブルグは、「自分の家にモジリアニやスーティンの絵をかけようなどとは、彼はどんなことがあっても、しようとはしなかったであろう！　彼の愛着していたのは自分の客たちであり、彼らの作品ではなかったからである」と述べている。[12]このことから、彼は「芸術に理解があった」というよりも「芸術の世界に生きる客に理解があった」といえるだろう。歴史に名を残すようなカフェになるには、客が自由に振る舞えて心地よいと思える環境をつくり、それを維持し続けることが重要なのである。主人やギャルソンがすべきことは、快適な場をつくることに専念し、客たちをもてなしはすれど、客たちの思想や客同士の真剣な会話の内容に興味を持たないことである。その点では、歴史に名を残したカフェの店主たちがアヴェイロネであったことは歴史の必然かもしれない。彼らの多くは少年時代からひたすら働き、決してサルトルやボーヴォワールと同じような教育は受けていない。それゆえ、彼ら主人はサロンの主人や、下手に「教養のある」こだわり店主のように、彼らの話す内容自体にはたいした興味がなかったのだといえるだろう。彼らが、自分とは違う世界で生き、旅立とうとしている客たちを同じ人間として応援しようとしたからこそ、結果として「文学カフェ」は誕生することになったといえる。

店主がその会話に入っていけないことがわかればわかるほど、客は喜んで自分たちの世界に没頭できる。なぜならそこには断罪される危険性がないからである。ロトンドのリビオンは、何か国語が混じる議論の中身を理解していただろうか？　ここでレーニンやトロツキーがロシア人たちを集めて本気の革命談義ができたのも、リビオンがフランス人には未知の言語でしゃべる彼らを放っておいてくれたからだろう。大切なことは客を人間として応援することであり、内容に口をはさむことではない。しかし店主の自意識が過剰であればあるほど彼らは干渉しがちになってしまう。残念ながら、そういった店は店主の意識とは裏腹に、歴史を変えうる空間とまではならないだろう。なぜなら歴史を変えていくのはあくまでも何か一つのことに本気で身を捧げようとする者たちであり、彼らが存分に力を発揮できる環境をつくることに力を注いでくれる人がいてこそ、この二つの力は両輪となってより大きな力を発揮することができるからである。

客にとっての心地よい空間とは

フロールやロトンドは、何かをなしたい客たちにとって快適な空間が保証されていた。フロールが一九三〇年代に作家たちに選ばれた理由は主に四つほど考えられる。

一つ目は、当時のサン゠ジェルマン・デ・プレに出版社がいくつか立ち並ぶようになり、彼らが作家たちと打ち合わせをする場としてカフェを使ったことである。

二つ目は、ブバルが当時まだ珍しかった石油ストーブをいち早く導入したことである。戦時下のパリは凍り付くような寒さのことがしばしばあったため、暖かさが保証されているフロールは非常に貴重な空間だった。それに対して、ボーヴォワールが以前足繁く通っていたドームはわずかに暖かいだけだった。また、第二次大戦中のドームにはドイツ人兵の出入りも頻繁にあったが、フロールにはほとんどドイツ人が来なかったため、フランス人の作家にとってはフロールの方が快適な場所となったのである。

三つ目に、フロールには静かな二階席があり、そこで作家たちはうるさい話し声に邪魔されずに自分の世界に入っていくことが可能であったことである。当時のフロールの様子をボーヴォワールはこう語る。

席を替える不便と、階下のざわめきを避けるために、私は午後は二階に行くのが習慣になった。他の文筆業の何人かも私と同じ理由からか二階に陣取り、ペンを走らせていた。まるで秩序のいい勉強室のような観があった。[13]

実際、多くの人が集いながらも静かで、勉強部屋のようなカフェというのはなかなか存在するものではない。図書館の場合は通常飲食や会話が禁止されているため、カフェのようにコーヒーを飲んで頭を覚醒させてやる気を増すことができ、適度に会話もできる勉強部屋というのはありがたい場所である。

最後に、フロールには様々な空間があり、用途に応じて使い分けることが可能だったことが挙げられる。誰かと話をしたいときは皆が話をしている一階という空間があり、浜辺のように心地よいテラスもあった。空間を自由に使い分けることができるからこそ、人と話をしたいときは一階へ、集中して執筆したいときは二階へ行けばよく、客たちはカフェを替える必要がなかったのである。このようにフロールではすべての用を足すことが可能だったため、客たちは他へ流れることなくここに通ったといえるだろう。カフェというのは多様な行為をすることが出来る場だが、フロールの場合はこの空間自体の多様性が、結果として顧客をひきつけることにつながったのだと考えられる。

一方、ロトンドに外国人芸術家が集まった理由としては、主に三つほどの理由が考えられる。

まず、もともと外国人が多いモンパルナスという土地を理解し、リビオンが世界各国の新聞をそろえたことだろう（図25）。レーニンなど、ロシアからの亡命者たちは奥の空間で熱心に新聞を読んでいたそうである。

次に、「ラスパイユ海岸」と呼ばれた南向きの広いテラスをつくったことである（図26）。パリに暮らす者にとって、日光というのは想像以上に重要でありがたい存在である。長い冬の間は晴天の日もあまりなく、街は灰色に変わってしまう。その上、六、七階建てのアパルトマンに囲まれたパリの路上は日当たりがあまりよくな

図25　1929年のロトンド。外国の新聞が読めると宣伝してある

いために、寒い季節の路上というのは芯から冷える場所である。ロトンドが面しているモンパルナス大通りは現在でも道幅が非常に広く、日光をさえぎるようなものがほとんどないため、特に南米やスペインから来た日光を求める芸術家たちにはありがたいカフェだった。

最後に、リビオンが貧乏芸術家たちを愛し、支払いを容易にさせてあげていたことである。リビオンの寛容さはたぐいまれなものであり、彼は店にホームレスが来て寝ていた時も、決して彼を起こさぬようにとギャルソンに強く命じたそうである。

前述したように、これら二つのカフェは主人が空間全体に気を配っていた。彼らはあまりにも店の秩序が乱れることがあると、秩序を正そうとして配慮を示す。細やかな配慮で空間の秩

図26　1920年頃のロトンドのテラス。正面がロトンドのバーの入口

序が保証されていればこそ、客たちも安心してその空間に身を委ねることができるのである。また、初期のシュルレアリストたちが選んだカフェ、セルタも細やかな気配りのある空間だった。ルイ・アラゴンはセルタがいかに快適な空間であったかをこう書いている。

ここでは決して寒すぎるということはない。店内はちゃんと暖房される。決して暑すぎるということもない。夏はまるで洞窟のようだし、換気装置は申し分がない。土曜日の夕方をのぞけばここはほとんど客であふれるようなこともない。店員は親切に気を配ってくれるばかりか、寛大でさえある。この五年来、ぼくは多くのボーイが入れ代わるのを見たが、彼らのほとんどが礼儀正しく控え目なくらいであったし、カクテルのつくりかたもうまく、また、多少とも芸術家的であった。それによく気がついて、ことづけや使い走りをしてくれた。[14]

このように、あくまでもそこに来る客たちにとって快適な空間が保証されていればこそ、客たちはそのカフェを選ぶのである。彼らはこのようにして自分に居心地のいい空間を探し求め、主人やギャルソンの対応を含め、そこの雰囲気全体が気に入ったときに「ここを自分のカフェにしよう」と決めるのである。

アトラクターを中心とする五つの世代

このようにしてカフェを選んだアトラクターのまわりには、彼の知人や信奉者が集い始める。二十世紀前半のパリのカフェの歴史をたどってみると、主にカフェには五世代にわたるアトラクターを中心とするグループが集っていたと考えられる。

まず第一の世代としては、象徴派詩人ポール・フォールをアトラクターとする、クロズリー・デ・リラに人を集めた世代である（図27）。ポール・フォールは一九〇三年からクロズリー・デ・リラで、『詩と散文』の火曜の集いを開催している。彼を中心とするグループは、ジャン・モレアス、メシスラス・ゴルベールなど、ちょうどアンドレ・サルモンの先輩世代にあたる詩人たちである。

図27
1920年頃のクロズリー・デ・リラのテラスに座るポール・フォール（右）

彼らはクロズリー・デ・リラだけでなく、『ペン』誌の集いで、サン・ミッシェルにある穴蔵酒場ソレイユ・ドールや、右岸のブラッスリー・バルザールなどにもよく顔を出していた。サルモンは初めて『ペン』誌の集いに参加し、彼ら先輩たちに見出されたその日に、ソレイユ・ドールからバルザール、クロズリー・デ・リラと、第一世代いきつけのカフェをはしごすることになる。

第二の世代は、詩人で芸術批評家のアポリネールをアトラクターとするグループである。アポリネールは一九〇三年にサルモンと同じ『ペン』誌の集いに参加し、そこで二人は友人となる。そして彼らは友人の紹介を通してマックス・ジャコブやピカソを知り、「洗濯船」を頻繁に訪れるようになるのである。詩が好きなピカソも、この頃すでにクロズリー・デ・リラの詩の集いの常連となっていたアポリネールやサルモンと共に、モンパルナスへと通い始める。こうして次第に若い芸術家たちがモンマルトルとモンパルナスを往復し始める。一九一一年にロトンドが開店してから、アポリネールやサルモンはロトンドにも通い始める。また、当時すでに名声を得ていたアポリネールは、一九一一年にルーヴル美術館のモナリザ盗難事件で嫌疑をかけられ、一度牢獄に入れられる。それ以来彼はすっかり自信も書く気力もなくしてしまったために、彼を勇気づけようと友人たちがサン゠ジェルマン・デ・プレのカフェ、ドゥ・マゴに集まって、『レ・ソワレ・ド・パリ』誌の創刊を決めることになる。そして編集部として選ばれたのが、まださびれていて田舎らしい雰囲気をもっていたカフェ・ド・フロールだったのである。

アポリネールは第一次世界大戦に参戦し、負傷したものの、一九一六年頃には再びロトンドやフロールのテラスに舞い戻る。彼はサン＝ジェルマン大通りに住み、毎週アペリティフの時間になると大勢の人たちをフロールのテラスで受け入れていた。そこに集った後輩世代としてはアンドレ・ブルトンら、のちのシュルレアリストたちが挙げられる。若きブルトンはアポリネールのことを非常に尊敬しており、「シュルレアリスム」という言葉は、その言葉を発明したアポリネールに敬意を示して名付けられたものでもある。アポリネールがフロールのテラスでフィリップ・スーポーにブルトンを紹介したときのことをスーポーはこう書いている。

カフェ・ド・フロールで、ピコン・シトロンを前にして、ギョーム・アポリネールはまるで〈司教〉のように〔中略〕座り、にこにこと友人たちをそこで迎えていた。その微笑みを私は忘れることができない。〔中略〕

アポリネールは、ある日の午後の終わりに、私を祝ってくれた。〔中略〕私が腰をおろすのは、『アルコール』の詩人の〈玉座〉のすぐ近くのテーブルだった。

スカイブルーの制服姿（これは一九一七年の我々の制服だ）の若者が、私の脇にやってきた。大柄で、私と同じくらいオドオドした若者だった。『これはアンドレ・ブルトンだ。君に彼の詩を読んだことがある……』とアポリネールが私にいった。そして、その頃にはすでに身に付けていた厳

かな口調で、こう付け加えたのだった。『君たちは友人になるべきである』と[15]

こうして彼らは出会い、スーポーたちはフロールだけでなく、アポリネールの家にも足繁く通うことになる。彼らがトリスタン・ツァラの雑誌『ダダ』を初めて目にしたのはアポリネールの家である。このように、アポリネールのまわりにも非常に多くの人たちが集い、彼はフロールで多くの人をつなげていたのである。

第三の世代としては、ロトンドに集ったエコール・ド・パリ世代が挙げられる。正直なところ、モンパルナスのカフェでは非常に多くの人間が網の目のように交差し関連し合っているため、ロトンドのアトラクターが誰かを明確にするのは難しい。それはピカソと言えるかもしれないし、同世代に人気があり、モンパルナスの王と呼ばれたキスリングだったかもしれない。

一九一〇年に十九歳でパリにやってきた画家のモイズ・キスリングは、早いうちからモンパルナスの飲食店を行き来し、たくさんの友人をつくっていった。彼と仲の良かった若者としては、モディリアーニ、キキ、藤田などが挙げられる。モディリアーニが病死した際、彼の葬儀をとりしきり、デスマスクをとったのはキスリングである。サルモンはキスリングのことをこう述べている。

キスリングはすぐにモンパルナスの王となった。それはモンパルナスが豊かになる時代よりも前のことだった。彼が来るとどのテーブルでも皆、彼のために席をつくってくれた。バルザックの像に置き換えられてしかるべき主人のリビオンがいたロトンドでも、中央ヨーロッパや東ヨーロッパから来た画家たちが集う場所となり、キスリングが私よりも前から知っていたパスキンが居たドームでも、カンパーニュプルミエール街のロザリー婆さんのイタリア料理屋でもそうだった。[16]

キスリングは感受性が強く、知的で、親切な画家だった。彼は、彼の絵が一〇〇フランで売れたとき、花屋ですべての花を買い占め、ロトンドに座っていた女性たちにブーケをプレゼントしたことでモディリアーニに賞賛されたことがある。また彼は喧嘩にも強かったため、ロトンドで用心棒をして飢えをしのいでいたこともある。一九一三年から住んでいたモンパルナスのジョセフ・バラ街の彼のアトリエにもたくさんの芸術家、詩人、小説家たちが集まり、洗濯船のような雰囲気を醸し出していたそうである。

第四の世代としては、アンドレ・ブルトンをアトラクターとするシュルレアリスト世代が挙げられる。彼らはすでにアポリネールのフロールに通っていたため、カフェの使い方をよく知っていた。そうして彼らはアポリネールの死後、一九一九年にオペラ座横町のカフェ・セルタを根城に選んだのである。パリのダダイストの集まりはほとんどこのセルタで行われていた。ルイ・アラゴンは『パリの農夫』にセルタのことをこう書いている。

> この店で、一九一九年がもう終わるというころのある午後、アンドレ・ブルトンとぼくは、こんごぼくたちの仲間はここに集まることにしようと決めたのであった。モンパルナスやモンマルトルを嫌悪したからであり、怪しげな横町にたいする趣味があったからでもある。〔中略〕この店はダダの根拠地でもあった。〔中略〕ぼくはこの店の話をするとなるとどうしても漠とした感傷をまじえずには語れない。[17]

それほどまでに、ダダとセルタの思い出はしっかりと結びついているのである。のちに、彼らはブルトンの家のすぐ近くのカフェ・シラノ、次にはブラッスリー・ラジオへと拠点を移すことになる。また、ブルトンに断罪された元シュルレアリストたちも、カフェへ通うという習慣までをも捨てられるわけではなかったようで、彼らの多くはサン＝ジェルマン・デ・プレのドゥ・マゴへと通うことになる。

　第五の世代としては、ジャック・プレヴェールを中心とするフロール世代が挙げられる。アポリネールの死後にフロールが再び活気をとりもどしたのは彼らのおかげである。フロールに通ったボリス・ヴィアンはフロールの常連をこう記している。

フロールを有名にしたのが〈プレヴェール組〉であることは、誰でも知っている。プレヴェール組とは、十月グループのことだ。すなわち、ジャック・プレヴェール、ピエール・プレヴェール、レーモン・ビュシエール、ロジェ・ブラン、マルセル・デュアメル、ジャン＝ポール・ル・シャノワ、ギイ・ドコンブル（ジャック・タチ監督の『祭の日』のふたりの旅芸人の一人）、ポール・フランクール、イヴ・ドニオー、ポール・グリモー、ファビアン・ロリス、シルヴィア・バタイユ、モーリス・バケ、マックス・モリーズ、ムールージ少年…そして、以前は18区の芸術家集団の面倒をみていたアンリ・ルデュック。これがフロールの常連の中核である。[18]

ボーヴォワールももともとは、ジャック・プレヴェール一派のかもしだす雰囲気にひきつけられてフロールに通い始めるようになった。彼女は当時のフロールの様子をこう書いている。

彼らの神、教祖、考え方の師表となったのはジャーク・プレヴェールで、一同は彼の映画や詩をあがめ、彼の表現や才気を真似しようと努めていた。私たちもまた、プレヴェールの詩やシャンソンを好ましく思っていた。夢想的で、少し辻つまの合わない彼のアナーキズムは私たちにはまったくぴったりきた。[19]

ではサルトルやボーヴォワールはサン＝ジェルマン・デ・プレのアトラクターではなかったのだろうか？　これも非常に難しい質問である。華々しい伝説とは裏腹に、彼らがカフェに通っていた頃には、彼らは長いこと「うちの一族」という少人数の仲間を中心とした閉ざされた世界に生きていた。ボーヴォワールの世界が急速に広がっていくのは、処女作『招かれた女』を出版して以降のことである。また、戦後はすぐに実存主義ブームが激しい勢いで広がってしまったため、それを引き起こした本人たちはたくさんの人に追い回されることになり、彼らは快く執筆する場所を去らざるをえなくなる。そのため、彼らは伝説的には多くの人たちをフロールやドゥ・マゴにひきつけているが、実際筆者の定義に沿ったアトラクターであったかというと非常に断定しにくいのである。

またフロールもロトンド同様、ブバルという主人が果たした役割も重要であり、ある特定のアトラクターだけが人を集めたとは言い難い。おそらくこの二つのカフェでは、主人と客同士の会話の機会も多かったため、アトラクターを中心とした強固なグループというよりは、アトラクターを中心に集まったゆるやかなつながりが、主人を通してより一層のつながりをつくっていったのではないかと考えられる。

アトラクターの力が強すぎるカフェの場合は、彼らがそこを去ってしまうとそのカフェはさびれてしまう。それは彼らの築いたネットワークがカフェ側に残らなかったからである。たとえばポール・フォールが移動したあとのクロズリーは、ヘミングウェイが見たようにほとんど詩人のいないひなびたカフェになっていた。またアポリネール亡きあとのフロールも同様である。ところが彼らのネットワークと主人がきちんとつながっている場合、強力なアトラクターが去ったとしても客たちが残ることは考えられることである。こうしてアトラクターを中心とするネットワークに属する人たちと主人がしっかりと交わっていたからこそ、ロトンドもブバルのフロールも繁栄し続けることができたといえるだろう。

アトラクターが形づくるカフェの雰囲気

アトラクターがカフェを選び、彼がそこを「我が家」のように使い始めると、カフェには彼を中心とした親密な空気が流れ始める。アトラクターは基本的には人と話すのを好むため、『詩と散文』の火曜会のようなイベントを開催するなど、多くの人を受け入れようという姿勢を持っている。

とはいえ、彼がそこに日々通い人を集めていればいるほど、そのカフェは誰しもが入りやすい開放的なカフェというよりは閉鎖的な親密さをもったカフェになる。たとえば一九二一年にロトンドを訪れたユキ・デスノスは、ロトンドにはクラブのように親密な雰囲気があったと述べている。それではこのような親密な空間に、いかにして新参者は入っていくことができるのだろうか。また、新参者はいかにしてこれらのカフェの存在を知るのだろうか。ここではアンドレ・サルモンとピカソ、ユキ・

デスノスの場合を見ていきたい。

詩人を目指すサルモンの場合は、自分の詩を評価してもらいたいと思い、一九〇三年にボナパルト街の『ペン』誌の事務所を訪ねて行った。ここで彼はカール・ボエという、当時『ペン』誌の集いを主催していた人物に会う。そこで彼はこう対応された。


カール・ボエは私の言うことを聞いてくれただけでなく、彼に見せた私の詩を読んでくれさえした。しかし彼はこうは言ってくれなかった。「これは素晴らしい、これを私たちの雑誌のすぐ次の号に載せましょう。」違うのだ。彼はただこう言った。「あなたは私たちの『ペン』のつどいに参加すべきですね。それはソレイユ・ドールの穴蔵で開かれています。あなたにも入場カードをつくってあげましょう。」[20]

詩人を目指す二十二歳のサルモンはその日が来るのを今か今かと待っていた。

その土曜日がついにやってきた。どんなに熱い気持ちでこの土曜の『ペン』のつどいを待っていたことだろう！　実際はカードなんて必要ではなく、この場に入りたくて、ふさわしそうな人なら誰でも入ることができた。会場はビストロなのだから。[21]

こうして彼は、台帳に名前を記入し、他の人たちにまぎれてその集いにそっと参加しようとするのである。

ピカソの場合はどうだろう。彼が初めてクロズリー・デ・リラの詩の集いに参加したのは、一九〇五年のことであり、アポリネールに連れられてのことだった。

ユキは、アポリネールが書いた本を読んでロトンドの存在を知る。彼女は一九二一年のある日、アポリネールの『坐る女』という本を読み、急にモンパルナスのロトンドへ行こうと思い立つ。

モンパルナスの《ロトンド》の主人リビヨンについて語られた短い簡単な文句に釘づけになって、わたしはベッドの上に起き上った。

わたしはまたお化粧をして、わたしの赤毛の猫を抱いて、メトロでモンパルナス駅まで出かけた。そこはわたしのまったく知らない地区であった。

カフェ《ロトンド》はメトロのヴァヴァン駅の正面にあった。ところが行ってみると、客で一杯だった。[22]

これらのことから、若者がある面白そうなカフェに行くのは誰かに紹介されてであって、道を歩いていて偶然発見するわけではないということがわかる。藤田にしても、以前から西洋人と対等に接していた川島理一郎から、どこがどのようなカフェかを教えられたと考えることが可能である。彼はとみ宛の手紙でロトンドについて言及するとき、初めのうちは必ず「画家の集まる」と注釈をつけている。他のカフェに触れるときには何の注釈もないことから、たまたま通ったカフェがロトンドであったわけではなく、彼は「画家の集まる」カフェ、ロトンドに意識して行こうとしていたことがうかがえる。また、ボーヴォワールがモンパルナスのバーに初めて足を踏み入れたのは、従兄弟のジァークに連れられてのことである。つまりこれらのカフェは、アトラクターを中心としてすでに独特の雰囲気がつくられ、その雰囲気がクチコミや印刷物などである程度評判になっていたのである。

新参者は、この雰囲気は自分に合うかもしれないと思い、勇気を出して行くことにする。「ここではないどこか」を模索している彼らは、自分を受け入れてくれそうな場所を求めて、遠くてもそこに行こうとするのである。ピカソはパリの北端のモンマルトルから南端のモンパルナスまで、クロズリー・デ・リラの集いに歩いて通っていたし、モンパルナスに興味を持ったマン・レイやユキは、メトロに乗って見知らぬ土地へと向かっていった。ここで重要なのは、彼らの近所にたまたまそのカフェがあったわけではないということである。彼らは自分を受け入れてくれそうな場所を求めてそのカフェに行き、雰囲気に魅了され、より近づきたいと思ったときにそのカフェの近くに住もうとすらするのである。

媒介者の存在

さて、その場に到着してみたものの、すでにカフェ内には独特の雰囲気が存在しており、親密さがただよっている。その雰囲気は往々にして新参者の勇気をくじくものである。それでも彼らの多くはわざわざ遠くから出かけ、楽しみにして来たのであって、入ることもなく帰るというのは口惜しい。そんな彼らを新しい世界に導く鍵は二つある。それは媒介者の存在と自己を表現する勇気である。

一点目の媒介者の存在について見てみよう。彼らが勇気を出してその場に行っても、空間全体が閉鎖的で誰も彼らを受け入れてくれようとしなければ、彼らは引き返そうとするだろう。しかし、そこで新参者を彼らの空間に受け入れようとする媒介者が存在すると、彼らの「入ってみたい」という勇気はくじかれずにすむのである。『ペン』の集いや、クロズリーの詩の集い、ロトンドなど、多くの若者たちの人生を変えた場所には、ほとんどいつも媒介者が存在している。

まずサルモンの場合を見てみよう。彼は、「『ペン』のつどいは毎回会の議長がいた。〔中略〕私がはじめて行ったときの議長は今は亡きアンリ・ベルノだった」と述べていることから、主催者で全体の雰囲気を統括しているカール・ボエとは別に、重要となる人物がもう一人存在していることがわかる。[23]

サルモンは、この空間には入ったものの、知り合いもいない場所で緊張していたため、あまり目立たないようにことの成り行きを見ることにした。しかし、その場にいた自分と同じような若き詩人、アポリネールが詩を詠んだのでそれに動揺してしまう。そのとき、アンリ・ベルノがサルモンのところにやってきたのである。

アポリネールが歓迎され、もとの席に戻ると、アンリ・ベルノが私のところにきて、優しく気遣いながら、この新参者にチャンスを与えてくれようとした。

「あなたも何か言いたいことがありますか？　もしよければ発表できますが…？　詩作してみたいとお思いですか？」

私は「ノン」と叫びたい苦しい欲求を抑えながらも「ウィ」と答えてしまった。

「ウィですって？　いいでしょう。あなたのお名前は？　…我々の仲間であるアンドレ・サルモン君が彼の新しい詩集の詩を発表なさいます！　…タイトルは？　何でもいいから見つけなさい…何なに？　…よろしい…彼の次の詩集のタイトルは『燃える鍵』です」[24]

こうしてサルモンは雰囲気に押され、自分でもあまりいいと思えていなかった詩を詠むことになる。彼は「ノン」と叫びたい欲求を抑えながらもついその場におされて、「ウィ」と答えてしまったという。それは詩人になりたいからこの日を待ちに待っていたのではないかという、彼自身の夢に対する想いと、あまり上手ではなくとも心を打つ詩を、同世代の見知らぬ若者アポリネールが詠んで触発されたからだろう。ここで彼はせっかく来たのに、しかもチャンスを与えてもらえたのに、みすみすこのチャンスを逃してはならないと感じたのだろう。こうしてサルモンは勇気を出し、媒介者になされるがままに詩を詠むことになるのである。

次に、ピカソの場合を見てみよう。「ポール・フォールの火曜会」と呼ばれていたこの詩の集いでも、空間全体の雰囲気をつくるポール・フォールの他に媒介者が存在していた。それが詩人のジャン・モレアスである。そのときの様子をはっきりとフェルナンド・オリビエは覚えている。

ジャン・モレアスの大音響でうなるような声が、カフェの奥から反対側までつきぬけて新参者に歓迎の言葉を浴びせてくれる。たいていの場合その言葉はこれみよがしに辛辣なものだった。しかし、彼は意地悪な言葉を使ってはいるが、新参者を通してやろうとする恩着せがましい言葉も含まれていることを見逃してはならなかった。そして、なんだかんだで彼が皆を受け入れてくれることに驚かされるのだ。[25]

このように新参者を恐れさせるジャン・モレアスの「歓迎」に応えようとしさえすれば、新参者たちは受け入れてもらえるようになっていた。

ではユキの場合はどうだろうか。ロトンドは満員で自分の座る余地はなく、せっかく来たのに失望し、猫とともに途方に暮れていたユキにも、彼女に気付いて席を空けてくれた人がいた。

自分の身体と猫を持て余して、すっかり失望したわたしは退散しようとしたが、そのときいくつかのテーブルを占領していた若いスペイン人のグループが立ち上がって、わたしを坐らせてくれた。〔中略〕それは楽しい晩であった。彼らのおかげでわたしはこのカフェの騒音から免れることができた。客はみな知り合っていて、握手を交したり、言葉をかけ合ったりしていた。誰でも自由に入れるものの、実際は一種のクラブを形作っているこんな場所では、新参者はみな侵入者のように見えた。〔中略〕

わたしは夢を見ているような気持で家に帰った。翌日、再びわたしは《ロトンド》に出かけた。[26]

このように、新参者はクラブのように親密な空間にとまどいを感じながらも、彼らを受け入れようとする媒介者の語りかけに素直に応じさえすれば、空間に参入することが可能なのである。

これらの例から、実際にその空間をつくっている主催者と、新参者を受け入れてくれる媒介者は別の人であるということがわかる。たとえばクロズリー・デ・リラの詩の集いの場合、主催者はポール・フォールで、媒介者はジャン・モレアスである。主催者と媒介者、この二人が必要なのは、主催者は雰囲気をつくり全体を見なければいけないからで、一人の参加者にずっとかまっていては会の雰囲気を維持し続けることができなくなるからである。この構造は、いい空間をつくろうとしているカフェでの、主人とギャルソンの関係とも一致する。彼らはお互いにどういう空間にしていきたいのかの意思疎通ができており、主人が注意深く維持しようとする空間になるように、ギャルソンが一人一人の客に配慮する。先述したように、カフェという場に入った一見の客たちは、小さなお金とひきかえにカフェという空間に参入する権利を手にするわけである。一見の彼らを承認するのは往々にして主人ではなく、彼らの注文を受け、品物を運ぶギャルソンという媒介者である。

ここで重要な点は、主催者や主人というのは彼が意図するような空間をつくっている一定の人物だが、媒介者は実際にはそれほどの力を持っていない者でもよいということである。媒介者は、新参者の目から見てどう映るかが重要な存在である。実際は彼らがそのイベントや空間の維持管理に少ししか関わっていないとしても、新参者が「この空間をつくっているらしき人物によって自分が受け入れられた」と思えればそれでよいのである。

たとえばポール・フォールの詩の集いの場合は常にモレアスが媒介者だが、『ペン』の場合は媒介者としての議長は毎回替わっていた。ユキの見たロトンドでは媒介者は常連ではなかったが、ロトンドに期待した雰囲気に自分を受け入れてくれる人たちであった。のちに彼女が、「これらの若い情熱的なスペイン人たちは、画家のレノスを除いて、みな医学生であった。わたしには、アズナール博士とガロ博士の二人を除いて、彼らの名をもはや思い出すことができない」と、彼らの名前を思い出そうとしていることからも、席を空けてくれたこのスペイン人のグループと彼女は話をし、自己紹介して会話に参加させてもらったことがうかがえる。[27] 彼女はその後足しげくロトンドに通うようになるにもかかわらず、二人しか名前を思い出せないということは、彼らは常連ではなかったのだろう。しかし重要なのはこの日彼女の目には、彼らがロトンドを占領している常連グループだと映ったことである。そして彼らの会話に参加する権利を得て、非常に楽しい夜を過ごしたために、彼女は翌日もロトンドへと足を運ぶのだ。そこには「またあの人たちと、もしくはあの人たちのように楽しい人たちと会えるかもしれない」という期待があるからだ。彼女はロトンドの「クラブのような親密な」雰囲気の仲間に入れてもらえたと思い、また是非行ってみようとしたのである。このように、新参者がある空間に参入したいと思ったとき、彼らを受け入れようとする媒介者の存在は非常に重要である。彼らがいるからこそ、逃げ腰になりがちな新参者たちも勇気を出してその空間に参入することができるからである。

自己を表現する勇気

新参者を新しい世界に導くための二つ目の鍵となるのは自己を表現する勇気である。彼らが真に受け入れられるためには、ただ無言で座るだけではなく、何らかの意思表示をしなければならない。

サルモンがソレイユ・ドールの集いに行って、全人生のチャンスをかけたと後に言うことになるのは、彼が勇気を出して詩を詠んだからである。

しかし私は詩を詠んだのだ。カール・ボエが私のところにやってきた。彼は私に握手すると、ボナパルト街の局長室で提出したのと同じ私の詩の原稿を奪い、金色のひげの輝く笑顔で「これを雑誌にのせるから頂戴」と私に言った。

この詩のつどいの聴衆というのは、有名人もいれば見知らぬ人もいるのだが、『ペン』誌の原稿選考委員会だったのだ。つまり穴蔵は試験会場だったというわけだ。[28]

そしてその夜、彼はアポリネールとともに、先輩詩人のポール・フォールとメシスラス・ゴルベールに連れられ、バルザール、クロズリーとカフェのはしごをし、詩人たちの世界に足を踏み入れることになるのである。

また、ピカソが彼らに受け入れられたのも、ジャン・モレアスの言葉に負けない言葉を言い返すことができたからである。ピカソの場合はこうだった。

モレアスはもちろんピカソにも受け入れたるための皮肉を言うことを忘れなかった。「ピカソ、教えてくれよ、ベラスケスは才能があるのかね?」ピカソはうれしそうにこう答えた。「あなたはロペ・ベガ・ド・カルピオについてはどう思いますか?」 彼が愛し、高らかに読んだこの美しい名前は、まるで彼が詩でも詠んだかのようにその場をうならせたのだ。[29]

この受け答え、そしてジャン・モレアスという、新参者にとって凄みを帯びた人物の皮肉に負けじと発言する勇気と意気込みによってこそ、新参者は新しい仲間として認められてゆく。そしてピカソはこれ以降、アポリネールたちと一緒に毎週火曜はクロズリーに行くことになる。

ユキの場合は、最初の日はスペイン人たちと話をしただけであったが、翌日舞い戻ったロトンドで彼女は偶然藤田を見かけ、一目惚れをしてしまう。

> 彼は一人だった。黒い豊かな髪をおかっぱ頭にし、べっ甲の眼鏡をかけ、赤と白の格子縞の木綿のワイシャツを着て、Mの形をした小さい口髭を生やしていた。服はとても上等のイギリス地で、キモノの袖のようなまっすぐな袖のついた上着を胴のところで布地のバンドで締めていた。
>
> わたしはすべてそれらを酔ったようになって眺めた。わたしは烈しい衝撃を受けたからである。彼は友人たちと一緒にテーブルに着こうとしたが、思い直して出て行った。そのときわたしの前を通ったが、見向きもせず、わたしを絶望に陥れた。どうすればよいのか。どこへ行けばまた彼に会

えるのか。わたしはいく杯もリキュールを飲んだ。ホールは少しずつ人影がまばらになった。閉店の時刻が近づいていた。もはや二、三人の客しか残っていなかった。虚脱状態から脱したわたしは、カフェのまんなかに突っ立って、「このなかに、眼鏡をかけて、髪をおかっぱにしたアジア人を知っている方はいらっしゃいませんか」と訊ねた。黒い髪をした一人の男が指を挙げた。

——お嬢さん、僕が知っています。ここへ来て僕と一杯やりませんか。

むろんそれはわたしの望むところであった。[30]

ここで彼女は勇気を出して藤田のことを尋ねたのである。彼女はこの客に藤田の住所を教えてもらい、結局藤田と結婚することになる。彼に出会ったおかげで彼女は幅の広いネットワークにつながるようになり、モンパルナス中の芸術家たちと知り合いになる。まさに彼女の人生もサルモンのように、カフェでの出会いによって大いに開けていったわけである。彼らの人生がこのようにして急速に開けていくのも、彼らがただ黙ってカフェに座っていたからではなく、人生において得たい「何か」を求め、そのために勇気を出して自己を表現したからである。

余談だが、筆者自身もパリの哲学カフェにおいて同様の経験をし、世界が急速に広がったことがある。筆者はこうしたことが起こりうるとは研究で知りつつも、実際にパリのカフェで経験をしたことはないまま時が過ぎていた。哲学カフェに参加してみても筆者には議論の内容を追うことが精一杯で、とても自己を表現することなどできなかった。ちなみに哲学カフェは、一九九二年にマルク・ソーテという哲学教授が始めた、哲学を「象牙の塔」から街におろそうという取り組みである。彼もまた、かつてカフェに集った知識人同様に、街に出ることの重要性について、「哲学者の使命は、沈黙することではない。哲学者が役割を果たすのは、自分の殻の中でではない。道端や街頭で、人々の生活に入り込むことによって、商人や大道芸人であふれかえる市場をほっつき歩くことによってなのだ。」と述べている。[31]

この動きの発端となったのは、バスチーユ広場のカフェ・デ・ファールである。ここでは毎週日曜の午前十時から約二時間、その場で討議したい内容のある人が手を挙げ、参加者たちに選ばれた議題について、意見のある人たちがマイクを奪い合いながら議論を進めていく。これらの内容は毎回非常に深く、しかも彼らの本気の議論はあまりに早口なため、初めて哲学カフェを体験した私はとても追いつけずに意気消沈したものである。それでも哲学カフェに興味のあった私はパリに行くごとに何とかして予定を組んでは顔を出していた。

二〇〇六年十月に研究のために渡仏した際もカフェ・デ・ファールを訪れたのだが、開始時間に遅れたためすでに会場は超満員で、何とかして入ったものの、立ち見という有様だった。三十分ほど立ち見してみたものの、私はその空間に参入することを諦め、仕方なしにそのカフェのテラスに座ることにした。とはいえ、興味を諦めきれない私は隣席の人に議論の趣旨を尋ねたり、よくここに来るのかと聞いてみたりしていた。目の前の景色でも絵に描こうと思い、時間つぶしに絵を描くうちに、テラスの隣席で言葉を交わすことになった人たちはなんと七人にも上っていった。しかもそのうちの一人は、私が必死で連絡を取ろうと思っていたクリストフ・デュラン＝ブバルの知り合いであり、彼の連絡先を教えてくれたほどである。何というカフェでの偶然！

そうこうするうち哲学カフェが終了し、店内は秩序を取り戻すために客たちは外に出され、出された客の何人かは熱気さめやらぬ様子でテラスに腰をおろしていった。そこでぎゅうぎゅうになったテラスの席をあけるため、私が席を譲ったところからまたその人たちとの会話が始まった。彼らの一人は熱心に他の哲学カフェの場所と時間を私に教えてくれた。そこでまさに議論を始めようとしていた女性と私は多少会話し、また次の哲学カフェで会おうという話になった。

ちなみに次の哲学カフェが開催されていたのはあのフロールの二階である。ここでは月に一回、英語での哲学カフェが開催されているのである。このフロールの二階の哲学カフェでも私はサロンを主催する面白い人物と知り合い、その晩は参加者と夕食を共にすることができた。彼らは次々と私に紹介すべき場所や人を教えてくれたため、私の空の手帳は瞬く間にたくさんの予定で埋まっていった。

こうして私はパリのカフェで勇気を出して自己表現し、急速に世界が開ける体験をすることになったのである。これは今までカフェでただ物を書いたり作業をしたりしていただけの私にとっては非常に感動的な体験だった。それまでの滞在期間は一人で異邦人の孤独や精神の不安定さばかり感じていたのに、急にパリがわが街のように感じられ、自分が水を得た魚のように活き活きとし始めたのである。これはまさに私がそのとき表現したいものを持っており、それに興味を示してくれる人がいたからこそできた経験である。

このように、大切なことは空間に入れようとしてくれる媒介者がいたときに、ただ無言で過ごすのではなく、表現する自分を強く持っているということである。そして、ネットワークを持つアトラクターのいるカフェという空間に参入し、何事かを成し遂げたい自己を表現するとき、カフェという場は人生を変えるほどの力をもつのである。

先輩世代との出会い

こうしてあるカフェのイメージに憧れた若者たちがカフェに参入していったとき、まず彼らを受け入れるのはすでに常連になっている先輩たちである。たとえばサルモンやアポリネールがソレイユ・ドールの集いに参加した頃の先輩世代は、第一世代のポール・フォールやジャン・モレアス、メシスラス・ゴルベールやカール・ボエなどである。また、若きアンドレ・ブルトンやフィリップ・スーポーにとっては、一九一七年当時の第二世代であるアポリネールやサルモンなどは圧倒的な偉大さをもつ先輩となっていた。なぜ彼らが若者たちにとって偉大な先輩と映るかといえば、彼らはまさに自分の憧れを具現し、その世界で生きている第一人者だからである。のちに「天才」と呼ばれることになった者たちは、若き日に天才に憧れるのだと先述したが、彼らの多くは若い時分に一度は小説家や音楽家、詩人たちに出会って影響を受けている。たとえばブルトンは、医学生時代にジャック・ヴァシェという詩人に出会っていかに影響を受けたかについてこう述べている。

彼の行動とことばを私たちは深い関心をもつて絶えず心にとめていました。彼の手紙は神託のようでしたし、この神託の特性は汲み尽くせないということでした。（中略）どんな活動を企てるにしても――というのはだんだんとそうした気運がもりあがつていたからですが――それはヴァシェなしには方向が定まらないように思われました[32]

こうして彼の目指すものを具現しているかに見える人物との出会いにより、彼は絶望的な世界の中でもなんとか生きる意味を見出し、彼に影響されてゆく。

また、ボーヴォワールもソルボンヌ大学に入った頃に、ギャリックという文学講師に出会い非常に影響を受けている。彼はエキップという社会団体をつくり、階級や自分の殻から抜け出して大きな共同体のために生き、その必要性を多くの人に訴えていた。彼の姿もまたひとつの思想を具現していた。彼女は初めて彼の講演を聴いた後、自分の家の玄関ホールで自分の中の命令的な声を聴く。

《私の人生を役立たせなければならない！　私の人生すべてが役立たなければならない！》
そうだ。こう思うと私は立ちすくんだ。無限の努力が私を待っている。私全体が要求されているのだ。ほんのわずかな無駄をすることも自分の使命を裏切ることである、そして全世界を傷つけることになる。
《すべてを役立たせてみせる》
と私は感慨に咽喉を締めつけられながらこう自分に言った。それは正大な誓いだった。私はあたかも天と地に向って自分の未来を決定的に誓約したと同じくらいの感動をもって宣言したのである。[33]
小説や非現実の世界ではない、現実世界での想いを具現して生きる人間との出会いは、これほどまでに感動を引き起こす。そして、彼らは先輩たちに出会えたことを喜ぶと同時になんとかして彼らに近づきたいと切望する。ボーヴォワールは、「ギャリックに会うたびに、私は自分の誓いを強めた。テレーズとザザの間に坐った私は、ギャリックが現れるのを千秋の思いで待った。〔中略〕私は彼についてすべて知りたかった。〔中略〕いつか私はギャリックと対等に話せるだけの人間になれるだろうか？〔中略〕私はギャリックに認められようと努力した」と彼に対する熱狂を書いている。[34]
こうして彼らは想像上の世界と自分をついに結びつけ、彼らのようになろうと本格的に努力する。

とはいえ、彼らが人生で初めて出会ったこのような人物も、媒介者同様、彼らの目にどう映ったかが重要である。彼らが初めて出会った小説家や音楽家、詩人たちというのは彼らには多大な影響を与えたにせよ、歴史的に名を残した人物であることは少ないものだ。

それに対して、カフェを根城に選んだすでに有名な人物たちは、たまたま若者が出会えた通りすがりの芸術家ではなく、第一線で仕事をし、まさに彼らの力で歴史を塗りかえようとしている者たちである。若者たちからすれば、先輩たちはすでに自分が愛読していた印刷物で名前を目にする、雲の上の世界の人たちである。したがって、先輩たちに対する憧れも強ければ、そんな彼らに受け入れられたときの喜びといったらないものである。

とはいえ、先輩たちの側からすれば、後輩世代を受け入れるのはそうたいそうなことではない。後輩世代が崇拝するような者たちも、彼らと同年代の者にしてみれば昔からの友人であることが多く、誰かを紹介するのもわけのないことである。また、彼らは彼らで計画している企画に人手が足りないこともあるため、やる気のある後輩がそのポストに就いてくれることはありがたいことである。こうしてサルモンはすぐにポール・フォールの秘書的存在となり、彼が一九〇五年に『詩と散文』誌を出版するときには事務局長となるのである。このとき、ポール・フォールとサルモンは定期購読を促すための手紙を二万三〇〇〇通も書くことになり、サルモンはポール・フォールのサインをクロズリー・デ・リラで代筆していた。また、『詩と散文』誌の予約のために、サルモンはアンドレ・ジッドをはじめとする著名な作家たちの家を訪ね、彼らと会話をすることになる。こうして『詩と散文』の事務局長のサルモンという若い詩人」は、多くの作家たちに認知されていくのである。

先輩世代の乗り越え

カフェで出会う以前は、後輩世代にとって先輩世代は神のような存在であり、先輩作家からの手紙は神託のようなものでもあった。しかし、彼らは先輩たちに出会い、誰もが同等な立場になれるカフェという場のテーブルを囲み、同じように飲み物を飲むことで、次第に彼らも同じ人間なのだという事実に気付き始める。カフェという場で仲間とともに自分の弱いところもさらけだし、リラックスしている先輩の姿というのは決して神のようなものではない。先輩たちとカフェという場で過ごす時を重ねていくうち、後輩たちは先輩たちの強さや魅力だけでなく、彼らの弱さや、自分の思想とは相容れない点もあることに気が付いていく。こうして、同じ人間として対等になるカフェという場で時を重ねてゆくことで、他の場所では崩せないような強力な先輩、後輩という縦の関係が崩されていくのである。

かつて先輩たちに神に対するような絶対的な信頼感を置いていた者たちも、彼らを自分と同じ地平に引きずり下ろし、神ではなく、才能のある人間として彼らを眺め始めてゆく。後輩たちは人間としての先輩の取ってきた方法を眺め、吟味し、自分たちに合わない場合はそれを乗り越えようという気持ちが次第に強くなっていく。かつては神であった存在としての先輩が、カフェという土俵で同じ人間になったのならば、彼らが行ってきたことが同じ人間である自分たちにできないわけがないだろう。

その上先輩たちは、自分たちさえ尋ねれば、快く彼らの取ってきた手法を教えてくれる。こうして彼らも先輩同様、仲間とともに雑誌をつくり、それを発行していこうとするのである。アポリネールは先輩世代とは違う自分たちの表現のために、サルモンらとともに自らの雑誌『イソップの饗宴』誌をつくることを決意する。また、一九一九年の若きパリのダダイストたち（後のシュルレアリストたち）も他の雑誌に投稿していくという選択ではなく、自分たちのための雑誌『文学』誌を創刊する。彼らは、強く憧れていたダダの創始者であるツァラをチューリッヒから迎え、共に生き、行動してみた結果として、彼に対する失望をあらわにしていくようになる。アラゴンは当時の状況をこう書いている。

それは一九二〇年のはじめを支配していた完全な混乱のただ中でのことだった。〔中略〕好むと好まざるとにかかわらず文学的立体派の後継ぎを粧うことにもあき、結局、先輩たちとのあいだには根本的な違いがあって、どうしようもない溝のあることに気づき、われわれが黙っていることで、たとえば自由詩についてのような文学論争を支配し、技術的な論議を果てるともなく続けている子供っぽく、視野のせまい精神を容認しているかのように思われるのをこれ以上ほっておけないと決意し〔中略〕アンドレ・ブルトンとフィリップ・スーポーとポール・エリュアールと私は公開の行動に出る決定を下したばかりのところだったのである。[35]

また、絵画の分野でも同様に世代間の憧れと乗り越えが存在している。たとえば藤田は到着当初にピカソに激しく影響されたものの、当時盛んだったキュビスムの影響を受けてキュビストになることもなく、自分にしかできない道を探していった。また、藤田の親友、モディリアーニは先輩世代のことをこう語っていた。

キュビスムの画家たちのことは僕に話さないでくれ。彼等は、自分たちも恩恵にあずかっている生命のことはさっぱりおかまいなしで、方法ばかり追求している。絵を描くには生きている存在が必要だ。自分の目の前に生きている存在を見ることが僕には必要なんだ。抽象は枯渇させ、死をもたらす、抽象は行き止まりだ。[36]

カフェという対等な場で、憧れの先輩世代を自分と同じ地平に引きずり下ろした後、彼らは先輩世代の批判を始め、彼らを乗り越えようとする。そのときに非常に重要な役割を果たすのが同じ世代の仲間である。一人では先輩たちに対してちっぽけな存在かもしれないが、仲間がいれば様々なアイデアも協力もあり、彼らの未熟な思想も次第に力強さを持ち始めるからである。

仲間との出会いと切磋琢磨

ではどうやって彼らは仲間を見つけたかと言えば、実はこれも先輩世代のおかげである。先輩世代に憧れた若者は、そのイメージを求めて彼らの集うカフェに一人、二人と向かい始める。そこで先輩世代が彼ら新参者を快く受け入れたとき、新参者はかつてのサルモン同様に、同じく先輩に憧れてきた同世代の若者を発見するのである。

こうして後輩たちは何人かの仲間を見つけ、後は友人の紹介を介して同様な模索をする者と知り合ってゆく。実際、彼らにとって真に重要な出会いとなるのは、先輩であるアトラクターとの出会いよりも、彼を介して出会った同世代の仲間たちとの出会いの方である。シュテファン・ツヴァイクは、まだ「何者か」になっていない者たち同士の学び方について、「友情というものが容易に結び合い、社会的あるいは政治的な区別がまだ激化してはいないあの時期においては、一人の若い人間は、自分よりすぐれている人たちからよりも自分たちといっしょに求めている人たちのほうから、本質的なものを学ぶものである」と述べている。[37]

彼の通っていた十九世紀末のカフェ、グリーンシュタイドルにもやはりヘルマン・バールというアトラクターがいた。ツヴァイクが言うように、アトラクターに憧れを抱いている時期は、お互いに少しでも彼の言っていることを理解したい、彼のようになりたいと思って努力をする。そこで一人でも同世代で抜きん出た者がいると、アトラクターにまでは追いつけないにせよ、なぜ同世代の彼に自分が負けることがあろうかと思い、負けるものかと努力をする。彼にとって非常に衝撃的だったのは、同世代にすでに完成されたような天才的詩人、ホーフマンスタールがいたことである。上述のサルモンをソレイユ・ドールの集いで突き動かしたものは年の離れた先輩詩人ではなく、同世代のアポリネールが皆の前で詩を詠んだという事実である。藤田もボーヴォワールも負けず嫌いなだけに、同世代の仲間との出会いは非常に重要だった。ボーヴォワールの場合は、学生時代に、同世代で自分よりもはるかに先を行っているように見えたサルトルやニザンたちと出会ったことが非常に大きな転機となった。「自分の孤独は選ばれた者の証」だと思っていた彼女は、彼らに圧倒されて急に自分の位置づけを知ることになる。

数年間の高慢な孤独の後で、自分がユニークな存在でもなければ、第一級の存在でもないのだと発見したことは大きな事件であった。自分は他の大勢の人たちのひとりにすぎないのだ。そして急に、自分の真実の能力に自信がなくなった。なぜなら私をつつましい気持にさせるのはサルトルだけではなかった。ニザン、アロン、ポリツェールなど、私よりずっと先に進んでいた。私は大急ぎで試験を受ける準備をしたのだが、彼らの教養はずっと確固としたもので、私の知らないたくさんの新しいことに通じていた。彼らは議論に馴れていた。[38]

こうして彼女は彼らの存在に圧倒される。しかし、彼女は圧倒されると同時に、これほど身近な彼らがこうなれるのなら、自分も彼らのようになりうるのではと、逆に自信を持つのである。

しかし、私は落胆しなかった。未来は私が考えていたよりももっと難しかったが、しかしより現実的でよりたしかだった。さまざまな無形の可能性のかわりに、私は眼前にはっきりと定義された原野が拡がるのを見た。その問題と、努力と、材料と、用具と、抵抗とともに。私は何をやったらいいだろう？　と自分に問わなくなった。すべてをやらなくてはならない。昔、私がそうしたいと欲したように。過ちと闘い、真実を探し、真実を言い、世界にあかし、もしかしたら世界を変えることに協力することも……。時間をかけなければならない。努力して頑張らなくてはならない。これは自分に誓ったことのほんの一部分でしかないではないか。しかし、私は怖れなかった。勝負は決まっていない。すべては可能のままだった。[39]

このように、彼女はサルトルたちと出会ったことで自分の「高慢な孤独」、自分は何かをやってのけることができるのだという思い込みに痛手を受けることになった。しかし重要なのはそこで彼女が落胆しなかったということである。なぜなら彼らと自分の年はたいして変わらず、彼らという眼前の存在は非常に現実的で、手の届く存在だったからである。彼らはずっと先を行っているが、自分も彼らのようになれる可能性があると彼女は思い、強く刺激されることになる。彼らとともに「過ちと闘い、真実を探し、世界にあかす」ためには、「すべてをやらなくてはならない」と彼女は思い知る。そしてその先に、「もしかしたら世界を変えることに協力することも」できるかもしれない未来を、彼女は同世代の仲間と出会うことで見出したのである。

日本から印象派の名前程度しか知らずに、「世界的な画家になってみせる」と思ってパリにやってきた藤田のショックも非常に大きなものだった。彼はピカソのアトリエでルソーの絵とピカソの絵を同時に見せつけられ、今までの方法では駄目だと思い直す。

着巴早々ピカソの家に於てピカソからルソーの画を見せつけられて、セザンヌとかゴッホというような名前すらも知らずしていきなり極端な方に私は眼を開いたのであった。私が今まで美術学校で習っていた絵などというものは実にある一、二人の限られた画風だけのものであって、絵画というのはかくも自由なものだ、絵画の範囲というものはいかにも広いもので自分の考慮を遺憾なく自由にどんな歩道を開拓してもよいと言うようなことを直ちに了解した。その日即座に私は自分の絵具箱を地上に叩きつけて、一歩から遣り直さねばならぬと考えた。[40]

彼もまた、実際にピカソやリベラといった人物たちと出会い、彼らも自分と同じようにロトンドでコーヒーを飲むような自分と同じ生身の人間なのだと身をもって知ることによって、ボーヴォワールのように、「未来は私がかんがえていたよりももっと難しかったが、しかしより現実的でより確か」なものと考えるようになる。それから彼は、セザンヌやルノワールをはじめとする大家について調べることで、彼らも自分と同じ年の頃には苦労をしており、すぐに認められたわけではないことを知り、こう決意する。

僕はあまりに多く古代よりの大家の名を記憶しすぎて来た。だが今や僕はそれらの名を覚えることの代りに、彼等に自分の名を覚えさせる方が早道だ。[41]

そこでボーヴォワールのように、「勝負は決まっていない。すべては可能のままだ」、つまり現在の自分も「大家」の若き姿とそう変わらないことを知り、後は自分がいかに努力をし続けるかなのだとわかるのである。藤田はのちにこう書いている。

パリにはおよそ十万人の美術家が生存している。五大サロン展覧会も年毎に開催され団体協会も三十有余と算され、画商と名の附く店も市中に三百五十の個展を毎日開いている、画家の機関が非常に完全しているので、その渦中に投入してやる以上は、絶対の努力は必要である。[42]

こうして彼は「絶対の努力」をしていくのである。覚悟を決めてからの彼の日課はだいたい次のようであったという。

勉強時間にしても普通十四時間、仕事を励む際には十八時間位筆を持つ日が続いた。朝十時から午後一時まで描く。一時から二時までの間に昼食し十五分昼寝し更に二時から七時まで描く、九時迄の間に夕食をとって休み更に翌朝の四時、時には五時まで画いて、ようやく寝に就き十時まで約五時間睡眠するという課定であった。[43]

幸運なことにモンパルナスには彼が尊敬し、切磋琢磨できるような貧乏芸術家たちが存在していた。彼らは自分の食べる物や服装のことはまるで気にせず、ひたすら絵に向かっていた。負けず嫌いで意志の強い藤田は彼らに出会い、より自分を奮い立たすことが可能であった。藤田はモディリアーニやキスリングをはじめ、モンパルナスの貧乏芸術家たちの仲間意識がいかに強いものであったかをこう述べている。

大勢のなかから辛うじて残つて名を成すことができたこれ等の芸術家というものは、一緒に苦労し合つた仲だけに、やがて成功した暁にはお互い間の友情は実に固いものがあります。たまたまフランス以外の欧米諸国で名を成した画家なり彫刻家なりが巴里の一流の画商や展覧会場を借りて堂々とその作品を発表するようなことがあつても、なかなか巴里の連中は己れのグループには入れて呉れぬものです。何しろ長い間一緒に苦労を嘗め合つたということ、――これが血縁以上に見られるような永久的な兄弟愛の様に固い結び付きになるのですね。[44]

このように彼らは同世代の仲間と出会い、強い刺激を受けることで、元来の生真面目さと負けず嫌いに拍車をかけて、時間を無駄にせず、自分にしかできない道を追求しようと日々努力し続けることになるのである。

カフェでの議論から生まれるもの

議論で育む共有知

同世代の仲間たちと出会い、共に新しい方法を模索しようとしたときに、非常に重要となるのが議論の力である。議論の力というのがいかに大きな威力を持つかについて、モンテスキューはこう述べている。

> 自由な国民にあっては個人が上手に議論するかそれとも下手にであるかはしばしばどちらでもよいことである。議論するだけで充分なのだ。そこから自由が生じてこの同じ議論の効果を保証してくれるからである。
> 同じように、専制政体においてはひとが上手に議論しても下手にであってもどちらも危険である。この政体が衝撃を受けるには議論するだけで充分だからである。[45]

カフェでの自由で活発な議論が、フランス革命につながる一つの原動力となったというのは有名な話である。ではカフェで議論をすることで一体どのようなことが起こってゆくのだろうか？「学校の時間中において、学校へ行く途中、あるいは学校へ行き帰りの途中において、カフェにおいて、劇場において、散歩の途中において、われわれ半人前の若者たちは何年間も、書物や絵や音楽や哲学を論ずる以外の何ごとをもしなかった」と述べているシュテファン・ツヴァイクは、カフェでの議論の結果としていかに多くの知識を得ることができるかを教えてくれる。[46]

何ものもわれわれの目を逃れることはなかった。というのは、われわれは、個々に関心を持つだけでなく、それを全部寄せ集めたおかげで、芸術的事件の世界像に対してただ二つの眼だけでなく、二十、四十の眼を持っていたからである。一人が見逃したことを、他の生徒が彼にかわって眼に入れた。そしてわれわれは、子供っぽく思いあがって、ほとんどスポーツに類する功名心をもって、最も新しいもの、とびきり新しいものの知識において互いにしのぎを削りあったので、センセーションに対する一種の競争心をいつも持っていたのである。たとえばわれわれが、当時まだ社会から放逐されていたニーチェを論ずるとき、突然われわれの一人が優越を装って、「しかしエゴティズムのイデーにおいてはキエルケゴールのほうが彼よりもすごいね」と言うとすると、すぐさまわれわれは不安になるのだった。「Xが知っていて、われわれが知らないキエルケゴールとはどんな人物であろうか。」次の日には、この忘れられたデンマークの哲学者の著書を探し出すために、図書館に押し寄せるのだった。[47]

これら「二十、四十の眼」を持つことによって、彼らは一人では決してなしえなかったスピードで物事を吸収することができる。敏感な感受性を持った若者たちは、街に出て次々に新しいものを発見する。その発見を人に語ることにより、情報を広めるとともに、聞く側には自分もそれくらい知っておきたいというライバル意識を生じさせる。彼らは白熱した議論に追いていかれることがないようにと、精神を常に緊張させる。彼らの精神は常にアンテナを張った状態になっており、議論の最中だけではなく、街に出た時にも何か面白いものはないかと探し求めることになる。こうして彼らは眼と口と耳を通して詰め込んできた情報を、カフェという場でお互いに交換し合うのである。これらの「二十、四十の眼」が日々発見し合い、知識を共有し合い、議論をし合っているのであれば、同じ時間に家で一人で本を読むのとカフェに通い続けるのとでは、歴然とした差がつくだろう。思想の共有がいかに大事であったかについて、ブルトンはこう述べている。

そのころ、たれかれの関心を奪つている事柄はすべて毎日の論議の対象に供され、その全部をひつくるめて、極めて活発な、和気あいあいとした論争が行われたものです（対抗意識の生じるのは、もつとあとになつてからです）。私たちのあいだで、思想の共有ということが、なんら個人的な制約なしに行われた、と言うことができると思います。〔中略〕誰ひとりとして、なにものも自分自身のためにに手許にとつておこうとせず、ひとりひとりがすべての者への贈物の成果、すべての者のあいだの分配の成果を期待していました。それに、実際上、当時これほどに効果のあるものはなかつたのです。[48]

ブルトンは自身がこの効果を体感しただけに、「今日、他の点では立派な知性のひとたちが、自己の自律性にかんしては極めて嫉妬深く、自己のちつぽけな秘密を墓のなかまで持ち去ることに明らかに執着しているのを見るとき、私はひとは退歩したと、また彼らにかんしていえば、彼らがそれをどう考えていようとも、この点では彼らは正しい道を進んではいないと思うのです」と後年に嘆くことになる。[49]

なぜ彼がこう語るかといえば、大勢での知識の共有や議論というのは、短時間で膨大な知識を手に入れられるだけでなく、そこには新しい知へと向かう動きが内在されているからだろう。まだ見ぬ何か、未知の世界へ到達したいと願って自分の道を模索する者たちにとっては、議論という行為はヒントを得る上で非常に大切なものである。彼らが知識を共有し、未知の点へと向かおうとして知恵を絞り出している最中に、あるときふっと彼らをとらえる言葉がその空間を浮遊する。それを誰かがすかさずとらえ、また口に出し、誰かがそれを反復し、その内容を深めていこうとすることで、彼らの議論は共有知へと向かっていくことができるのだ。知や情報というものは一人一人の人間に内在されているものではあるが、それをカフェという場で吐き出すことで、個人の知は共有知へと変化してゆく。そして、共有された議論をもとに、新たな知や運動が生み出されてゆくのである。

カフェでの議論の有効性

もっとも、議論に効果があるといっても、どこでも議論さえすれば深い知や運動が生み出されていくわけではない。たとえば議論のための議論は生産的でないし、形式ばった会議から何かダイナミックな動きが生み出されることはまれである。また、一時のイベントで盛り上がり人々が共感するアイデアが生まれたとしても、彼らが離れてしまえばそれを実現させることは難しい。

新たな運動につながるような自由な議論の舞台となるのは、歴史的にカフェであることが多かった。なぜなら、カフェ以外のたいていの場所には、それぞれ振る舞うべきコード（規範）が存在するからである。たとえば事務所は、基本的にはミーティングと事務作業とをする場であり、寝泊まりや夢を語るための場所ではない。またミーティングは限られた時間の中で何かを決定する場であって、延々と議論をし、アイデアを深めていく場ではない。研究室は基本的には研究をするための場であって、おしゃべりや食事をする場として設定されていない。これらのことも、やろうと思えば可能ではあるが、存分にそれをしてよい場所と、うしろめたさを感じながらその行為を続けるのとでは話のトーンや深さが変化する。うしろめたさを感じる場所では誰かの視線や時間が気になり、深い話に発展しにくいものである。またこれらの場所に来た者は、無為に時間を過ごすのではなく、目的に沿った行動をすることが要求されている。そのため、本人のやる気いかんに関わらず、事務所に行けば事務作業をし、研究室に行けば研究をしているふりをしなければならない。

それに対して、カフェにはそういった目的やコードが存在しない。カフェでは各自が好き勝手に振る舞っていればよいため、興味のある人だけが話に参加すればよく、それをしたくない人は当人のしたいことをしていればそれでいいのである。実際やる気のある者が集ったときに、それに興味を持たない人を無理に参加させなくてもよいということは動きを前進させるためには非常に重要なことである。何かを生み出すときに大切なことは、ただ参加をすることではなく、本人たちが本当に望むことを自主的に追求していくことである。Aという動きに賛同しない人たちには、無理にAに巻き込むよりも、彼らが至るかもしれない他の動きを追求してもらった方が結果としてお互いにいいものを生み出すことになる。こうして誰もが完全な主体性によって何事かをやろうと決意したとき、計り知れない力が生まれてくる。だからこそ、各自の行為や発言が完全な自主性に任されているカフェにおいて自由な議論をすることが、力強く責任のある動きを生み出すことになるのである。

オルタナティブな価値観の模索

アトラクターとなった先輩世代の下に集い、やがて先輩世代の価値観を乗り越えていこうとする者たちは、仲間とともに新しい価値観を模索していく。とはいえ、既存の価値観を否定するのはたやすいが、自分でそれに替わるものを築き上げるというのは並大抵のことではない。ボーヴォワールはサルトルと共に新しい価値観を模索していた数年のことをこう書いている。

他の多くの分野と同様、私たちはどういう過ちを犯してはいけないということはわかっていても、ではそのかわりにどういう真理をそこにおいたらよいかということになるとわからなかった〔中略〕その数年のあいだ、私たちの努力は、図式から解放され、かつ図式を発明する、という仕事に集中していた。それが私たちの毎日の仕事であり、それはどんな書物よりも、また外部のどんな貢献よりも私たちを豊かにさせたと思う。[50]

何かを否定するのはたやすいが、「そのかわりにどういう真理をそこにおいたらよいか」を考え出すのは非常に困難である。そのためには自分一人の狭い考えを抜け出して議論し、思考を広げることが必要だった。自分一人の価値観というのは、生まれ育った環境や見てきた物事にも大きく左右されるため個人的であり、普遍的とはいいにくい。ところが出身も考え方も常識も異なる者たちが、ある時代の価値観について共通の問題意識を抱き、様々な角度からそれを検討し乗り越えようと努力することで、その議論は普遍性を持ってゆく。ボーヴォワールにとっても、サルトルと二人だけでなく、フロールで志を共にする仲間に出会えたことは大きな励ましとなる。彼女はパリ占領下のフロールで、カミュ、ミシェル・レリス夫妻、レーモン・クノー夫妻という仲間を見つけたのである。

私たちは少人数、あるいは皆そろってキャフェ・フロールや、近所の質素なレストランや、それからしばしばレリス家に集まった。〔中略〕これらの集まりは私たちの時間をずいぶんとったし、私たちはこれらの集合にたいして、趣味、意見、好奇心のつながりだけでは説明し切れない価値をおいていた。それは、実際上の連帯感から来ていたことによる。私たちはB・B・C放送を聞き、ニュースを伝え合い、それについて意見を述べた。私たちはともに喜び、ともに憂慮し、ともに憤慨し、そして憎み、望んだ。〔中略〕いっしょにいるということだけで、われわれの団結を知り、われわれの強さが感じられるのだ。私たちは、われわれの断罪する人たち、思想、組織にたいして永久に団結をしてゆこうと誓い合った。[51]

こうして彼らは一人でも二人でもなく、何人かの仲間たちと議論を重ねることで、一人では到達しえなかったような知識や発想を手にし、それを使って全速力で未来へと進んでいくことができた。仲間と出会い、自分の考えがおかしいわけではないとわかった彼らは、自信と希望を取り戻し、未来に対する確信を持てるようになってゆく。そして彼らは、未来は自分たちの手によって変えられるのではないかという使命感や確信を持つにまで至るのである。ボーヴォワールは第二次世界大戦終戦前の彼らの状況をこのように述べている。

敵方の敗北の報らせが打ち鳴らされようとしていた。そしてその時開かれる未来は、もしかしたら政治的に、いずれにしても知的面においてはわれわれの手によって建設される未来である。つまり、われわれは戦後にひとつのイデオロギーを与えなければならない。〔中略〕サルトルは私たち皆で主宰する雑誌を作る決心でいた。私たちは夜明け前に到着し、今や日が白もうとしている。私たちは肘と肘をつき合わせてまったく新しい出発をするのである。そんなわけだったから、私は三十五歳だったにもかかわらず、私はこれらの友情に、若い頃の、くらくらするような友情の新鮮さを見出したのである。[52]

彼らの確信を証明するように、戦後すぐに実存主義はフランスだけでなくヨーロッパ、アメリカ、そして日本にまで広がってゆく。シュルレアリスムや実存主義は、強く思想を共有しているために、

「主義」という形で認識されることになる。これより随分とゆるやかな流派はエコール・ド・パリであるが、重要なのはいずれもカフェで議論し、彼らの思想をわかちあっていたことである。だからこそ頭で考えていることを現実化した作品に、主義として共通する特徴が明確に現れなかったとしても、そこにゆるやかな関連性を見出すことができるといえるだろう。

予期せぬ出会いとインスピレーション

予期せぬ出会いと「偶発力」

カフェという場の魅力としては、居場所や議論のできる環境であることの他にも、予期せぬ出会いも挙げられる。居場所としてカフェを使うことは誰でも容易にできることである。それに対してカフェで偶然の出会いを楽しむためには多少の心構えが要求される。偶然の出会いを楽しむことは、ただ一人の世界にこもるためにカフェに来た人には容易にできることではない。というのも予期せぬ出会いは往々にしてノイズと同様だからである。

しかし、これらの出会いを楽しもうとする気持ちを客が持ち、カフェという空間自体にそれを受け入れる空気が流れた時こそ、カフェという場は計り知れない魅力を持つ場所になるのである。偶然の、予期せぬ出会いは、ブルトンがナジャに出会ったように、ときに人生に深い刻印を残し、ときに人生を変えることがある。

本書では、偶然の予期せぬ出会いを楽しみ、そのチャンスを自分のものにしていく力を「偶発力」と呼ぶことにする。リビオンのいたロトンドで、偶然の出会いを大いに享受し、それをつかみ取っていった人物、つまり偶発力を持っていた人物として注目すべきは藤田である。他の多くの日本人画家と違い、藤田がパリで脚光を浴び、スターとして注目されるに至った理由の一つに、彼がカフェを使うことを覚えたことがあるといえる。彼は自らが成功した理由について、「私が早く巴里を理解したことですね。もう一つは、巴里に長く居たことですね」と述べていると先述した。[53] そして、彼が「巴里を理解」するためにすぐに通った場所の一つにカフェが挙げられる。先述のように彼は到着初日からカフェに出会い、その後も足繁くカフェに通うことになる。彼は画家になるために渡仏したにもかかわらず、絵画はさておき、まずフランスについて研究することにしたという。

フランスの国情に通ずるにはフランス語を十分に知らねばならない。〔中略〕そこで僕はカフエーに出入して手あたり次第にあまたの給仕を語学の先生だと思つて交際した。そして常に西洋人を恐れぬこと、西洋の事物が異様に見えぬやうになる事、フランスの長所を握るとともに又その欠点を見出すことに努めた。
そこで絵の方はさておいてまづフランスの国民と国民性について熱心に研究を始めた。[54]

彼はカフェという場を通じて、フランスという国を研究し、理解しようとしたのである。到着初日に行ったカフェで、ギャルソンを介して娼婦とおぼしき人物から走り書きのメモを受け取った藤田は、その意味がわからずにせっかくのチャンスを逃してしまったと後悔する。そこで彼は教室ではなく街で使えるフランス語を身につけるには、街で勉強するしかないと思いつく。彼はのちにこう書いている。

何んの事はない日本で教わった坊さん学校の仏語じゃ、本場の巴里じゃ通じる訳もない。宜し、巴里の女に語学を教えて貰うに限ると意を決して、それからはカッフェ通い、女を集めて、アルゴーを暗記した。[55]

こうして彼はカフェにいた女性たちから、俗語だけでなくパリでの生き方まで教わることになる。もともと目立ちたがり屋で社交的な彼は、見知らぬ人と交流することに楽しみを覚えていったのだろう。彼はロトンドというカフェを知ってからは、そこに転がるチャンスを次々とものにしていくことになる。彼がロトンドに初めて行ったのは、おそらく川島とともにディエゴ・リベラの絵のモデルをした後だと考えられる。彼はとみ宛の手紙にこう書いている。

この頃はこゝで一寸有名な新派（キューピスト）の人でリベラ氏と言ふ人自分と川島とをかいて見たいとの事で朝九時から昼までモデルの様に二人その人の処へ通つてる、もう一週間にもなつた忙しかつた、もう出来上り非常に好意を謝してる、メキシコ人で妻君ハロシア人、昨夜ギリシアダンスか終つて表へ出ると丁度その人に出会い連れの人々とカツフエへ二個所連れて行かれ、いろ〳〵六七人の人々に紹介されて日本の話等した。[56]

このリベラを通して、一九一四年早春に藤田はピカソと知り合うことになる。ちなみにリベラとピカソはともにロトンドの常連である。そしてこの日のピカソのアトリエ訪問が彼の人生を大きく変えることになるのである。彼が偶然住むことになったモンパルナスという地区は、新しい芸術の中心地になろうとしている場所だった。彼は川島理一郎と共にギリシャ風の変わった格好をすることでまずリベラに見出され、リベラの友人ピカソと遂に知り合うことになる。彼はこの出会いによって、すでに有名なピカソやリベラに励まされ、キュビスト風の日本人画家として認めてもらうことになる。

彼は第一次世界大戦中には、日本に残してきた妻、とみと別れることになってしまう。一人でパリに残り、それなりに人脈もできた藤田は外国人芸術家たちに交じって自分の道を進み始める。そして以降も通ったロトンドで、彼は様々なものを獲得していく。とみと別れ、ロンドンからパリに戻った後の一九一七年、二番目の妻となるフェルナンド・バレーが、ロトンドで騒々しい友人たちに囲まれていた。藤田は彼女に見とれて、「きれいなドレスですね!」と声をかける。しかしフェルナンドは軽く「あらそうかしら?」と言っただけでまた話の輪に戻り、彼の方を見ようともしなかった。しかし藤田はめげずに誰か(おそらくカフェの常連であろう)から彼女の住所を聞き出し、その晩青いブラウスを自分で縫い上げ、翌日彼女の家に行ってそれを手渡すことになる。この行為に驚いた彼女は感動し、たった十四日後には彼らは結婚することになるのである。結婚のための費用が足りなかった藤田は、ロトンドのギャルソンの婚約者の肖像画を描くことで六フランを入手し、フェルナンドが彼の妻となる。また一九二一年は彼の三番目の妻となるユキがロトンドへとやってくる。これはユキが初めてロトンドに足を踏み入れた日の翌日である。前述したように、ユキはここで藤田の姿をみて一目惚れをし、今度はユキが藤田を追いかける。ロトンドの常連の多くは友人なので、誰かは住所を知っている。そうしてユキと藤田は出会い、彼は一人目の妻に熱心に手紙を書いていたロトンドで、後に二人の妻と出会うことになったのである。また、一九二一年の展覧会、サロン・ドートンヌで喝采を浴び、翌日四〇〇〇フランで購入されることになった『横たわる裸婦』は、ロトンドの常連であるキキをモデルにしたものである。キキもまずロトンドに通い、それから藤田のことを知って彼のアトリエに来ているため、ここでも藤田はロトンドでのネットワークを活かしていることになる。

　このようなカフェでの予期せぬ、しかし自分の人生も変えてしまうことになる出会いを経験した者は、偶発的な出会いを面白いと思える力、「偶発力」が自然と身についてくる。特にモンパルナスのカフェでは、あまりにも多くの出会いや驚きが日常茶飯事だった。そのため、予期せぬ出会いや驚きを楽しみ、自分の人生に活かしていく力を、カフェやバーでの出会いを通して多くの人が身に付けていったといえるだろう。たとえばカフェに行き始めた当初のボーヴォワールは、生真面目すぎた自分が、少しずつ自由になってゆく変化への驚きをこのように述べている。

> 往来を若い男性といっしょに歩くことを躊躇した時代からだいぶ進歩をした。私は朗らかに礼儀と権力を見くびった。〔中略〕
> 　少しずつ私に勇気が出て来た。往来で男につけられても拒まなかったし、見知らぬ男たちと一杯屋《ビストロ》でお酒などを飲んだ。[57]

　生真面目でカフェすら行ったことのなかった彼女にも、次第に、予期せぬ出会いを楽しむ力、偶発力がついてくる。

ひとつの邂逅や、ひとつの予期しなかった事件だけで、自分の機嫌を取り戻すのに十分だった。

〔中略〕《ジャズ、女、ダンス、下品な言葉、アルコール、触れ合い……他のどんな場所でも受諾しないようなことをどうしてここでは受諾し、憤慨しないでいることができ、男たちと冗談をいうことができるのだろう？　どうしてこんなことをこのような情熱をもって愛することができるのだろう？　この情熱は遠くからやって来たものだが、私をしっかりと摑えている……。〔中略〕》[58]

彼女が言うように、どうして「他のどんな場所でも受諾しないようなことをどうしてここでは受諾し、憤慨しないでいること」ができるのだろうか？　それはカフェやバーという空間が、他では従わなければならないコードから解放されているからだろう。これらの私的かつ公共的な空間は、主人の空間であるがゆえに、公の権力はあまり作用しない。また先述したように、客の払うドリンク代はドリンクの対価というよりもその空間への入場料としての意味合いが強いわけである。それゆえ、主人が許す範囲であれば客たちはそれなりに好きな振る舞いができ、彼らの度を超した行為の責任は彼らが払ったお金と引き替えに結局主人が取ってくれることになる。だからこそ、彼らは人目や世間体を気にせず、自分の好きなように振る舞うことができるのである。

型にはまった芸術界のアカデミスム、型にはまったブルジョワ社会に対して、カフェをはじめとするモンパルナスには自由があった。決められた思考に慣れた人々はその範疇に属さないものを受け入れられず、拒否反応を起こしてしまう。それに対し、その思考に異議を唱える者たちは、まずそこから逃れ、自由な発想に触れ、そこから長い年月をかけて自分なりの主義主張を見つけていく。このとき、カフェでの出会い、特にモンパルナスでの様々な国籍の人々との出会いは、フランス人にとっても、外国人にとっても、否応なしに自分の狭い世界から抜け出さざるをえなくさせたといえるだろう。今まで自分のまわりの狭い世界しか存在しないと思っていた者たちに対し、モンパルナスのカフェでの新たな世界との出会いは彼らの視野を広げてくれた。そこでは視野が開くだけでなく、思考や発想も少しずつ自由になってゆくのである。

予期せぬ会話や音の吸収

人々が好き勝手なことをしているカフェに座り、このような予期せぬ出会いや自由な雰囲気に次第に身体が慣れてくると、ボーヴォワールのような生真面目な人でさえ、そこでは縛りから解放されることになる。そして次第に目の前で繰り広げられる光景や事実をありのままに受け入れられるようになってくる。また、カフェでの予期せぬ出会いとは——誰が隣に座るのか、その人が大騒ぎをするか静かな人かなどは——自分の意図とは無関係にやってくる。これらの予期せぬものというのは一見ノイズのようである。しかし、創造行為を長い目で見たときこれらは決してノイズにならないばかりか、実は創造行為の源泉となることもありうるのだ。ここでは、思いがけずカフェで吸収してしまう予期せぬものについて言及したい。

カフェにて意図せず吸収してしまうものの第一は、耳に入ってくる会話や音である。カフェにはたくさんの自由があるが、残念なことにヘッドホンがないような時代には耳をふさぐ自由はない。うるさい人が来た場合には、先述のヘミングウェイのようにカフェを替えるか、その人が帰るまで我慢するしかないのである。

とはいえカフェでは、すべての音が不快であるというわけではない。心地よい音もあれば不快な音もあるように、人々のざわめきを心地よい音楽のようだと思える人もいるだろう。ボーヴォワールは一九三〇年代後半にドームで執筆していた頃、「彼らの囁き声は私の邪魔にならなかった。白い紙を前にした孤独はきびしいものだ。わたしは目を上げ、人びとの存在を確かめる。それは私に、いつか、誰かの心に触れるかも知れない言葉を書き綴る勇気を与えた」と述べている。[59]

実際筆者もカフェで執筆をするようになったため、彼女の気持ちがよくわかる。白い紙を目の前にした孤独は本当に厳しいものである。その白い紙は目の前にいる自分が埋めない限りはずっと白いままである。だが果たして自分は、白い紙に何かを書き付けていけるのだろうか？　書かなければ決して白い紙は埋まることはない。そして書けるかどうかは書いてみないとわからない。その勇気を絞り出すのには目の前にいる、いつか読んでくれるかも知れない人たちに対して訴えかけようとする気持ちが大切である。実際に彼らの誰一人としてその本を読むことがなかったとしても、書いている本人にとってそれが励ましやきっかけになりさえすればそれでよいのである。

それに対して、一人で部屋にこもっていたらそのような想像をすることさえ難しい。誰にも読まれない本を自由意志で最後まで書き上げるのは困難である。サルトルも言うように、文学作品というのは呼びかけである。呼びかけであればこそ、目の前に対象となる読者を想定できることは、執筆という骨の折れる作業をする者にとって大いに力を与えてくれるものである。

それだけでなく、ドームのように多くの人が自分の仕事をしに来ていたカフェにおいては、紙から目を上げたとき、目に映るのは自分同様に何かに向かってもがいている人々の姿である。自分がひと休みしている間にも、真剣に何かに向かっている人がいる。その姿を眺めることで、負けず嫌いな者たちは再び自分を奮い立たせようとするのである。このようにカフェにおいては、一人で作業をしていても、家で一人のときとは違って決して真の意味での孤独ではなく、まわりの人たちの存在や、人々が微かに奏でる音たちがなぐさめになることがある。

また、人々の小さな声の重なり合いは、録音された音楽を聴かされるよりよほど心地よいものである。筆者がインタビューをした際に、クリストフ・デュラン＝ブバルはいかに録音された音楽がカフェの雰囲気を台無しにしているかを力説してくれた。その時点では筆者にはその意味がピンとこなかったのだが、その後様々なカフェをまわって彼の言いたいことがよくわかるようになってきた。

この本を読む方にカフェ関係者の方もおられることを期待して、ここで主張したいのは、録音された音楽はほぼノイズであるということである。是非とも日本にもフランスにも、もっと音楽をかけないカフェを増やして欲しいものである。

ブバルはかつてのフロールの静寂さこそが執筆に最適であったと語り、また人の奏でる音の美しさについて触れていた。その後筆者がクーポールのカウンターで時を過ごしていたとき、音楽のかかっていないカフェでの人々のささやき声の重なり合いや数々の食器がカチャカチャいう音、またギャルソンたちの呼び声の重なり合いがいかに美しいハーモニーをつくり出すかを突如悟って愕然としたものである。カフェでは静寂な中、二人だけが大声で話しているとノイズになるが、小さな声が重なり合うとなんともいえない美しいハーモニーを生み出してくれるものである。これは日本では電車の中の人々の話し声が心地よく、ついうたたねをしてしまう感覚と似ているかもしれない。

実際、音楽の都、ウィーンのカフェはCDやラジオなど、録音された音が流れていないことで知られている。ウィーンのカフェ文化を知るにあたっての名著『ウィーンのカフェ』の著者、平田達治も同書の中で、「正統派のウィーン・カフェでは曜日や時間を定めてバイオリンやピアノの生演奏が行われることはあっても、スピーカーからラジオ音楽やレコード音楽が流れて静寂を打ち壊し、沈思黙考を妨げ、精神を麻痺させるようなことは決してあり得ず、そうした易きについた音楽がないことこそがウィーン・カフェ本来の姿であり、今なおウィーンが音楽の都たることの最たる証拠であるとも言えるだろう」と述べている。[60] このような静寂さと、ありきたりで単調でない自然の音の重なり合いがあってこそ人々の感性も豊かに育まれていくのではないだろうか。筆者も有名なカフェ・ツェントラルを訪れた際、手持ちぶさたで帰ろうとし、何故かつての客たちはここに何時間もいたのだろう?と疑問に感じたまさにその時、目の前でピアノの生演奏が始まった。あまりの美しさと、絵を描いていた私に気付いて日本の曲を演奏してくれた演奏者の心に感動し、何度帰ろうと思ってもつい長居をしてしまうカフェの居心地のよさに感じ入ったものである。

それに対して日本のカフェはテレビ、有線、ＣＤなどの音があまりに大きいところばかりで、集中して作業をしたい者にはそれらは完全なノイズである。しかもカフェ経営者側は音楽をかければそれでいいと思っているのか、ＤＪのように雰囲気に合わせて音楽を変えていくということもせず、基本的には同じものを流しっぱなしにする。そうするとそこに通った者は三日もすればその音楽を覚えてしまう。

しかしこれらは単調であり、客たちが聞きたいと思っているわけでもなく、音が大きければ思考や会話を大いに邪魔される。また、同じＣＤを流しっぱなしにしている場合、ＣＤが二周もすると客は長居をしている自分に気がつき、どことなく早く出て行けといわれているような感じを受けることもある。後述するように、生の人間同士の会話はノイズであっても最終的に得るものがあるが、録音された音を流すというのは経営者側の自己満足のように思われる。多くのカフェスタッフはただ電気をつけるのと同じように無意識に音楽やテレビのスイッチを入れるのだろうが、客側はそれによって大いに不快感を得ていることもあるのである。

名曲喫茶でもない限り、客たちはカフェのBGMを聞きにその店に来るわけではない。彼らは自分たちのしたいこと、しかも家に一人でいては達成するのは難しいことをしにカフェという場に来るのである。思考や会話、議論をしようとするとき、一方的に大音量で聞こえてくる音はノイズである。それらは大いに思考や集中力を妨げる。

それを店側があえて邪魔し、より空間を支配しようとして音量を上げるというのは筆者には言語道断なことと思われる。平田達治も『ウィーンのカフェ』の中で、「狭い空間にやたらレコード音楽が流れる日本の都会のカフェには、とてもウィーン・カフェの静寂さは望むべくもなく、さしずめカフェ失格である」と述べている。[61] こうして居場所を失われた客たちは一体どこへ行けばいいのだろうか？　カフェは店主の自己満足のためではなくて、客たちのためにあるのではないのだろうか？　リビオンやブバルのように、客たちの心地よさのためにどこまでも尽力してくれるカフェ店主はもはや存在しないのだろうか？　周囲から逸脱してしまった者たちにとって、カフェ以外に他に居場所がないのなら、カフェすらも居場所にならなくなってしまったら彼らはどこに避難することができるのだろう？

周囲から逸脱し、精神不安定な天才予備軍の行く末はうまくいけば天才とはいえ、往々にして社会不適応、ひどい場合には自殺という選択も起こりうる。そんな不安定さをもつ逸脱者たちをプラスの方向に救いうる場がカフェなのである。カフェという場について大いに思い入れのあるクリストフ・デュラン＝ブバルや平田達治、また筆者がこうも口をすっぱくして録音された音楽を非難するのには訳がある。素晴らしい可能性を持つカフェという場を台無しにしてもらいたくないからこそ、せめて自分の書いたものを読んでくれたカフェ関係者の人にだけでもわかってもらおうと思って、皆哀しみをこめて批判するのではないだろうか。せめてこれを読んだカフェ関係者の方には音量を大いに下げるか音を切る実験をしてみてもらいたい。そこにはきっと、今までには見えてこなかった独特の心地よい空間が生まれるのではないだろうか。

ノイズからヒントへ

次に、往々としてノイズになりうる誰かの大きな話し声や実際にノイズと思う行為について考察したい。たとえば先述のヘミングウェイの例では、カフェにやってきた友人は仕事を追求したかったヘミングウェイにとっては明らかにノイズであった。彼は彼の仕事を追求したかったからである。それにもかかわらず友人が話しかけてくる以上、彼はその行為を以前同様に集中して続けることはほとんど不可能であり、結局時折彼と話をしながら執筆を続けることになる。

だが、よく考えてみると、何故こんな不愉快な思い出を彼はわざわざ一章も割いて彼の作品に残そうとしたのだろうか？　それはこの出会いが当初はノイズであっても何らかの形で彼の心に残ったからだろう。彼は当初は「とにかく早く出て行ってくれ！」と思ったものの、結局彼と会話をし、彼のことも多少励まし、立派な批評家にでもなってくれればなという期待を抱いていたようである。つまり、初めはノイズであっても、そのノイズが受け手にとって変化することがあるのである。

では、それらのノイズは一体どのように変化していくのだろうか。一人静かに本を読もう、執筆しようと思っていた者は当初の意図を大いに邪魔され、憤慨することになる。その人たちの選択肢といえばヘミングウェイのように「頑張るか、動くしかない」わけであるが、そのカフェがホームカフェになっていれば、簡単に動くというわけにはいかないものである。なぜなら彼らはわざわざそこを選んで来ているわけであり、彼が友人に「君みたいなやつには他にいくらでも行くところがあるよ」と言う言葉の裏には、彼にとってはここ以外に行くところがないという気持ちが表れているのである。

我慢してうるさい誰かが帰ってくれるのを待つ間、結局彼らは大声で話す人の打ち明け話を聞いてしまうことになる。実際、聞いてしまうというのも本当は自分の集中力の度合いにもより、彼らの話に多少興味があるからこそ耳を傾けてしまうのかもしれない。カフェで打ち明け話をする人々の話は現実であり、生々しく、非常に活き活きとしているものだ。また、彼らの話に出てくる登場人物はすべて実在の人物であり、その感情も生のものである。事実は小説より奇なりというが、これだけの生々しく、たとえ彼らにインタビューしても聞かせてはもらえないような赤裸々な話をたくさん頭に詰め込めば、小説の一本を書くのも随分と容易なことと思われる。彼らの話は自分が一生懸命耳を閉ざそうとすればするほど何故か聞こえてくるものであり、うるささに不快感がつのるほどに頭を離れないものである。

その一瞬だけを考えると、このようなときというのは「はかどるはずのものもはかどらない」というマイナスの時間になるが、実は後の思考や創作活動を考えるとき、偶然耳にしてしまった会話が大いなるヒントとなることがあるのである。ここではボーヴォワールやアポリネールの実際の経験を見てみよう。ボーヴォワールは第二次大戦中の日記にドームのことをこう記している。

今日は娼婦がキャフェの前面を完全に占領しているので、魔窟に入って行くような気がする。ひとりが泣いている。仲間は、

《手紙が来ないといったって、誰のとこへも来ないんだよ。くよくよしなさんな》

と慰めている。どこへ行ってもこの決まり文句だ。[62]

この《手紙が来ないと言ったって、誰のとこへも来ないんだよ》という言葉はもちろんボーヴォワールに向けて発せられた言葉ではなく、娼婦に向かって仲間が言った言葉である。様々な会話がある中で彼女にこの会話が飛び込み、日記にわざわざ記すほどなのは、この言葉が彼女の心に残ったからだと言えるだろう。当時彼女も捕虜収容所にいたサルトルからの手紙が届かずに彼の身を案じていた。この言葉を聞いて、彼女もおそらく、私のところに手紙が来ないのも彼の身に何かがあったからではないのだと再確認したことだろう。このように、カフェという場で予期せぬ他人の声を聞くことで、彼らの思考はついそちらに引っ張られ、影響される。

アポリネールはそんなカフェでの経験を見事に詩に活かした人物である。サルモンによれば、アポリネールはあるとき、『イソップの饗宴』誌の計画を練るために使ったブラッスリーに一人で舞い戻ったことがある。ここは何の変哲もないブラッスリーなのだが、サルモンは後に彼が舞い戻った意味を知る。

彼は一人でクリスティーヌ街に戻って行った。彼は一人で飲み、一人でそこでの会話に耳を傾け、収集し、それらを全部一同に集めてから調和させてみた。それは嫉妬心を起こさせるような詩ではなく、現実主義的な詩を構成するためだった。こうしてつくられたのが「月曜日クリスチーヌ街」である。[63]

以下が彼の現実主義的な詩、「月曜日クリスチーヌ街」であるが、これは「詩」として読もうとすると非常に不可解だが、飲食店での会話を聞いたものだと知ればすんなりと理解しやすい作品である。
以下に前半部分を挙げておく。

月曜日クリスチーヌ街

門番のおかみさんとそのおっ母さんは誰でも通してくれるだろう
きみも男なら今晩いっしょに来いよ
一人が表門を見張っていれば
もう一人があがって行くのはわけはないよ

ガス灯が三つともった
女主人は胸の病いだ
きみの仕事が終ったらスゴロクでもしよう

あれはオーケストラの指揮者で喉をいためているんだ
チュニスに来るならきみにキフを吸わせよう

ちょっと韻をふんでるみたいだね

積み重ねられた受け皿　花　暦が一つ
ペン　パン　ペン
大家に三百フランほどの借りがある
そいつに払うくらいならおれのを切ったほうがましさ

ぼくは二十時二十七分ので発つ
六枚の鏡があそこで穴のあくほど見つめ合っている
思うにぼくらはなおいっそうまごつくことになるだろう
親愛なるあなた
あなたはパン屑みたいな野郎だ
あのご婦人の鼻はサナダムシみたいだ

ルイーズは毛皮を忘れちまった
このおれは毛皮をもってないが寒くもない
あのデンマーク人は時間表を調べながら煙草をすっている
黒猫がビヤホールを横切る[64]〔以下略〕

このように、会話をしていた者の言葉の面白さを発見し、「ちょっと韻をふんでるみたいだね」と思い、その言葉を書いたのはまさにアポリネールである。その後にくる、カフェで聞こえた音かと思われる「ペン　パン　ペン」は、韻をふみたくてアポリネールが書いたものであろう。この「月曜日クリスチーヌ街」はほとんどが他者同士の会話で成り立っているが、それを独り静かに聴きながら、密かにその会話空間に参加している彼は、その会話に思考も影響されているといえるだろう。

このようにカフェでは、自分の意図とも生活スタイルとも関係のない会話が自分の耳に飛び込んでくる。しかも客たちは他の客がどんな人物であるかは気にせず好きなことを話しているため、隣席に座っている者にとって大切なものを、それと知らずに酷評していることもある。

実際、筆者もカフェの主人をしていたころに、カウンターで警察について思うところをぺらぺらと話していたら、話の最後にそのお客さんが警視庁の人だったということがある。私がそのとき話したことは、一市民の警察に対する思い込みのようなものであり、このような話は、もしそのお客さんが初めに私に名刺を渡していたら決してされることはなかっただろう。カフェでは人々が誰の目も気にせず率直に話す分だけ、物事に対して歯に衣きせぬ、真の批評が飛び交っている。そこにはもちろん、噂話や聞いた話、真実とは何の関係もない思い込みも紛れているが、話をしている本人たちはそうだと思って話をしているわけである。そのため、ついカフェでの会話に耳を傾け、思考をそちらに向けてしまった客たちは、自分一人の思い込みや野望に打撃を受けることもある。

しかし、それを意図せず聞くことでこそ、独りよがりにならずに、多くの人に共感される普遍的な価値に向かってゆくことも可能となるのである。注意を払っておきたいのは、かつてのロトンドが、馬車の運転手の来る慎ましやかなカフェだったこと、ボーヴォワールがジョッケーに飛び込んだときに見た世界が、まるで自分の世界とは別世界だったことである。彼女はジョッケーにいた女性たちについて、「私の知っている言葉には彼女たちの服の布地の名や、髪の色を現わす言葉はなかった。私は、彼女たちの靴下や、パンプスや、口紅を商店で買い求めることができるとは想像もしなかった」と書いている。[65] このように、厳しいブルジョワ家庭で育った彼女にとって、バーやカフェで繰り広げられる光景は自分の属してきた世界とはまるで違っていたのである。おそらく詩作や芸術方面に傾倒し、ブルジョワ風の邸宅に住んでいたアポリネールも、クリスティーヌ街の会話を異邦人としての視点で静かに聞いていたのだろう。初期のロトンドでは運転手たちは芸術家の会話に耳を傾けなかったというが、逆に芸術家たちは運転手の会話に耳を傾けていたかもしれない。なぜなら彼らは、自分とは違う世界にいる人たちの会話を聞き、その視点を知ることで、狭かった世界が開き、想像力が増すことで新しい価値の創造に活かすことができるからである。

予期せぬ光景との出会い

次に、カフェにいることでつい自分の中に入ってくるもの、それは目の前に繰り広げられる光景である。たとえばヘミングウェイは、サン・ミッシェルのカフェで小説を書いているときに美しい女性を見かけ、彼女を小説の中に入れようとしたことがある。

一人の女がカフェへ入ってきて、窓近くのテーブルにひとりで腰をおろした。とてもきれいな女で、〔中略〕私は彼女の顔を見ると、心が乱れ、とても興奮した。私の物語の中か、どこかへ、彼女のことを入れたいと思った。けれど、彼女は、街路と入口を見守っていられるような位置に身を置いていた。だれかを待っていることがわかった。だから私は書きつづけた。

物語はひとりでに展開していったので、それに調子をあわせて書いてゆくのに、私は苦労していた。もう一杯ラム酒セント・ジェイムズを注文した。そして私は目を上げるたびに、あるいは鉛筆削りで鉛筆を削るたびに、その女の子を見つめた。〔中略〕やがて物語が終わると、私はとても疲れていた。最後の一節を読み返し、それから目を上げて、例の女の子をさがしたが、彼女は立去っていた。良い男といっしょに行ったのならいいが、と私は考えた。けれど何かしら悲しかった。[66]

このように、たとえ集中して執筆をしていても、ふとした瞬間に目の前の光景が目に入る。カフェで繰り広げられる光景というのはまるで劇場のようであり、登場人物たちは台本通りに何かを演技しているわけではなく、生身の姿で生の感情をあらわにしている。ここには恋愛もあれば失恋もあり、けんかも起こるわけである。創作活動をする人間にとっては、授業料も払わずにこれだけのものを見ていられる場所というのは非常にありがたいものだ。カフェに座り、

図28
藤田嗣治「ビストロ」(部分)
1958年
パリ
カルナヴァレ博物館蔵

彼らのすぐ隣にいてその光景を目にしながらも、一人静かにそれを描写していることで、表現者たちの観察眼は養われる（図28）。ボーヴォワールは、描写することが出来る人とはとはどういう人かについてこう説明している。

もしある状況に完全に浸りきっているとしたら、それを描くことはできません。戦闘中の兵士はその戦闘を描くことはできません。しかしある状況にまったく無関係だったら、それについて書くことができません。実際に戦闘をみたことのない人が、それについて想像で書こうとすれば、唾棄すべきものとなるでしょう。いちばんいい立場にある人とは、ちょっと事件の埒外にある人です。たとえば従軍記者です。戦う人たちと少し危険を分かちあうけれど、全面的にではなく、事件に関係はあっても深入りしていない、そういう人こそ戦闘を描くのにもっとも適した人です。[67]

「事件に関係はあっても深入りしていない」人とは、まさに一人でカフェに座って店内やテラスを眺め、それを描写していた芸術家のような者たちである。モンパルナスのカフェ、ドームを愛した彫刻家ザッキンの同伴者だったヴァランティィーヌ・プラは、ドームのテラスで過ごした時間を思い出してこう語る。

私たちがドームで夕暮れ時を過ごす時、ザッキンのユーモアのおかげでとても心地よい時を過ごすことができました。私はザッキンがとても鋭い観察眼を持っていることにすぐ気がつきました。彼は、私たちが大笑いを終えると同時にとてもおかしく、しかも正確に人々の真似をしてみせるのです。少し特徴のある人が通ると、彼は即座にその人がどんな動物に似ているか見て取り、私を説得するために、いつもポケットに入っている手帳の紙の上に、ちらっと見ただけの人物を動物のように描いてみせるのです。「ほらこれはねずみで――、こちらは犬だ!」時折、彼は面白がって歩道の上で誰かの態度までまねすることもありました。「わかるかい、これはカモで――、あいつは七面鳥――」鼻の線、口

図29　藤田嗣治「ラ・ロトンド」(デッサン)

の形をほんの数秒ちらっと見ただけで、ザッキンは完全に似た絵を描くことができたのです。[68]

カフェにいれば描く対象はめまぐるしく変化する。カフェでデッサンをしていたのはザッキンだけでなく、藤田、モディリアーニ、パスキン、彫刻家のジャコメッティも同様である（図29、30、31）。すばやく本質をとらえ、その特徴を描き出すことを大事にしていた画家たちにとって、カフェはいい訓練の場だったといえるだろう。

創造行為とインスピレーション

このように、カフェは創作活動をする者たちにとっては格好の題材を得られる場でもあった。

図30
ジャコメッティのカフェでのデッサン

ところで、創作行為というものはどのようにして起こるのだろうか。シュテファン・ツヴァイクは「芸術創造の秘密」という文章の中で、「公式化しようというのなら、芸術家の創造のプロセスにおける本当の意味での行為は、〈霊感か労作か〉ではなくて、〈霊感に加うるに労作〉といわねばなりませぬ」と述べている。[69] つまり、創造行為にはインスピレーション（霊感）と、それを現実化する高度な技術の二つが必要なのである。

ここではこの前提に立ち、まずインスピレーションとはどのようなものかについてみていきたい。アンドレ・ブルトンは、インスピレーションについてこう述べている。

霊感がいかなるものかはよく知られている。

図31
ジャコメッティの
カフェでのデッサン

誤解の入り込む余地はない。あらゆる時代またあらゆる場所において表現の崇高な要求に答えてきたものはこれである。ふつうそれがそこにあるとか、あるいはないとか言われるし、それがそこになければ、その傍で人間の熟練が暗示するものなどは、すべて利害と、論理的理解と、そして仕事をとおして得られる才能とによって抹殺され、その不在からわれわれを癒やすちからはない。[70]

つまり、インスピレーションとは表現の源となるものであり、シュテファン・ツヴァイクの言葉では、「より高い意志から求められたもの」のことである。[71] 人によっては神の声だという者もいるが、要は具体的に表現したいイメージが頭の中に浮かんでくることである。そして、それが見えさえすれば、後は高度な手段でそれを現実化できればよいのである。たとえばアラゴンは創造行為について、「冒頭の一句」が浮かんでくれば、小説を書き出せるのだと述べている。

トルストイは実際に、〔中略〕自分の若い息子がプーシキンの『ベールキンの物語』を持っているのを見つけてそれをめくり、突然、異常な昂奮にとらわれたと書いている。それはとくに「招待客たちは別荘に集まっていた」という題名——これはまさにその書き出しの文章なのだが——で知られている未完の断片を読んだからなのだ。そしてこの文章はレフ・トルストイがそれまで切り抜けることのできなかった小説〔中略〕の文章となって、彼を引っぱっていく。まさに目覚めの文章のようなものになったのだ。《ぼくは偶然に、意図せずに、それからどういう結果が生ずるかを知らずに（この文章から出発して）、人物たちや諸々の事件を想像し、さらに先へと進め、それから、もちろん推敲した。そして突然すべてが幸運にも繋がって、そこから小説が一つ出てきた……》

これを引用したのは、〔中略〕ぼくの全小説の第一歩がここに認められるからだ。[72]

この話で重要な点は、「冒頭の一句」が見つかったとたんに、著者の意図どうこうよりも、小説自体が自然に動き始めていくことである。アラゴンはこの例を挙げながら、彼自身もいわゆる小説をきちんと組み立てて書いたことは一度もなく、流れるがままに書いてきたのだと証言している。またシュテファン・ツヴァイクは芸術家の受け身な状態についてこう述べている。

芸術家というものは、第一印象をうければ直ちに形がきまるといわれていますが、より高い意志の霊媒なのです。彼自身、このより高い意志から求められたものを忠実に再現し、内部のヴィジョンを変えることなく外界に示すということ以外、することは何もないのです。だから、創作の際の状況は〔中略〕まったく受身の状態なのでして、およそ人間としての、個人としての労苦とは切りはなされたものなのです。[73]

ではその第一印象、インスピレーションというものはいかにして得ることができるのだろうか。創造行為においてインスピレーションがそれほどまでに重要なのであれば、芸術家にとってはできるだけ早いサイクルでインスピレーションがやってきた方がいいわけである。実はそのインスピレーションをまさに人工的に生み出す環境をつくろうとしたのがブルトンを初めとしたシュルレアリストたちなのである。ブルトンは『シュルレアリスム第二宣言』の中で彼のもくろみをこう述べている。

詩の分野で、絵画の分野で、シュルレアリスムはこのような短絡《ショート》を増やすために最善をつくしてきた。人間がある特殊な感動のとりこになり、あの「自分より強いもの」にとつぜんひっ摑まえられ、自衛のために、不滅のもののなかに躍り込んでいく、あの理想の瞬間を人工的に再製することこそ、現在のところ、いや今後もその最大の望みである。[74]

この「ある特殊な感動のとりこになり、あの『自分より強いもの』にとつぜんひっ摑まえられ、自衛のために、不滅のもののなかに躍り込んでいく、あの理想の瞬間」とはまさに、彼の言う霊感、インスピレーションのことである。そしてモーリス・ナドーが「シュルレアリストたちはカフェという場で儀式をする新しい宗教の伝道者たちだった」と述べているように、彼らが初期から一九三〇年代まで、カフェという場に集まり続けたことは非常に重要な事実である。[75] つまり彼らはインスピレーションを人工的に生み出しうる場としてカフェをとらえていたのだと考えられるのだ。

受動的態度の重要性

シュルレアリストたちは初期の『文学』誌創刊当時からカフェという場に集まり続けた。「シュルレアリスム」という言葉を発明したアポリネールが通っていたフロールで、若きブルトンはともに運動を形作ることになるフィリップ・スーポーを紹介された。つまり、彼らは若き日のアポリネールやサルモン同様、「何者か」になろうと思い動き始めた当初から、先輩たちにカフェという場の使い方を教わっていたわけである。シュルレアリストたちは、一九一九年からはオペラ座横町のカフェ・セルタに、一九二五年から一九二七年頃はブルトンの家からすぐ近くのモンマルトル、ブランシュ広場のカフェ・シラノに、その後はブラッスリー・ラジオに集まった。また、のちにブルトンに断罪された者たちも、サン゠ジェルマン・デ・プレのカフェ・ドゥマゴなどに集まって来るようになり、彼らがシュルレアリスムを離れてもカフェという場に集まるという習慣は決して崩れたわけではなかった。

では、インスピレーションを生み出すことと、カフェに集まることとは一体どのような関係があるのだろうか。ブルトンは有名な自動記述法を実行してみようとしたときのことを以下のように語っている。

そのころはわたしはまだフロイトに熱中していて、その実験の方法にも通暁しており戦争中は患者にそれをいささか適用してみる機会に恵まれていたので、患者からひきだそうと努めるものを自分から手に入れようと決心した。つまり主体の批判的精神がそこに何らの判断もくださぬ、従って、言い落しによってまったくわずらわされることのない、語られた思考となるたけ一致する、なるたけ早口の独り言。〔中略〕思考の速度は言葉のそれを越えるものではなく、かならずしも口頭で、またペンを走らせてさえ追いつけないものではない。そうした前提のもとに、これら最初の結論をわたしはフィリップ・スーポーにつたえ、文学的にどんなものが得られるかなどということは潔く無視して、まず二人で紙に字を埋めていくことをくわだてた。[76]

この、普段とは違った形式の対話によって、スーポーの「早口の独り言」にブルトンの思考はじんわりと影響され、ブルトンの「独り言」にまたスーポーの思考も影響される。そしてそれを受け、次々と言葉が出てくるわけである。「主体の批判的精神が何らの判断も下さぬ」「語られた思考」、これと前述したアポリネールの「月曜日クリスチーヌ街」のような、他者によって「語られた思考」は発想が類似している。カフェでの他者の会話は急に自分の耳に飛び込んでくるとき、誰か一人の声が大きすぎるとその人の会話がまるごと聞えて「会話」として耳に残るが、アポリネールのように耳をすませると一つの会話ではなく、たくさんの断片的な「独り言」のように聞こえてくる。また、「月曜日クリスチーヌ街」と、ブルトンがスーポーに提案した自動記述法の違いは、自分の中から出てくる思考か完全に他人の思考かという点であるが、この自動記述は一人で行うわけではない。ブルトンは『シュルレアリスム宣言』の中で、二つの思考のぶつかり合いの重要性についてこう述べている。

超現実的言語の諸形態がもっともよく適合するのはなんといっても対話のかたちである。そこでは、二つの思考がぶつかり合う。一方が自己を披瀝するあいだ、いま一方はそれにかかずらわる。だけどどんな風にかかずらわるのか？　己れとそれとを合体させると考えることは、わずかの間でも完全に他人の思考によって生きることが可能であると認めることであり、これはまずありえないことだ。事実また、相手にはらう注意はまったく上っ面だけのものだ。[77]

つまりブルトンがここで求めている対話は深く相手を理解しようとするたぐいの対話ではなく、自分の思考のインスピレーションを働かせてくれるための言葉の受け取り合いである。これは通常の対話とは違う、ルールをもった遊戯の一つといえるだろう。

シュルレアリスムの詩は、それがこの考察の目的であるが、現在までのところ二人の対話者を儀礼上の制約から脱けださせることによって、対話をその絶対的真理のなかに建てなおすことに専念してきた。対話者はそれぞれひたすらひとりごとをつづけ、そこから各自の弁証法的楽しみを引き出したり、いささかなりとも相手を押さえつけようとは企てない。語られる言葉は、普段と異なり、いかほど些細なものにせよ、何ら主張の展開を目指さず、せいぜい用途を曲げられる。それが呼びかける答のほうは、原則として、相手の話者の自尊心にはまったく無関心である。言葉や、イメージは、聞き手の心にただスプリング・ボードとして差し出される。[78]

このようにスプリング・ボードとして差し出される相手の意見、何ら主張の展開を目指さず、自尊心とも関係がないような言葉というのは、アポリネールがカフェで聞き取っていたような、他者の会話の連続とほぼ同様のものである。アポリネールの場合は一人でカフェに行き、耳をすませ、インスピレーションを得ようとしたが、シュルレアリストたちはこのような環境を人工的につくることでインスピレーションを得ようとしたのである。このことからも、自分の意図とは無関係に耳に入ってくる予期せぬ言葉が自分の中で混ぜ合わさったときに、いかにインスピレーションが生まれうるかが理解できる。

彼らは自分の意志や理性とは無関係な言葉を得ようとしているために、主体的というよりは受動的な態度を取ることになる。このような姿勢は一見「怠け者」のように見えるため、容易に批判されがちである。ブルトンはこのような態度を取り続けることがいかに難しいものであるかをこう述べている。

自動記述法やその他の形式の無意識の活動に、辛抱強さの差はあってもたずさわっている、あるいはかつてたずさわっていたひとたちにたいして、周期的に投げかけられた、「怠け者」という非難を弾劾しないではいられません。自動記述法が真に自動的であるためには実際、精神が、外部世界の呼びかけからも、また、功利的、感情的等の範疇に属する個人的な雑念からも、解脱した状態に身をおくことに成功していなければなりません、こうした解脱した状態は、西洋的思惟よりは、はるかに東洋的思惟の領域に属するとみなされるもので、それは西洋的思惟からみれば、もっとも持続的な緊張と努力を前提にしているのです。今日でもなお、私は、知性的思惟の諸要求を満足させることの方が、この《影の口がささやくこと》だけにしか耳を傾けないような思惟を完全にわがものとするよりも、比較にならぬほどずっと簡単だし、気楽だと思います。[79]

このような受動的で一見怠け者に見える時間に、彼らは一体何をしているのだろうか? 実は彼らはこうした時間に頭の中に無意識にたくさんの情報を詰め込んでいるのである。ヘミングウェイもまた、「書くことを止めてから、その翌日再び仕事を始めるまで、自分の書いているもののことを少しも考えないでいることを学んだ。〔中略〕そういうふうにすると、私の潜在意識がそのことについて働いているると同時に、私は他の人の言うことにも耳を傾け、すべての物に気づくことが可能だろう」と書いており、よい創作のためにあえて自分の意識を働かせる時間を制御していた。[80]

ヘミングウェイだけでなく、藤田やボーヴォワールもまた好奇心が旺盛であり、彼らは本業であるはずの作家業や画家業の他にも様々なことに興味を持った。藤田の場合は、芸術家は作品だけでなく、自身が芸術的にならなければならないとの信念を持ち、パリ到着当初からギリシアダンスを始め、自分の着る服を自分で作り、パリ郊外に地所を買って小屋を建て野菜まで育てるなど、真の芸術家として生きようとした。藤田は当時を振り返ってこう語る。

最初から売れる絵なんか描いていては、将来の大成は望まれないのだ。〔中略〕僕もパリへ着いた四五年間は何も手に着かず、ボンヤリ遊び廻っていた。その間に日本で覚えたものを、スッカリ洗い落としてしまったのだ。それから初めて自分の仕事にかかった。〔中略〕何にもとらわれない、自分の派を開くようでなければ駄目だ。[81]

ボーヴォワールは官立学校の哲学教師をする傍ら、サルトルと共にたくさんの小説や新聞に目を通し、芝居や映画にも足繁く通って自分の世界を広げていた。彼らがこうして受け取った数多くの情報は頭の中にストックされ、ある日突然火花のように、彼らの意図していたことと結びつく。シュテファン・ツヴァイクは、「創造とは意識と無意識のあいだの不断の格闘」なのだと述べているが、この二つのものが結びついたときにこそインスピレーションは生まれ、流れ出てくるのである。[82]

カフェで育むインスピレーション

さて、何故シュルレアリストはカフェという場に集まり続けたのかというと、彼らはインスピレーションを人工的に生み出そうとしたわけである。アンドレ・ブルトンは『シュルレアリスム宣言』の中で、創造行為の源となるインスピレーション、イメージがいかにして生まれるかについて、彼が影響を受けたピエール・ルヴェルディの言葉を借りながらこう述べている。


イメージは精神の純粋な創造物である。

それは比較からは生まれえず、多少とも距たった二個の実在の接近から生まれる。

近づけられた二つの実在の関係がかけ離れ、しかも適切であればあるほど、そのイメージはいっそう強烈で——いっそう感動と詩的現実性をおびるだろう[83]

また、ブルトンは彼自身の言葉で、「二つの概念のいうなれば偶然な接近からこそ、ある特殊な輝きが、イメージの輝きがほとばしり出たのであり、それにたいしてわたしたちは限りなく敏感な態度を示すのである。イメージの価値は得られた火花の美しさにかかっているのであり、それは、したがって、二個の伝導体間の電位差の働きである」と述べている。[84]これらの説明から、創造行為の第一印象となるイメージ、インスピレーションを得るには、へだたった二つのイメージのぶつかり合いが重要であるとわかる。

ところで、へだたった二つのイメージを結びつけるには、ただそれらを頭に無意識にストックしておくだけでなく、それを活かす偶発力も必要となってくる。恩田彰の『創造する組織の研究』にもそうした記述がある。

発見というものは、最近、意図的なことで発見したというよりも、むしろ偶然的に見い出されたものに価値の高いものが多いようだ。これを見ると、創造というものが何に導かれてなされるかといえば、我々の本当のはからいとか意図というよりも、出会いというものが大事であり、それをどうつかみ、どう生かすかという問題ではないかということにつきあたる。〔中略〕

この出会いを生かしていくということになると、小さなことでも見逃さない直観、それに偶然に起こる現象を心を開いて受け入れること、そのうえに科学的にそれをとりあげていく専門的知識や経験が豊かであることが必要になってくる。[85]

ここで恩田が言おうとしているのは、「出会い」があっても、「それをどうつかみ、どう生かすか」という力がなければ創造にまで導かれるわけではないということである。その力をつけるには、「小さなことでも見逃さない直観、それに偶然に起こる現象を心を開いて受け入れること」が大切である。カフェという場やテラスのような街路に出ていれば、こうした受動的な態度も、ボーヴォワールのように徐々に身に付いていくといえる。

しかし、「小さなことでも見逃さない直観」となると、やはり何かを得ようという主体的な気持ちを常に抱いていなければならない。つまり、自分の主体的な意識と、無意識に何かを得ようという受動的な態度の二つが必要なのである。「何者か」になりたいという強い意志を抱いてカフェに集った者たちは、ただの居場所を求めてカフェに沈んでいたわけではない。彼らは主体的に何かを得よう、創ろうという気持ちを持ちつつ、一方、受動的な態度で自分の中に様々なものを取り入れていったのである。先述のヘミングウェイのように書くという主体的な行為に加え、あえてそこから離れて潜在意識を働かせるという二つの態度があってこそ、よりよい創造ができるのである。

このような主体性を持つ者にとって、予期せぬ出会いが待ち受けるカフェという場はインスピレーションを育むには格好の場であった。非常に多くの人が集まるカフェやバーでは頻繁に小さな事件が起きる。ボーヴォワールを初めてバーに連れて行った従兄弟のジァークが彼女にこう示唆したことは重要である。「バーの中ではね、何でもいいからやってみると、何か事件が起るんだ」。この言葉に触発され、彼女も客の帽子を奪って宙に投げるという行為や、あちこちでコップを割ってみるという行為を実行し、実際に事件を起こす喜びを味わった。[86] このような事件や予期せぬ出来事との出会い、そしてそこから生まれる会話は、単調な日常にあきあきした者にとっては非常に魅力的なものだった。特に、世界中の人々が集い、自分の想像力の範囲を大幅に超えたような人々との出会いが日常茶飯事であったモンパルナスのカフェという場は、大いに芸術家たちのインスピレーションを働かせたといえるだろう。

ロトンドに来ても無口なことが多かったピカソは、カフェに会話をしに来ていたわけではないだろう。彼は家に人を集めることを好み、誰かと知り合うためにカフェに出向く必要性がなくなってからもカフェに通った人物である。ではピカソが何故わざわざカフェに来ていたのかといえば、霊感の源を探りに来ていたのではないだろうか。彼は、「絵描きはみんな自然からモチーフを得るというが、ぼくの霊感は他人の作品がかきたててくれるようなものさ」と言っている。[87] また、藤田嗣治はロトンドを初め、モンパルナスのカフェに集う人たちについてこう述べている。

この連中はパリの人のみかと言うと、決してさにあらず万国人種展の五十ヶ国余りの人種から成り立って珍しき国の人々で、名前さえ初めて聞いた様な国の人達までが住んでいるのである。されば奇想天外の考えも生まれて来るのは当然である。[88]

この「されば奇想天外の考えも生まれて来るのは当然である」という言葉からは、ロトンドにいる「万国人種展の五十ヶ国余りの人種」のおかげで突飛なインスピレーションが湧くことを表しているといえるだろう。藤田は随筆の中でたびたびピカソについて言及しているが、彼のニュアンスとして、ピカソは何も言わずに彼が良いと思った作品の本質を盗むから恐ろしいというのが伝わってくる。この恐ろしさを藤田自身が体験したためなのか、彼は作風を盗まれることを恐れてロトンドでは誰にも作品を見せなかったという。彼はおそらくピカソから学んだであろう、着想の得方についてこう語っている。

日本のパリ留学画家たちの弱点は、多勢の人の見ているショーウインドーからものを盗むようなことをすることで、マチス、ピカソの模倣というのは、これと同じことだ。盗むのは少しも構わないから、人の見ていないところから盗めばいい。第一、ピカソなんか、そういう意味では盗みの名人だ。だが彼は決して人の見ているウインドーから盗むようなことはしない。誰もやらない間に、ネグロ彫刻から盗んできたり、ギリシャから盗んできたり、奔放自在の盗み方だ。盗むという言葉は悪いかもしれないが、誰も無から創造することはできないのだから、必ず、古典に返ったり、東洋にヒントをうけたり、何かこう出発のヒントをみつける。芸術においては、この盗み方が創造的才能というものだ。[89]

この「出発のヒント」とはまさにアラゴンのいう「冒頭の一句」、つまりインスピレーションのことである。ピカソの「奔放自在の盗み方」は美術館だけには留まらない。彼のアトリエは乱雑だったことで有名だが、好奇心に満ちたピカソは床に散らばる様々な物は、まだ使い道がわからぬだけなのだと説明していた。おそらく彼の頭の中には、このアトリエのこまごました物と同様に、カフェでの気になる会話や光景もたくさんストックされていたのだろう。

藤田の場合は、人間を描くことの面白さについて、「元来景色というやつは、一度見れば何度見ても後は同じで、エハガキの様なものだ。景色を喜ぶのは田舎者の方で、パリの人間は景色よりも人間の心の方に興味を持っている。人間との会話はいくらでも変化があるが、景色はそこへ行くと人間の心ほど変化がない」と述べている。[90]

これらのことから、ピカソや藤田にとって、カフェという場所で生身の人間たちを観察することや会話することが彼らの創作活動にとっても重要であったと考えられる。成功を手にし、友人や居場所を手にした後もカフェに通った彼らは、ただ楽しみや気晴らしのためだけにカフェに来ていたのでははなく、自分の仕事の発想を得るためにカフェに通ったのだともいえるだろう。

異邦人の視点

このような予期せぬイメージのぶつかり合いを、シュルレアリストたちのようにあえて意図しなくとも得やすい状況にあるのは、パリに住むことを選んだ異邦人たちである。なぜなら彼らはパリという場所で現実に生活しパリの光景を見ながらも、頭の中ではまったく別の生まれ育った土地を想い、頭の中で二つのイメージが頻繁に混じり合うからである。ロトンドに通ったピカソやディエゴ・リベラ、藤田などは皆自ら祖国を発ってパリにやって来たものの、祖国に対する愛情も捨て切れない者たちだった。ピカソはパリにいるときは陰気に過ごしていたものの、年に何度もスペインに帰っては活き活きとした表情になり、まるで別人のようになっていた。またロシア人のイリヤ・エレンブルグは、メキシコ人のディエゴ・リベラとの会話をこう語る。

ディエゴは、メキシコのことや、自分の幼年時代の話をするのが好きだった。パリに十年も暮し、「エコール・ド・パリ」の代表的な画家の一人と見られ、ピカソや、モディリアニや、フランス人の画家たちと親しくしていたディエゴだが、その眼前にいつも浮かんでいたのは、とげとげのサボテンに覆われた赤っ茶けた山々や、つばの大きな麦藁帽子をかぶった農民や、グアフナート金坑や、絶えざる革命の光景だったのである。[91]

彼ら同様、藤田も日本の光景や美術をこよなく愛していた。彼は日本人画家たちの生き方や、日本人の島国根性については大いに批判をしていたものの、日本文化の美しい点は非常に大事にしようとしていたのである。藤田は彼流の画風を生み出すにいたったのも、原点に日本画の素養があったお陰だと述べている。彼はパリの自宅では日本食を自らつくり、机の脚を切ってちゃぶ台にし、日本の筆で絵を描いていた。また、日本に帰国した際には純和風の家に住み、日本らしさを大いに堪能しようとしていたほどである。アメリカ人で長年パリに住んだガートルード・スタインは、創作活動をするにあたって二つの国を経験していることの重要性をこう述べている。

結局だれもが、つまりものを書くだれもが、自分の内部にあるものを語るために自己の内部で生きることに関心をいだきます。だからこそ作家は二つの国を、ひとつは自分が所属する国を、ひとつは自分が実際に生活する国をもたなければなりません。第二の国はロマンティックであり、自分からは独立していて、現実的ではないが現実に存在しているものです。[92]

彼女のように、二十世紀前半のパリには第二の国としてパリを選び、移り住んだ芸術家たちが集っていた。「所属する国」と「実際に生活する国」の二つの視点を自分の身体に取り入れたとき、一人の人間の中には二重のパースペクティブが生まれてゆく。ある国や場所にしっかりと所属しているときには、その空間で生きるためにもあまり突飛な行為は許されないものである。たとえばジュネーブからフランスに移り住んだルソーも、外国で物を書くことの意義についてこう述べている。

打ち明けていえば、外国人としてフランスで暮らすという立場は、真実を直言するにはごく都合がよい。〔中略〕ジュネーブにいれば、それほど自由には振舞えない。あの国では、わたしの本がどこで印刷されようと、役人はその内容に干渉する権利をもっているのだ。〔中略〕『エミール』のなかでのべたように、著作を祖国の真の幸福のためにささげようとするなら、策士でもないかぎり、その国でそれをかいてはいけないのである。[93]

ルソーがここで述べているのは真に自由な意見はその国の中では書けないということであるが、実は真に自由な発想自体も、そこを離れ、眺めるからこそ生まれてくるものなのである。たとえばルソー自身、自分の想像力はそこを離れているときにこそ強くなると述べている。

奇妙なことだが、わたしの想像力はもっとも不愉快な境遇にいるときにかぎって面白く活動し、その反対に、周囲の事情がほほえむときには、かえってほほえんでくれない。〔中略〕春を描こうとすれば、私は冬にいなければならない。美しい景色を描写しようとすれば、壁の中にいなくてはならない。もしわたしがバスチーユ監獄に入れられたら、きっと自由のすがたを描き出せる、とは何度もいったことだ。[94]

また、ルソー同様ヘミングウェイも、「パリを離れていれば、パリのことを書けるだろう。ちょうど、パリでミシガンのことを書いたように」と書いている。[95]

このように、ある場所や物事のことを十分に知った上で遠く離れた場所に住み、かつて住んでいた場所に思いをめぐらせたとき、はっきりとした姿でそれが見えてくることがある。彼らは第二の国での生活に慣れていくほどに、所属していた国での生活とは違う様々な点を頭の中で比較していくことになる。そうするうちに、以前は当然であったが故にぼんやりとしていた故郷が、くっきりとした輪郭をともなって立ち現れてくるのである。

複数の視点と普遍性

このように、創造行為において複数の視点を自分の中に持つということは非常に重要な要素である。しかし、複数の視点を持ち続けるということは同時に、安定しない状態であり続けることを意味するため、精神的にも不安定になりやすい。彼らは創造行為においては利点を持っているかもしれないが、日常生活においては自国においても異国においても完全に適応し切れないために、精神的な困難を感じることも多々あるのである。同時に複数の生を生きることの危険性について、ダダ研究者の塚原史はこう述べている。

現実において、社会あるいは制度がわれわれに押しつける生はつねにひとつだけであって、この前提を否定しようとする個人や集団は、多重人格、精神分裂、狂信集団、過激派等々のレッテルを貼られて、ひどい場合にはこの社会から黙殺あるいは追放されてしまうのだが、そのことは、逆にいえば「複数の生」という主張がそれだけ反社会的な射程をもったメッセージであることを暗示している。[96]

ある空間ではそれなりの行動が規定されているように、ある社会においてもそれなりの生き方は決まっている。そしてその社会に適応し生きる者は、その価値観を疑うこともなければ変えようとすることもない。それは昔から「そういうもの」だから、彼らにとっては疑う余地もないのである。塚原は続けてこう説明する。

日常的な時間の経過において、人びとはこの目の前の生を生きること以外の可能性を思いつくことがないから、彼らにとって、それはむしろ生の、もっとも確実な部分なのである。

しかし、何かのきっかけ（この、何かが問題だ）で、現実生活への信頼が失われるとき、そこに生じる奥深い亀裂や激しい断層からは、あの「複数の生の見通し」が突然そうに顔をのぞかせることになる。[97]

この「何かのきっかけ」に簡単になりやすいものが、生まれ育った場所とまるで違う場所で生活をすることである。そのときに彼らの当然の価値観は音を立てて崩れ始め、「当たり前」が崩壊する。これはある意味自由であるが、彼らがもともとの価値も信じ愛着があればあるほど、この崩壊は精神的に大きな傷を残すものである。藤田のように、日本でパリに憧れ、自分のことを「舶来品」だと思っていた者も、パリに来ると初日から日本人である自分を実感しないではいられない。彼はパリジャン中のパリジャンらしく振る舞うものの、生まれ育って愛着のある日本の良さも捨て切れない。彼はパリでは日本人として注目をされるが、日本に帰るとまさに「舶来」の「異邦人」になってしまう。そんな異邦人の状態はエドワード・W・サイードが語る亡命者の状態にとても近いものである。

知識人をアウトサイダーたらしめるパターンの最たるものは、亡命者の状態である。つまり、けっして完全に適応せず、その土地で生まれた人びとから成るうちとけた親密な世界の外側にとどまりつづけ、順応とか裕福な暮らしという虚飾に背をむけ、むしろ嫌悪すらするような生きかたである。知識人にとって、こうした比喩的な意味でいう亡命状態とは、安住しないこと、動きつづけること、つねに不安定な、また他人を不安定にさせる状態をいう。もとの状態へと、またおそらくはもっと安定してくつろげる状態へと、あともどりはできない。ああ、もう、すこやかに安住することはできない、新しい故郷や環境と一体化することはない。[98]

どちらにも、どこにも安住できる居場所がないのなら、彼らは自分たちの居場所と思想を自分たちで創り出すしかないのである。もうおわかりかと思うが、このような状態にあったのは異国に移り住んだ異邦人だけでなく、祖国で暮らしながらも既存の価値観に属せなかったブルトンやボーヴォワールのような者たちも同様である。彼らの身体は「いま、ここ」の現実世界にいるものの、彼らは常に「ここではないどこか」を思考するため、精神が不安定になる。自分の居るべき場所を自ら失った彼らにとって、カフェが格好の居場所であったことは先述した通りである。それでは既存のどれでもない価値観、彼らがよりしっくりくる価値観は一体どこにあるのだろうか？　パリに憧れた異邦人たちは、現実のパリには祖国と大差ないアカデミズムや属性主義が支配していることに気が付き始める。先輩世代に憧れ、近づいていった後輩たちは、先輩たちの実際の姿に多少の失望を隠せない。このときに、複数の視野を持つことが新たな価値創造に大きな力を貸してくれるのである。サイードは亡命者の視点の利点をこう述べる。

亡命者はいろいろなものを、あとに残してきたものと、現実にいまここにあるものという、ふたつの視点からながめるため、そこに、ものごとを別箇のものとしてみない二重のパースペクティブが生まれる。新しい国の、いかなる場面、いかなる状況も、あとに残した古い国のそれとひきくらべられる。知的な問題としてみれば、これは、ある思想なり経験を、つねに、いまひとつのそれと対置することであり、そこから、両者を新たな思いもよらない角度からながめることにつながる。この対置をおこなうことで、たとえば人権問題について考える際にも、ある状況と、べつの状況とをつきあわせることで、よりよい、より普遍的な考えかたができる。[99]

こうして彼らは複数の視点から物事を眺めることで、インスピレーションを育みやすくするだけでなく、普遍的な考え方をも育んでゆくことができる。そのとき、彼らが一人ではなく何人かで議論をするのであれば、より多くの視点が混ざるため普遍性に到達しやすくなってゆく。それだけでなく、亡命者の視点にはもう一つの利点がある。

知識人にとって、亡命者の視点といえるものの第二の利点は、ものごとをただあるがままにみるのではなく、それがいかにしてそうなったのかも、みえるようになるということだ。状況を、必然的なものではなく、偶然そうなったものとしてながめること。状況を、自然なもの、神からあたえられたもの、それゆえ変更不可能で、永遠で、とりかえしのつかないものとしてながめるのではなく、男女が歴史のなかでおこなった一連の選択の結果であるとながめること、人類がこしらえた社会という事象としてながめること。[100]

このような比較可能な視点を持つことで、彼らは自分たちが属してきた価値観も今ここにいる社会の価値観も人間によってつくられたものであり、絶対不変のものではないことを知る。それが誰かによってつくられた価値観であるのなら、自分がそれをつくること、自分たちが道を切り開くことも可能なのではないだろうか？　絶対不変でないのなら、先人たちが何かを大いに変えたように、自分たちにも変更可能なのではなかろうか？　複数の視点を持った者同士がお互いに価値観をつき合わせ、現在の問題について議論をしていくことで、自分一人の視点を超えて、多くの人にとって何が問題なのかを見出していくことが可能となる。ではそれに代わる価値観とは一体どのようなものだろうか。

それを見出すためにも、彼らが議論をし続けることのできたカフェという場は有益だった。カフェに集った先人たちは、今ここにいる自分たち同様、こうして議論して実際に時代を変えてきたわけである。自分たちはその流れを知っている。それならば自分たちにもできないわけがあろうか？　我々もまた歴史に名を残す者たちの一員になれるのではないだろうか？　こうして複数の視点を持った者たちがお互いに口を開き、時間をかけてカフェで議論をし続けていくことで、次第に彼らの共有知が生み出されてゆく。サルトルはいかにして歴史はつくられていくのかをこう語る。

選択すべき出口はないのだ。出口は発明されるのだ。そして各人は各人固有の出口を発明しつつ、自分自身を発明するのだ。〔中略〕

しかし誰がわれわれに選択することを強いるのか？　あたえられた集合体《アンサンブル》〔全体集団〕のあいだでたんに与えられているからというだけで選択することによって、かつまた最も強いものの味方につくことによって、ほんとうに人は歴史をつくるのか。〔中略〕しかるに、これに反して、歴史的行為はいまだかつて生《なま》の与件のあいだの選択に帰せられたことがなかったのであり、それはつねに、一定の状況から出発して新しい解決を発明することによって特徴づけられてきたことは明白である。〔中略〕歴史的行為者とはほとんどつねに、ディレンマに直面して、それまで見えなかった第三の項を突如として出現させるところの人間である。ソ連とアングロ・サクソンのブロックとのあいだでは、たしかにどちらかを選択しなければならない。社会主義的なヨーロッパは存在していないから《選択すべき》ものではない。それは作るべきものなのだ。[101]

こうして彼らは言葉だけでなく実際に、共産主義のソ連とも完全に資本主義のアメリカとも違う社会主義的なヨーロッパの形をつくり上げていくことになる。複数の視野を持った多くの人間たちと議論を重ねていくことでこそ、自分一人の狭い価値観を抜け出して真の問題が明確になり、それを乗り越える第三の道は発明され、普遍性をもって受け入れられていくのである。こうして彼らは時代が変わる直前、その共有知について確信を抱くとともに、幻想ではなく新しい時代が待ち受けているという実感を抱くことになる。シュテファン・ツヴァイクは世紀末ウィーンの熱気をこう語る。

青春というものは、或る種の獣たちのように、天候の激変に対するすばらしい本能を持っている。それでわれわれの世代は、われわれの教師たちや大学が知らないうちに、芸術観においても古い世紀とともに何事かが終ったのであり、革命が、少なくとも価値の転換が緒につき始めているのだ、ということを感じていたのであった。[102]

こうして実際に十九世紀末から二十世紀にかけてのウィーンは多くの芸術や文学、思想を生み出していくことになる。カフェ・グリーンシュタイドルに集った作家たちは「青春ウィーン派」と呼ばれることになる。フロイトが生きたのもこの世紀末ウィーンであり、クリムトがウィーン分離派の芸術運動を展開したのも、新しい工芸の形を提案したウィーン工房ができたのも、音楽家のマーラーが活躍したのもこの時代のことである。

またアンドレ・ブルトンも、シュルレアリストたちが感じていた使命についてこう述べている。

われわれが知っていることといえば、次のことだけである。つまり、われわれが或る程度、言葉というものをさずけられていること。そしてこの言葉によって、何かしら偉大な不可解なものが、われわれを通じて自己を表現しようと欲していること。そしてわれわれの一人ひとりは、無数の人々のなかから特にその何ものかのために選ばれ指命されて、われわれの生存中に言葉として言いあらわされねばならないものを表現しなければならないのだ、ということである。それはわれわれが逃れようもなく断固として受けとった命令なのであり、われわれにはその命令について、とやかく議論しているひまさえ全然なかった。[103]

既存の価値観に大いに疑問を抱き、それとは異なる価値観を模索した者たちが議論を重ねる中でたどりついた新たな価値観は、彼らの時代を代弁していた。ボーヴォワールもまた占領下のパリで、彼らが戦後を創っていくことになるのだと確信していた。その確信を裏付けるように、戦後またたく間に実存主義は注目を浴び、サン＝ジェルマン・デ・プレには自由を求める若者たちが殺到するようになった。ボーヴォワールは当時サン＝ジェルマン・デ・プレに集まっていた若者たちの活き活きした様子をこう語る。

一九四四年九月に二十歳、二十五歳であること、それは限りもなく大きな幸運と思われた。あらゆる道が開けていた。ジャーナリスト、作家、映画監督の卵たちは、まるで未来は自分たちさえその気になればどうにでもなるかのように、議論や計画や決定に熱中していた。[104]

こうして彼らはカフェという場を使い、白熱した議論をしながら、自分たちの時代を創り出していったのである。

創造行為の現実化を促すカフェ

自分自身の表現方法

こうして、カフェでインスピレーションや形にしたい思想を手にすることができたとしても、それを具現化するには高度な手段が必要である。誰かの頭の中でいかに激しいインスピレーションが起こっていたとしても、それを具体化して現実的に表現しなければ、それは人々が認識しうるものにならないからである。シュテファン・ツヴァイクは創造行為における現実化の重要性についてこう述べている。

本当に創造的な仕事、ヴィジョンの世界のこと、インスピレーションに依る行為というものは、芸術家にあっては、眼に見えることなくして成就されるのであります。しかるにわたくしたちは地上の世界に生存し、その感覚でしか物事を認識できない人間であります。〔中略〕メロディーは、創造力ある人間の内心にはじめて鳴ったときではなく、わたくしたちの耳に音となってきこえたときにはじめてメロディーであり、絵もまた眼に見え、完全なものとなったときに絵なのであります。[105]

また彼はインスピレーションを現実化すること、つまり他人の眼には見えない世界を他人に見えるように表現するためには技術もまた重要であると示唆している。

芸術の創造行為にあっても、つねに二つの要素はまざり合うのです。すなわち、無意識と意識、霊感と技術、恍惚と覚醒とです。芸術家にとって、制作とは〈現実のものとする〉ことであり、内部から外へ移すことであり、内心のヴィジョン、彼が精神の内部で完全に見た夢のすがたを、言葉とか色とかひびきとかの、夢とは両立しない材料によって、わたくしたちの世界に持ってくることなのです。[106]

もともとカフェに集った若者たちは個人個人で「何者かになりたい」と願い、のちに仲間と出会ったわけである。彼らにとって仲間がいることは非常に大きな励ましである。だが、一人の表現者として世界に作品を問うていくこともまた重要なことである。シュルレアリスムの場合を別として、カフェに集った多くの者たちは初めからグループで何かをしようと決意をしていたわけではない。またシュルレアリスムにしても、各人がそれぞれの強い個性を持っているため、結局表現手段は多岐にわたることになる。ブルトンは思想を共有することとその表現手段の違いについてこう述べている。

偏狭な理性論を打破しようという確固とした意図、世に行われている道徳的掟の絶対的な否認、また、詩と夢と超自然に訴えて人間を解放しようとする企て、あるいは、新たな価値の秩序を促進しようとする念願、これら種々の点にかんして、私たちのあいだで意見は完全に一致していました。だが、これに到達するための手段については、各人の心理的気質に応じて、若干の意見の相違は免れないでしょう。[107]

このように彼らはカフェで多かれ少なかれ彼らの思想を共有しつつも、各人の気質に沿って様々な分野であり手法で、それを形に表してゆく。藤田の場合は、パリにいる東洋人である自分を活かして、誰にも真似できない自分の道を模索する。そのとき彼は先輩たちや仲間の中でこそ、伸びていくことができたのである。

私は第一に総て皆の友人の成す事と正反対の行動をとった。〔中略〕私は彼地の作家の画を一通り眺めてみた。でその時分は絵具をコテコテ盛り上げるセゴンザックという大家の流儀も流行っていた。それじゃ俺はつるつるの絵を画いてみよう。また外の者がバン・ドンゲンというような画を大刷毛で描くなら、俺は小さな面相、真書《シンカキ》のような筆で画いてみよう。また複雑な色をマチスの様に附けて画とするなら、自分だけは白黒だけで油画でも作り上げてみせようという風に、すべての画家の成す仕事は反対反対と狙って着手実行したのである。私が指導を受けた私の先生、黒田清輝先生は印象派の紫派であったため、黒い絵具はパレットから除くべく命ぜられていたのも不可解の事となって来たわけである。吾等東洋人日本人、支那人が黒色の味わいを熟知している生命ともいうべき黒色を何故油画に取り入れ得ないのか、黒色こそどしどし日本人の油絵に入るるべきものだろうと決心した。[108]

このように直接芸術家たちの動きを見る中で、彼は日本人の自分にしか描けない、誰の真似でもない絵をつくり上げることができたのである。彼らはカフェで志を共にする仲間と出会い、大きな励ましをもらいながらも、自分が生きていこうとする道を失うことはない。

シュルレアリスムは、ブルトンの思想や影響力があまりに強く、彼らの多くは当初望んでいたような名声を捨てる必要があったため、ブルトンから決別した者たちもいる。とはいえ、ブルトンに断罪された者たちもその後各自カフェには通い続け、自分の道を歩んでいった。また、先輩後輩や仲間同士の決別があったとはいえ、カフェに通った彼らが伸びていけたのは明らかに先輩たちと出会ったからである。彼らはここで志を共にする者たちを見出しただけでなく、先輩たちの方法に触れ、それを自ら経験し乗り越えようとすることでこそ、自己を表現する高度な手段を身につけることができたのである。カフェに出会う以前には一定の表現手段しか知らなかったような者たちも、先輩たちとの交流によって高度な手段を身につけることができる。また彼らは仲間同士模索していくことで、より彼らに沿った手段をつくり出せるようになってゆく。このようにして、たとえ決別をしたとしても、彼らはすでに得られるものを存分に得て、一人で飛翔できる力を身につけていたわけである。

カフェが助ける創造行為の現実化

芸術創造に必要なインスピレーションが湧き起これば、後はそれを現実化すればいいだけだと言ってはみても、実際に何かをなすというのは技術もいれば労力もいり、非常に骨の折れる行為である。サルトルがあえて「人間はかくあろうと意図したものになるのだ」と語るのは、意図することは簡単であれ、実際に投企することは誰にでも容易にできることではないからだろう。たとえば、ボーヴォワールが憧れていた従兄弟のジァークは、才能やひらめきはあってもそれを作品に残さなかった。そのため後世の人たちは、彼が何を考え、何を成し遂げようとしたのかを知ろうとしても知る術がない。というのも、シュテファン・ツヴァイクが言うように、芸術作品とは芸術家の頭の中でインスピレーションが起こったときではなく、一般の人々が知覚しうる形で示されてこそ、作品として認識可能になるからである。

ではどのようにしてそれらの作品を形にしていけるかといえば、インスピレーションの場合とは大いに違い、忍耐力や継続力が重要となってくる。というのも、天才と言われる者であれ、初めから高く評価される作品は作品全体のうちのほんの少数だからである。天才として語られることの多いアンリ・マティスも、彼の絵が与える印象とは裏腹に構図や秩序正しさというものを非常に重用視していた画家である。彼は自分の制作時の状態についてこう語っている。

　ひところ詩人たちはよくインスピレーションを云々しましたね。でも、わたしたちは『今日は仕事がうまくいった』としか言いません。すべては本人の精神状態にかかっています。よく見、よく感じられるときがあり、全然うまくいかないときがある。わたしは生涯にデッサンを何枚破り棄てたことでしょう。失敗したカンバスをいくたび塗りつぶしたことでしょう！[109]

　インスピレーションが多少神がかった力であるとするならば、それを現実化する行為は非常に現実的なものである。どんなにいいアイデアが思いついたところで、それを形にしたい本人にその能力がなければ、頭の中にあるイメージは決して他者には伝わらない。だからこそ、それを形にしたい者には高度な技術と実現させるまでの忍耐力が必要になってくる。実際、「インスピレーションを云々」していたブルトンでさえ、書くことができずに悩むことがあったのである。彼は『ナジャ』に彼の苦悩をこう書いている。

私はうらやましい（というのはひとつの言い方だが）、一冊の書物のような何かを準備するだけの時間があって、仕上げるところまで来たとき、そのものの運命とか、あるいはそのものによって最終的にもたらされる自分の運命に対して、首尾よく興味をもてるようなすべての人がうらやましい。どうかそんな人も、途中で少なくともいちどは本当に匙を投げる機会がおとずれたということを、私に信じさせておいてほしい。とすれば彼はそこをのりこえて進んだことになり、なぜそうなったのか教えていただけると期待していいだろう。[110]

「インスピレーション」を云々していた詩人の筆頭のようなブルトンでさえ、書くという現実的行為についてこうも悩み、もがいているのである。結局はマティスがいうように、インスピレーションも創作行為も本人の精神状態にかかっている。インスピレーションが年に一度降ってくるのを待ったところで、それはやってこないかもしれない。また、あまりにわけのわからぬ力に押されて創作をするとその後の脱力感も果てしなく、長いこと創作活動に向かえなくなり、自分自身が破滅しそうになるものである。エコール・ド・パリの画家であるスーティンは、「ひとしきり描き終ると、まるで出産を終えたばかりの女のように、僕は疲れ切ってしまう。そして、自分が得るものは何なのだろうと自問してみる」と自分の創造行為について述べている。[111] そんな彼は自分の作品について非常に自信を持てず、少しでも批評されるとすぐに作品を破り捨ててしまったため、現存する作品は一五枚程度しかないそうである。スーティンのような天才や日々作品をつくり続けるピカソのような天才と交わる中で、藤田の制作に対する価値観はパリで変化していった。

決して生きている中に私の名前が世の中に出なくとも、死んでからで沢山だという風に信じていたが、一朝熟考した、外国の哲学でいうと、やはり生きている間に旨いものを喰い、生命を長らえ方々旅行もして見聞を広くし、また参考品を沢山所蔵して、しかして出来るだけ多数の良い絵を描いて此の世を去る事としたならばより偉大に能率が挙がりはしないかというように考えが浮かんで来た。私は誤っていた、生きれるだけ長生きをしよう、少くとも生きている間に何千何万枚というような絵を残してやろうと決意し、幸いにもその何千枚の中で半数良作があったとしたらば大したものであらねばならぬ。又その中に十分の一にしても二十分の一にしても特別に良いのがあればよい、傑作というものはなかなか生れ出ずるものではない。何しろ描いた絵が皆揃って良いという画家は望む事は不可能である以上多数描く事が結果、吾等の義務であり、出来得るだけ沢山描かなければやはり駄目である。[112]

こうして彼はできるだけ多くの作品をつくり続けることに決めたのである。では出来る限り質のいい作品をつくり続けていくにはどうしたらいいかといえば、自分にとってベストな制作状態を可能な限り継続することである。それらの着実で長い積み重ねがあってこそ、天才的に見える作品は生み出されていくわけである。

『天才の心理学』の著者、E・クレッチュマーは、一般に天才に必要とされる非凡な才能とともに、精神病質的性質があったがために自ら破滅を招いた人々のことを「類天才」と呼び、天才とは区別している。では、天才と類天才を分けたものは何なのだろうか。どうしてボーヴォワールと従兄弟のジァークはあのように異なった人生を歩むことになったのだろうか。E・クレッチュマーは、「彼らに欠けていたのは真の大天才が有する精神的健康の半面である。すなわち作品の円熟さをはじめとして、ひろく一般健康人の精神生活に影響をおよぼす大天才の健全な半面が欠けていたのである」と述べている。[113]

意外に思われるかもしれないが、実際に世界に名を残した天才たちの多くは規則正しく生活をし、確実に作品を制作していこうと取り組んでいた。藤田は日本では「モンパルナスで乱痴気騒をしていた」と言われていたが、実際の彼は酒も飲まず、腕には腕時計の刺青を入れ、皆が夜通し騒いでいるときも自分の制作時間を気にしてスゥッと姿を消していた。また、束縛を忌み嫌っていたブルトンも、モンマルトルのブランシュ広場のル・シラノ、そしてブラッスリー・ラジオなどのカフェには、まるで自分のオフィスに通うように規則正しく通っていた。彼はシラノに、会社に行くのと同じような拘束性をもって毎日通い、アペリティフの時間にシュルレアリストたちを集めていたのである。またドイツ占領下の時代、サルトルにとってはフロールが「我が家」であった。サルトルは当時のことをこう語っている。

午前九時から正午まではそこで仕事をし、昼食をとりに出かけてから、また二時に戻ってきて、四時までそこで出会う友人たちとおしゃべりをした。そして、八時までまた仕事をするのだった。夕食後は、そこで待ち合わせをした人々を迎えるのだ。奇妙に思えるかもしれないが、私たちにはフロールが我が家だった。[114]

ボーヴォワールも、フロールでの執筆時代には毎朝八時の開店と同時に自分の席を確保していた。彼らのように後世に多くの作品と名を残した人物たちは、決して伝説で語られるように酒に浸って夜通し騒ぎに昂じていたというわけではない。E・クレッチュマーは引き続きこう述べている。

忘れてはならぬことは、大多数の大天才が、精神の確固とした健康な構造という力強い部分をあわせ持っていることである。〔中略〕飲食や地位などに対する欲望や、確固とした義務遂行等に対する愉悦感や、妻子に対する愛情等、健全な正常人が有する基本的本能の一面は、大天才にもまた見出されるのである。ところで、凡庸人が天才における精神病理的なものを洞察できぬと同じように、類天才的な単純な精神病質者は、大天才に見られるこのような健全な面を正しく評価することができない。〔中略〕こうした手合いは、天才に見られるこの凡俗的方面こそ、天才の作品に、その勤勉と、忍耐と、なごやかな緊張と、新鮮な迫真性等と相まって、類天才人らの騒々しくもはかない駄作をはるかに超越する作品効果を与えたものであることを知らなかったのである。[115]

天才についてよく知らない者たちは、生真面目に制作に向かおうとする者を馬鹿にした目で見がちである。実際モンパルナスのカフェやバーに集った数多くの者たちは今では名を知られぬ者たちであり、彼らは藤田ほど作品に対して努力をするというより、束の間の出会いや恋愛を楽しむことに重点を置いていた。また、ボーヴォワールを初めてバーに連れて行った従兄弟のジァークも、バーで我を忘れ、詩情を感じながらも作品に本腰を入れて取り組むことはしなかった。しかし、いくら夜のバーやカフェで詩情を感じることができインスピレーションが浮かんできても、それを酒とともに忘れてしまっては水の泡である。シュテファン・ツヴァイクが指摘するように、大切なのは「芸術家にとっては、夕べに酒に酩酊して戦闘プランを討議しながら、朝《あした》には醒めた頭脳《あたま》でそれを検討しなおしたペルシアの戦士たちのむかしの技術が肝要」なのである。[116] そのときに非常に役に立ち、彼らのやる気を継続させてくれるのがカフェという場なのである。

ではどのようにしてカフェという場が彼らのやる気を継続させ、「意図」から「投企」という骨の折れる行為に向かわせることができたのだろうか。カフェに通った者たちの多くは非常に規則正しくカフェに通い続けたというが、彼らは初めから規則正しく通うことをしていたのだろうか？　この本をカフェに通って執筆し続けていた筆者にはどうもそうは思われない。では何故彼らは規則正しく通うのか？　それは自分の席を確実に確保するためである。

ボーヴォワールが朝一番に来てフロールのストーブの横の一番いい席を取ったと述べているように、カフェに通う者たちには次第に自分の「指定席」ができてくる。環境のいいカフェといえども、すべての席が等しく居心地がいいということはまれであり、彼らはいくつか席を試した後で気に入る席を見つけ出す。ところが次の日にそこで仕事をしようと思ってもそこが取られていることがある。というのも、ストーブの隣の席というように自分にとって一番の席は往々にして他の客にもよい席であり、競争にさらされるからである。カフェはあくまでも自由な空間であり、食事の予約でもしない限りは席を予約して行くものではない。だからこそ、「ここは自分の席だ」と思ったところでその席は自由競争にさらされており、座れない可能性もあるのである。そこで彼らが取る方法はできるだけ早い時間に行くことである。開店直後や朝のまだ早い時間であればその席が空いている可能性は高く、一度座ればいつまでも居続けることが可能である。そうして彼らは自分の席と、周囲の騒音に邪魔されることのない静けさを求めて朝からカフェに通い始める。

また、カフェには席の確保以外にも競争がある。それは見知らぬ常連客に対するライバル意識のようなものである。自分が何かをしようともがいてカフェにやってきたときに、そのカフェがいいカフェであればあるほど、同じような客が何人か存在しているものである。客たちはそれぞれ自分のリズムを持っており、開店直後に来る者もいれば九時過ぎに来る者、十一時台に来る者など様々である。しかし、確実にいい席を確保できるのは開店直後に来る者であり、負けず嫌いな者たちほど、自分より先にいつもいい席を確保している常連客をうらやましく、また多少のライバル意識を持って眺めてしまうものである。彼らは自分がたとえ来なくてもきっとその店で毎朝作業を続けていることだろう。そうして規則正しく何かを成し続けている者の姿は、同じように骨の折れる作業をしようとする者たちに尊敬とともに多少の対抗意識を生じさせ、彼らの心を挫けにくくするのである。

結果的にカフェで作業をし続けようと思った者たちは、カフェでの競争にさらされることで朝から作業をする道を選ぶことになる。骨の折れる作業ほど朝のうちにやった方が効率がいいとも言われている。困難な仕事を朝のうちにこなせばこなすほど、自分に対する自信も生まれ、自分は何でもできるのではないかというポジティブな気持ちで生きることが可能となるからだ。このようにして、朝からカフェに通う者たちは、脳の回転が一番活発な時間に一杯のコーヒーでより脳を活性化させ、ベストコンディションで仕事に向かうのである。こうして彼らはカフェを仕事場に選び、快適な状態を確保することを通じて、結果として骨の折れる作業を継続することができるのだ。

作品を世に出しやすいカフェでのつながり

創造発生を促すパリという街

さて、カフェに出会って力をつけ、自分の作品がつくり出せるようになっても、それを世に出さなければ人に評価されることはない。天才が天才と言われるようになるのも、彼らが多くの優れた作品を残し、それが一般の人々を感動させたからである。一般に、どんなに天才的な作品を作っていてもそれがまるで世に知られずにいる限り、彼は天才としての評価を受けることはない。彼らの作品はただ自分と周囲のグループだけの自己満足で終わるのではなく、多くの人の共感や感動を引き起こしてこそ世界中で評価され、天才と呼ばれるにいたるわけである。

では一体どうやったらそんなにも多くの人に自分の作品を知ってもらうことが可能になるのだろう？　そのためにはその世界の中心地に行き、そこでのネットワークを活かすことが重要である。

多くの映画などのサクセス・ストーリーが示すように、夢を持った田舎の若者に目をつけ、彼らを都会に引っぱり出して教育をし成功させていくのは、すでに都会でその世界に生きている者である。無名の者たちにとって重要なのは、このようにすでにその世界で生きている者との出会いであり、彼らに目をかけてもらえる自分になることだ。

このような機会を起こりやすくするには、出身地にとどまり続けて待つよりは、その世界の中心地と思える場所に自ら乗り込む方がよい。こうして二十世紀前半には、パリという芸術的な土地の雰囲気に憧れた若者たちが世界中から集まった。実際パリには家賃の安い芸術家の共同アトリエ、無審査で出品できる絵画のサロン・デ・ザンデパンダンや多くの画廊、ルーヴルなどの有名な美術館が存在しており、芸術的な雰囲気が漂っていた。当時のパリは街とカフェと、そこに集い、パリに憧れた人たちとの相互作用によってより一層新しいものが生まれうる環境を熟成させていた。天才たちの創造力について深く研究しているシルヴァーノ・アリエティは、著書『創造力』の中で、創造的な場や時代に特有の九つの因子を以下のように分析している。

（一）《文化的な（そして、ある程度物理的な）手段の利用可能性》
（二）《文化的刺激に対して開かれていること》
文化の刺激や環境は存在しなければならないだけではなく、要求され、望まれ、簡単に利用できるようになっていなければならない
（三）《ただあること（being）ではなくて、なること（becoming）への強勢》
（四）《差別なしにあらゆる市民が文化のメディアに自由に接近できる》

（五）《厳しい抑圧とか絶対的な排斥の後の自由、
さらにはある程度の差別の存続すらが、創造性発生への誘因》
（六）《異なった、ときには反対の文化刺激に身をさらす》
（七）《多様な見方への包容力と興味》
（八）《主だった人たちの相互作用》
（九）《誘因と報償を促進すること》[117]

これらの九つの因子を見てみると、いかに二十世紀前半のパリという街が創造発生に寄与したのかが理解できる。

第一に、パリという場所には《文化的な（そして、ある程度物理的な）手段の利用可能性》として、パリ国立高等美術学校（ボザール）の他にも非常に多くの私設の美術学校が存在していた。ボザールは、一八九八年まで女性の入学を認めず、外国人に対してもフランス人と同じ試験が課されたため、多くの女性や外国人は私設のアカデミーに流れていった。アカデミー・ド・ラ・グランド＝ショミエールをはじめとして、これらの多くはモンパルナスに存在していた。一九〇七年から一九一一年にかけてはマティスもアンヴァリッドでアカデミーを開いたほどである。これらの生徒たちは授業の後にカフェへと向かい、カフェ・ヴェルサイユはマティスのアカデミーの別館と呼ばれていた。

第二に、《文化的刺激に対して開かれていること》である。パリでは、実際にはマネが経験したように、新しい運動は激しい批評のやり玉に挙げられたものの、それに共感し賛同する若者たちも必ず存在した。そのため、必ずしも一般に認められないからといって彼らが意気消沈する必要はなく、逆にますます仲間とともに闘志を燃やしていくことも可能であった。

第三に、《ただあること（being）ではなくて、なること（becoming）への強勢》であるが、これらの姿勢は「何者か」になろうとしてカフェに避難した者たちに共通する姿勢である。彼らはただ皆と同じように存在するのではなく、強く何者かになろうとして努力し続けた。彼らはカフェで出会った仲間たちに負けまいと、常に現在の自己を乗り越えようとし続けていたのである。

第四に、《差別なしにあらゆる市民が文化のメディアに自由に接近できる》ということであるが、画廊には無料で入ることが可能であり、入場料さえ払えばいつでもルーヴル美術館の美術品に触れ、かつての世界に想いをはせることが可能であった。

また二十世紀前半のモンパルナスには重要な場所として、一九一五年からアドリエンヌ・モニエという フランス人女性が開いていた「本の友の家」と、一九一九年から彼女とアメリカ人女性のシルヴィア・ビーチが共に開いた「シェイクスピア・アンド・カンパニー書店」という貸本屋が存在していた。これらの書店はただ本を貸し出すだけでなく、朗読会を開催するなど、作家たちの交流拠点ともなっていた。レオン＝ポール・ファルグや、医学生時代のアンドレ・ブルトンやルイ・アラゴン、貧乏生活時代のヘミングウェイ、大学生のボーヴォワールにいたるまで、文学に興味のあった者たちはこぞってこれらの書店があったオデオン通りに通っている。ここでも心優しく理解のある店主たちの協力により、安い値段で多くの良書に触れることが可能であった。ヘミングウェイは持ち合わせのお金がなかったにもかかわらず、シルヴィア・ビーチにこの店の貸本カードを作ってもらったことがある。また、ボーヴォワールは貸出制限を超えてポケットにたくさんの本を詰め込んでいたそうである。

それに加えて、ロトンドのようなカフェには世界各国の新聞が備えられており、飲み物代を払えば新聞代はかからなかった。また、先述したように自分が勇気を出しさえすればロトンドやフロールには生身の天才たちがおり、彼らと知り合うことも可能であった。このようにパリでは、あまりお金がなくても文化には存分に触れることができたのである。

第五に、《厳しい抑圧とか絶対的な排斥の後の自由、さらにはある程度の差別の存続すらが、創造性発生への誘因》とある。実際、これらの満たされない欲求があってこそ、人は何かを乗り越えよう、生み出そうとするのだろう。ロトンドとフロールの共通点を探るとき、そこが大戦中の芸術家、作家たちにとって真の避難所であったことが挙げられる。彼らは自分や身の回りの人たちの危機を感じながらも、なんとかしてその状況を乗り越え、希望をもてる「戦後」が来ることを切望していた。特殊な状況下では自分の通常の生活とは異なる強い欲求が生まれると同時に、不安を共有している彼らの仲間同士の結びつきが強くなる。彼らはただ同じ空間にいるというだけでなく、同じ問題を共有し、共に困難を乗り越えるからこそ非常に強い結束が生まれてくるのである。

第六に挙げられているのは《異なった、ときには反対の文化刺激に身をさらす》ことである。これは先述したように異邦人の視点、複数のパースペクティブを自分の中に持つことで創造性が育まれるということである。彼らは自分が属してきた価値感を絶対的なものとみなさず、相対化する力を身につける。それと同時に彼らの頭の中で異なる世界のイメージが結びつき、これまでになかったものの創造へと結びついていくのである。藤田は日本的教養を強く持ちながらもパリに憧れ、パリで西洋画家たちの世界に身を置いた。そこで彼は西洋画ではいくら頑張っても西洋人には追いつけないことを悟り、日本人である自分の特性を活かし、彼にしかできない絵の方法を追求する。そこで最終的に生み出されたのが金箔を使い、日本の筆で黒い輪郭を描いた乳白色の西洋婦人たちの絵画である。この藤田の絵は現在でさえ、印象派やピカソなどの絵と並べて掲げられると驚くほど平面的で、とても西洋人には真似できないような、異彩を放つ絵となっている。

第七に、《多様な見方への包容力と興味》とある。これはカフェでの偶然の出会いや出来事に目を開くことで次第に身につけられる能力だということは先述した通りである。こうして様々な出来事に心を開き、自分の中に多くの引き出しを持つことで、思いがけないイメージやアイデアを起こりやすくさせてくれるわけである。

第八に、《主だった人たちの相互作用》である。これはアトラクターのいるカフェで、アトラクターにひきつけられた若者たちが切磋琢磨し合い、のちに「主だった人たち」になってゆくことだといえる。先述したように、まず自分が尊敬する先輩に出会い、彼らをよく知り、自分の考えとの違いに気付き、それを自らの力で乗り越えていこうとするとき、ともにその先に行こうと思える仲間がいれば彼らは大いに伸びていくことができ、共に歴史に名を残すような人物となることができるのである。

第九に、《誘因と報償を促進すること》とある。絵画の場合であれば、サロンに出品され、賞を得ることで瞬く間に名が知られ、高値で絵が売られることになる。特に藤田のように、現在は貧乏だが何とかして大金を手にし、妻を一刻も早く呼び寄せたいと思う者にとっては、サロンに出品されることは名声と報償を手にするために非常に重要な手段であった。

このように、二十世紀前半のパリのカフェには、創造発生を促進させる九つの因子がすべて存在していたといえる。パリという街、カフェという場所、そしてそこに集った人々が絶妙に相互作用した結果、二十世紀前半のパリからは新しい動きが次々と生まれていった。この時代のパリの主だった動きだけでも、フォービスム、キュビスム、未来派、ダダ、エコール・ド・パリ、シュルレアリスム、実存主義など非常に多くの動きがある。これらの動きに関わった者たちは、カフェや様々な空間を通じて交友関係を広げていき、お互いに作用し合っていった。このように新しい芸術を生み出すパリのイメージに憧れ、移り住む者たちはよりいっそう増えてゆく。こうしてパリではイメージが現実をつくり出し、既存の組織からというより、街やカフェを舞台として自由な運動が生まれてゆく。サルトルは、文学に携わろうとする者にとってパリという場がいかに使いやすい場であったかをこう述べている。

あらゆる同業者と握手を交わすためには、最初の自分の本を出してからは五年間あれば十分だった。中央集権化のためにわれわれはみなパリに群がった。ちょっとしたチャンスがあれば、忙しいアメリカ人も二四時間でわれわれみなにくわわり、二四時間で、国連救済復興会議《アンラ》や国際連合やユネスコやミラー事件〔『北回帰線』がアメリカで発禁になった事件〕や原子爆弾にかんするわれわれの意見を知ることができる。〔中略〕われわれはみな——あるいはほとんどみな——或る種のカフェでとかプレイヤードの演奏会でとか、また文字通り文学的な集まりの場合にはイギリス大使館とかで出会う。[118]

このように、実際に成功している作家、芸術家たちが近い空間にこぞって住んでいるのがパリであり、知り合えさえすればすぐに彼らの家の扉を叩けるのもパリだった。二十世紀前半のパリは、サン＝ジェルマン・デ・プレでさえ田舎的な雰囲気を持っていたといわれており、芸術の中心地とはいえどのどかさの残る街だった。二十世紀初頭のモンパルナスはまだパリ郊外であったため家賃も安く、お金のない者たちにとっても住みやすい環境だった。だからこそモンパルナスのカフェの周辺にはこぞって芸術家や作家が住み、近さを活かした相互作用ができたのである。近くに住んでいるからこそ彼らは週に何度もそのカフェに通うことができ、また、カフェにいて作業をしていないようなときであれば、知り合いになりたい者たちが彼らに話しかけることも可能であった。このようなパリの環境があってこそ、彼らはカフェで議論や関係性をより密にしていくことができたのである。

また、文学・芸術の中心地であった二十世紀前半のパリには、彼らの思想や行為を表現する様々な媒体が存在していた。それは彼らが自ら発行した雑誌であり、出版社から出された作品であり、数々の画商が経営する画廊などである。特に第一次世界大戦後から一九二九年までは、アメリカに比べてフランスの物価は格段に安くなっていたため、購買力のあるアメリカ人が大量に渡仏し、彼らの作品をアメリカに持ち帰っていた。こうしてその世界で生きる人々のネットワークを通じて、引き上げられていった者たちは世界中にその名を知られていくことになる。

そのとき、名前だけでなくきちんと実力が伴っていれば、彼らは突如大いに評価されることになる。ロトンドを中心とする芸術家ネットワークに入った藤田や、フロールを中心とする作家ネットワークに入ったボーヴォワールは、作品を世に出したとき、よりいっそうこのネットワークの恩恵を受けることになってゆくのである。藤田は一九二一年にはキキを描いた『横たわる裸婦』で喝采を浴び、彼独自の乳白色が評判となる。また一九二五年、フランス政府からレジオン・ドヌール勲章を受賞するなど、狂乱の時代と呼ばれる二〇年代にはパリの寵児となっている。

またボーヴォワールも、一九四三年『招かれた女』を出版する。もともと藤田ほど社交的ではなかったボーヴォワールだが、サルトルの評判と彼女の出版があい重なって、それから急激に知人の数が増えてゆく。新たな知り合いと彼女はフロールで話をし、フロールにいた常連たちも彼女の著作のことを話題にしたため、それまでサルトルと「うちの一族」という少数の友人たちの間で生きていた彼女にとって急に世界が開けてくることになる。終戦後には、彼女が予感していたように、戦後の新しいイデオロギー、実存主義はまたたく間に受け入れられ、フロール、サルトルと共に一躍有名になってゆく。ボーヴォワールは一九四五年には『他人の血』を出版し、一九四九年には『第二の性』を出版することになる。サルトルとボーヴォワールも藤田と同様、戦後から五〇年代にはサン＝ジェルマン・デ・プレの名とともに非常に著名になり、フロールを去らなければ仕事ができなくなるほどだった。

作品を世に出すときの支援

力強く社会に対して表現できる自分を持った後に大切なのは、自分を支援し、導いてくれる人たちの存在である。自らの表現を世に問おうとしたとき、威力を発揮するのがカフェで出会った人たちとのネットワークである。仲間となる人は主に同世代で少人数だとしても、「何者か」になろうとしている彼を応援し、見守っている人たちはカフェでのネットワーク内には何人も存在する。

たとえば藤田が一九一七年の初個展のとき、ロトンドの常連だったアンドレ・サルモンに序文を書いてもらったのは先述した通りである。また、彫刻家のザッキンが開いた第一回目の個展に来てくれた客はロトンドの常連しかいなかったが、ロトンドの客に作品を気に入られたことで、彼はブリュッセルでも展覧会を開催できるようになる。モディリアーニの最後の画商となったズボロフスキーは、詩人をめざしてパリに来たものの、エレンブルグの言葉で言うと「ロトンドのコーヒーを前に坐礁し」、モディリアーニを支え、彼の絵を売るために人生をかけることになる。

このように、懸命に頑張る自分を応援し、支援しようとしてくれる人間はカフェにたくさん存在している。そのときに応援してくれる人物が強力な人脈を持っていれば持っているほど、彼らに実力さえあればいくらでも作品を世に問うことが可能になってゆくのである。

ハーバード大学でネットワークについて研究をしたマーク・グラノヴェッターは、ある人が仕事を見つけるときに重要なのは、実は「弱い結びつき」であるということを発見した。彼は調査の中で、「ほとんどの人が、自分に直接的な閉じたネットワークの『外部』の人、つまり前の職場の同僚や大学の同級生など、たまにしか会わない人たちから情報を入手していた」と明らかにしている。[119] 彼はこの関係性を「弱い結びつきの強さ」と呼ぶことにした。なぜ友人や仲間のような強い結びつきではないのかというと、「最も親しい友人や会社の同僚は、あなたと同じ情報源にさらされている。このため、あなたに新しいニュースをもたらさない。一方、グループ外の人々は、あなたが耳にしないようなことを知っている可能性が高い。このように、離れた知人との『弱い結びつき』は多くの場合、新しい情報を伝達する可能性が高い」からである。[120]

モンパルナスのカフェは、これらの「弱い結びつき」が容易に生じる場であった。カフェのテラスでは、自分の属するグループ以外の人も同じように隣の席に座っていたため、自分の仲間が知らない情報を隣席の誰かが持っている可能性も高かった。そのため、誰かが個展をするとなると、ギャルソンや客の噂話を通してその情報が行き渡り、常連の何人かがその芸術家と知人でなくても訪れる可能性があった。たまたまそのうちの一人が画商で彼の作品を気に入れば、結果として作品が購入されるということにもなるのである。

それに対し閉じた常連だけのカフェでは、ほとんど皆が同じ集団に属し「同じ情報源にさらされている」ために、予想外のチャンスが訪れる可能性は低くなる。

このように、親密さが存在しながらも、同時に誰に対しても開放的であろうとする雰囲気が保たれたカフェの場合、「何かをしたい」人物が実際に何かすることを伝えたときに、思いがけない誰かが助けてくれることがある。ユキが藤田の名前を知ったのは、ユキが勇気を出して彼女の想いをカフェにいた者たちに伝えたからであり、そのうちの一人が藤田を知っていたからである。おそらく藤田がフェルナンドの住所を知ったのも同様であろう。このようにして、彼らは実際に外の世界に対して何かを問おうとするとき、仲間の支援だけでなく、「弱い結びつきの強さ」の力を借りることができたのである。

またこういった支援を受けやすくするには、彼らが他の人たちとまったく同じように見える存在ではなく、ある程度目立ち、注目されるユニークな人物であった方がよい。日本人の藤田がギリシャ風の服装をしていたのは、芸術家は自分自身が芸術品でなければならないという藤田の信念もあるが、このような格好をすることで目立ち、それが宣伝になることに藤田が気付き、利用していった面もあるだろう(図32)。彼は、おかっぱ頭や耳輪が宣伝なのかという批判に対して、「一体宣伝は大切なものですよ。実力と宣伝とが揃つたら、これに越すものはありませんね。宣伝を卑しいと見る事が考えが足りぬので、

図32
ギリシャ風の格好をしている
藤田(左)と川島理一郎(右)

馬鹿が宣伝すれば馬鹿の宣伝に終る」と答えている。[121]

藤田は初めから宣伝と思ってギリシャ風の格好をしたわけではないにせよ、日本人が奇妙な格好をしているということで、様々なところで面白がって声をかけられる経験を通して、「宣伝」の持つ力を感じとっていったといえるだろう。彼は留学初期から、個性的なキャラクターのお陰で、夜会を通してサロンの審査員とも知り合いになることができた。サロンの審査員と知り合いになることがいかに出品のために重要であるかは藤田がよく理解していたことである。一九一九年の時点ではサロン関係者とのつながりを強力に持っていたため、サロン開催前日に、出品した六点全点が入選したという情報をロトンドで知ることになる。先述したように、彼は芸術家として成功するための研究を恐ろしいほど熱心にしており、ただ研究するだけでなくすぐに実行に移してその効果を体感しようとしていた。彼は自分の家にひきこもる日本人画家たちとは対照的に、ハイスピードで研究と実践を重ね続けていく。こうして藤田は到着後一年もたたないうちに、モンパルナスで面白い日本人として有名になってゆく。

だが藤田は、彼の本業は画家であるのに、長いこと「手法を盗まれないため」と言って、頼まれても自分の絵を誰にも見せないようにして過ごしていた。名前が知られても絵を見せないという行為を藤田が行ったのは、当時の藤田自身がまだ、「フジタは面白い奴だから、そんな彼が描く芸術もきっと面白いにちがいない」という期待に応えうるほどの「実力」が伴っていないと思っていたからだと考えられる。そして、やがて実力にしっかりと自信がついた頃、彼は行動を変える。彼はとみ宛の書簡にその変化をこう書いている。

今までにこゝでしり合いになつた人が画を見せてくれとて切りに〳〵たのまれたが、つまらぬものを見せてハそれ迄になる故皆見せず断つて居た。これからハどん〳〵見せてやる計画にした、今度始めて番地入りの名刺も作ろうし人も呼んで盛んに見せる事にするのである。お茶にも呼ぶ。遊びにも呼ぶと言ふ風に自分を広告して行く方針をとつて居る、展覧会があれバ勿論出す、そうしてこゝでの有名な人とハ知己になつてやはり引き立てゝ貰ふ、日本人であり東洋人である、とても西洋人にハかなはぬと言ふハ皆の言ふ事で日本人であり東洋人であるから尚都合いゝ尚目立つ事である異なつた画が出来て早く評判になる事が受け合いである。そうして一度世間が評判をたてゝそうしてワイ〳〵言つたら占めたものである[122]

この手紙の文面から、藤田がいかに目立つこと、人との関係に恵まれることの重要性を意識していたかが読み取れる。そして、自分の宣伝が「馬鹿の宣伝」で終わらず、実力を伴ったとき真の力を持ちうることを彼は充分に意識して行動していたといえるだろう。そのためにも彼は先人たちの足跡を研究し、パリを研究し、夜会に参加しては人脈を広げ、芸術家的に生きるために自分の家や庭をつくりながらも自分の絵の世界を研究し続けた。これだけのことを同時平行でやろうとしていた藤田だからこそ、腕に腕時計の刺青をしていたというのもうなずける。二十七歳という遅い年齢で渡仏し、愛する妻を一刻も早く呼び寄せるために少しでも早く成功したいと願っていた藤田は、限られた時間を最大限に利用する道を探し続けたのである。

テラスで育むネットワーク

一九一〇年代から二〇年代のモンパルナスでは、大人数の人たちがロトンド、ドーム、クーポールのようなカフェやバー、ダンスパーティを通じて仲良くなり、誰かは誰かの友人というような複雑で大規模なネットワークを築いていった。モンパルナスという場所でそれが可能になった理由として、モンパルナス大通りのカフェのテラスが果たした役割は無視できない。

一九一一年にリビオンがロトンドのオーナーになり、成功した理由の一つに南向きのテラスをつくったことがある。ロトンドの眼前のモンパルナス大通りは非常に道幅が広かったために日当りがよく、開店してすぐにここは「ラスパイユ海岸」と言われるようになった。特にスラブ系や地中海沿岸地方から来た者たちはロトンドのテラスを好み、ドイツ人たちとスカンジナビア人たちはドームの北向きのテラスを好んだが、両方のカフェに友人のいるフランス人たちは双方を行き来していたそうである（図33）。

また一九二七年に開店したクーポールは、店内全体が巨大なテラスのような空間である。この天井は五メートルもの高さがあり、その高い天井を二十四本の柱で支えていたため空間を遮る壁がなく、非常に開放的な造りであった。だからこそここではある集団やネットワークに属する人物が新たな出会いを体験し、それとともに新しい発想も手に入れることが可能となっていった。藤田と出会う前までは社交的でなく臆病だったユキも、モンパルナスのカフェに行くようになるとたちまち知人が増えてゆく。モンパルナスのカフェのテラスは穏やかに休む海岸というよりも、潮の満ち引きを楽しむそれのようだった。ユキはカフェでの流動的な出会いについてこう述べている。

図33
1925年頃の
ドームのテラス
この頃からロトンドよりも
ドームの方がにぎわいを
みせるようになる

例えば、《ドーム》でわたしはパスキンや、リュシー・クローグや、エルミーヌ・ダヴィッドや、クローディア・ロワゾーたちに取り巻かれてテーブルの前に坐っているとする。そこへ潮がさしてきて彼らをさらってゆく。するとまた別の潮がスーチンや、キスリングや、バスレルや、ロベール・デスノスや、ジャック・プレヴェールをわたしのところへ運んでくるといったあんばいであった。

こんどはわたしが輪のなかに入って、《ドーム》を出て《クーポール》へ行く、するとそこで、アントナン・アルトー、ピエール・ブラッスール、ソランジュ・シカール、フェルナンド・バレーに会うのであった。

こんどは彼らが移動を始め、《セレクト》でほかの徹夜組に会うのだった。[123]

この話から、クーポールのような開放空間、またモンパルナスのカフェでのテラスの出会いがいかに流動的で、知人との出会いの頻度が高かったかがわかる。

ではなぜこのテラスのような開放空間では出会いの頻度が高いのだろうか。それは、アトラクターの存在が見えやすいからだと考えられる。テラスは路上にあるため、アトラクターのようなネットワークを持った人物がそこに座っていると、たまたま通りを歩いていた彼の知人も目をとめやすい。

これはパリのカフェの特徴的な点だが、基本的にテラスのイスは街路の方向を向いている。それに対してオランダやベルギーなどでは、テラスであっても基本的には二人組や四人組で向かい合って座るように席が設定されている。そのため一人でテラスに座っていると、ペアになるべき人が欠けているような、どことなく寂しい印象がある。ところがパリのカフェのテラスはすべて同一方向を向いているため、一人でも二人でもあまり大差がないのである。街路を向いたテラスに座れば、たとえ二人で座っていても目線はしばしば街路に注がれることになるため、二人だけで世界が完結しにくくなってくる。これは、自分が気乗りをしないときには話をそらしたいような人にとっては格好のエクスキューズである。パリのカフェのテラスは、何人かでそこに座っていても関係性がそこだけに限定されることがない、閉じられているようで開かれている空間である。だからこそテラスは非常に自由度が高く、予期せぬ出来事を受け入れやすい場所なのである。

さて、テラスを通りがかった際にアトラクターがおり自分がアトラクターと知人であるなら、多少暇がある者ならば挨拶でもしようと思うだろう。そして立ち話もなんだからということでアトラクターの隣で何か飲もうかと思っていると、彼と同じく街を歩いていたアトラクターの知人がアトラクターに声をかける。そして二人目もそこに座り、アトラクターの簡単な紹介を通じて見知らぬ二人は出会うことになる。ロトンドに足を踏み入れる前は何者でもなかったユキがこれだけの芸術家と友人になれたのは、ユキが藤田と結婚した頃、藤田自身がモンパルナスのアトラクターとなっていたからだといえる。このように、アトラクターとなる人物がテラスに長時間座っていると、それだけで彼を介して、未知の人はつながってゆくのである。

また、偶然呼び止められた彼らは向き合って座る必要もなく、約束をしてきたわけでもないため、自分の都合でそこを去りたい時には一人だけ立ち去ることが可能である。これだけ自由度が高いからこそ、彼らは席にもつきやすい。

それに対して、アトラクターが閉ざされた店内にいる場合はどうだろうか。アトラクターをそのカフェの常連と仮定しても、彼の知人が同じカフェの常連でなければ、知人は店内の親密な雰囲気を感じるほど扉の前で躊躇する。店内にアトラクターがいることが確実であるか、またはユキやサルモンのように若く、ここで勇気を出して入ってみようと思えるのであれば知人は足を踏み入れるかもしれない。しかし店内が見えず、彼は今いないかもしれないと当人が思って中に入らなければ、たとえアトラクターが店内にいても彼らは出会うことはない。それに対してアトラクターが路上にいるというだけで、彼はこのカフェの常連でもなく何の用がなくとも、躊躇せず彼の席に挨拶しに行くことができるのである。

またテラスという場所は新参者が一番初めに入りやすい場所である。初期のロトンドには常連用の奥の空間があり、キキは帽子をかぶらなければそこに入ることができなかった。他の多くのカフェにもこのような常連用の奥の空間が用意されていた。このように、入るには勇気や承認を要する閉ざされた空間とは違い、テラスがあるのは路上であり、あえてそのネットワークに参入しようという気がなくても席につきやすい。一人で初めて来た客はそこに座り、街路を眺め、界隈で何が起きているのかじっくりと観察することができる。その意味では、どのカフェもテラスを張り出すことで競い合っていたモンパルナスのカフェは、外国からやってきたばかりで知り合いも少ない外国人芸術家たちをためらうことなく居させることのできる場だったといえるだろう。モンパルナスに二、三人しか知人のいない者でも、その二、三人のうちの誰かがアトラクターのような人物であれば、テラスのような開放空間では彼の紹介を通して簡単に人に会うことができる。モンパルナスを象徴する大通り沿いのカフェに競って出されたテラスによってこそ、この時期を特徴づける、みなが誰かの紹介で知り合いになるという交遊関係は築かれていったといえるだろう。

また、ピカソやデスノス、ザッキンたちがのちにサン゠ジェルマン・デ・プレへと移動していくとともに、彼らのもつネットワークもそのまま移動することになる。ボーヴォワールは、クロズリー・デ・リラの悪名高い「サン・ポル・ルーの宴」で窓から身を投げたミッシェル・レリスと、のちにフロールで出会うことになる。彼女がフロールでかつてのシュルレアリストたちと出会うように、モンパルナスで時を過ごした者たちが場所を移動したことにより、サン゠ジェルマン・デ・プレには彼らの持っていたネットワークが凝縮することになるのである。またサン゠ジェルマン・デ・プレ広場も、フロール、ドゥ・マゴともにテラスが有名な店であり、大通りを歩いていたら声をかけられるということが日常的に起こった場所である。このように、カウンターや店内では主人の紹介により、テラスではアトラクターたちの紹介により、カフェでは多くの人間関係が結ばれていったのである。

後輩世代への恩返し

まだ何者でもなかった者が、アトラクターのいるカフェに出会い、同世代の仲間、インスピレーション、価値観、そして高度な手段を得ることができるようになったとき、彼らはそのカフェを巣立てるようになる。彼らはもう真に孤独な人間ではなく、自己の思想や表現を自信を持って社会に提示できる「何者か」になっているからである。

「何者か」になった後でも、他のカフェに通い人を集める者もいる。もちろんそれはインスピレーションを受けるためでもあるが、すでに何者かになっている彼らは、若い時分に比べれば自分自身が得るものは減っているはずである。居場所がなかった彼らも、時を経て自分の力で快い住まいを手にすることもできただろう。

ではなぜ彼らがそれでもそこに集い後輩世代を集めているかといえば、おそらくそれは先輩たちへの恩返しとしての気持ちが強いからだと考えられる。たとえばソレイユ・ドールの詩の集いで人生が変わり、先輩詩人に「詩人になりたいならカフェに行け」と言われたアンドレ・サルモンは、有名な詩人になってからもひたすらカフェに通い続ける。そして彼はロトンドに通っていた藤田の第一回個展の序文を書くことになるわけだが、これはおそらく先輩にしてもらってきた恩返しを後輩の藤田にしたのであろう。藤田はサルモンの序文に関し、「第一回の個展の序文は幸にして、アンドレ・サルモン氏が書いてくれた。アポリネール、マックス・ジャコブの二人とサルモンとは三人の近代美術の先覚者でピカソ初め皆この人達の声援が大きい」と書いているが、これらアポリネール、マックス・ジャコブ、サルモンは無名時代に先輩詩人がいたクロズリーに通い、その後名声を得てからもロトンドに通うことになった者たちである。[124]先輩たちにいくら恩を受けてもその恩は彼らには返礼し切れない。また、おそらく先輩たちはそんなことは望まずに、自分たちがしてきたことは後輩に返してあげるようにと言い聞かせていたのだろう。

サルモンがはっきりとソレイユ・ドールの詩の集いの光景を覚えているように、何かをなそうとしている者たちにとって、何かを初めてなせたときというのは非常に感動的なものである。詩人のロベール・デスノスはそのときの感動についてこう述べている。

世間の人たちはあなたの最初の成功のときあなたを発見したように思いこむ。彼らはあなたの肩を叩いて、《どう?満足ですか》と訊ねる。そんなことは聞くまでもない。しかし、画家、俳優、自転車競争の選手、ボクサー、作家、音楽家のいずれたるを問わず、いやしくも芸術家たるものにとっての真の悦びは、まず彼が何かをなしたということである。なぜなら私たちはみな、人に知られる前に仕事をしているからである。そして世間の人はそのことを知らない。《しかじかの人間をデビューのときから評価していた》という人がいるが、それは本当ではない。本当のデビューのときからあなたを評価できるのは専門家でしかない。俳優の胸をときめかすのは、それが大がかりな芝居のなかのほんの端役にすぎなくとも、最初にもらった役割であり、画家にあっては、批評家の筆に上った最初の絵であり、音楽家にとっては最初のギャラであり、しばしば違った名で署名されていても最初の歌の注文であり、作家にとっては、それが同人雑誌や三号雑誌であっても、そのなかで印刷になった最初のテキストなのである。このときの感動を、私たちは二度と再び味わうことはあるまい。[125]

ここでデスノスの言う、「人に知られる前に仕事をしている」というのは、まだサルモンにとって、ロトンドにいるレーニンが、「レーニンがレーニンになるまえの、その他大勢のロシア人亡命者にすぎなかった」と彼の目に映っている状態であり、クロズリーに来ていたころのアポリネールたち、第一次世界大戦終了以前のロトンドに集った藤田たちのことである。

そのときアトラクターのいるカフェでは、アトラクターはすでに芸術や作家の世界で何かをなしている人であるから、彼のつながりには同業者やその世界と関係のある人がいる。そこで、そのうちの誰かが何者かになろうとしている若者に少し手を貸すことにより、若者の世界は開かれていく。すでに何かをなした人々の間では、サルモンのために発表の時間を少し割くことも、『ペン』誌に一つ文章を書かせることも、たまたまピカソという若い画家にページが割かれることも、あまりたいしたことではない。

しかし、デスノスが指摘するように、何かをなしたいと思っている若者がその世界で生きている人たちの中で少しでも認められたという事実こそが彼にとっての感動になり、その先の活動への原動力となるのである。成功しても二度と味わえることもないほどの感動、これを芸術家が忘れないのであれば、それなりに成功し心の余裕のある者が、かつての自分と同じように何者かになろうとしている若者を見て少しでも手を差しのべたいと思うのは自然なことだろう。また彼らがもしお世話になった先輩世代から後輩世代にその恩返しをするようにと言われていたならば、彼らの献身的な行為も理解しやすい。

アポリネールとサルモンは、ポール・フォールやジャン・モレアスという二十世紀のカフェ第一世代の後輩である。サルモンはまさにカフェでの出会いで人生が激変したと自分で述べており、彼の文章からは、先輩世代のおかげでいかに自分の世界が広がったかが読み取れる。また、藤田の先ほどの発言からも、藤田がサルモンらを先輩世代として尊敬していることが読み取れる。またブルトンも、先輩アポリネールのカフェの集いのおかげで大いに人生が開けたわけである。

彼らは同じくカフェで出会い、カフェでの出会いで人生が変わり、その重要性を知っている。だからこそ彼らもまた、自分が名声を得たときはその恩を後輩たちに返そうとするのである。実際藤田の場合は、留学初期には日本人たちと関わることを毛嫌いし時間の無駄だと思っていたものの、生活に余裕ができてからは熱心に後輩たちの世話をするようになる。後輩たちは、のちに藤田を日本で苦しめるようになることこそあれ、藤田に恩を返してくれたわけではない。それでも彼が後輩たちに良くしようとし続けたのは、おそらく彼もパリで先輩世代から大いに恩を受け、その重要性を知っているが故に、それを後輩世代に返そうとしていたからであろう。このようにして、カフェでの先輩たちの恩返しは、後輩たちがそれをやめない限り繰り返されていったといえる。

1 平田達治『ウィーンのカフェ』、一三〜一四頁
2 シュテファン・ツヴァイク『ツヴァイク全集(一九)昨日の世界I』、六八〜六九頁
3 André Salmon, *Souvenirs sans fin 1903-1940*、九三頁
4 André Salmon, *Souvenirs sans fin 1903-1940*、三七頁
5 André Salmon, *Souvenirs sans fin 1903-1940*、八八三頁
6 藤田嗣治『巴里の昼と夜』、四〇頁
7 藤田嗣治『巴里の昼と夜』、四一頁
8 Jean-Paul Crespelle, *Montparnasse Vivant*、一四八頁
9 藤田嗣治『腕一本・巴里の横顔』、三三頁
10 André Salmon, *Souvenirs sans fin 1903-1940*、八八三頁

11 筆者のブバル氏へのインタビューによる(二〇〇六年一〇月、ブバル氏自宅にて)
12 イリヤ・エレンブルグ『わが回想(一)』、一八四頁
13 シモーヌ・ド・ボーヴォワール『女ざかり—ある女の回想(下)』、一五七〜一五八頁
14 ルイ・アラゴン『パリの農夫』、九六頁
15 クリストフ・デュラン＝ブバル『カフェ・ド・フロールの黄金時代 よみがえるパリの一世紀』、三三一〜三三三頁
16 André Salmon, *Souvenirs sans fin 1903-1940*、六五五頁
17 ルイ・アラゴン『パリの農夫』、九〇頁
18 ボリス・ヴィアン『サン＝ジェルマン＝デ＝プレ入門』、一〇八頁
19 シモーヌ・ド・ボーヴォワール『女ざかり—ある女の回想(上)』、三二六頁
20 André Salmon, *Souvenirs sans fin 1903-1940*、四四頁
21 André Salmon, *Souvenirs sans fin 1903-1940*、四四頁
22 ユキ・デスノス『ユキの回想 エコル・ド・パリへの招待』、四一頁
23 André Salmon, *Souvenirs sans fin 1903-1940*、五二頁
24 André Salmon, *Souvenirs sans fin 1903-1940*、六二頁
25 Fernande Olivier, *Picasso et ses amis*、四八頁
26 ユキ・デスノス『ユキの回想 エコル・ド・パリへの招待』、四一頁
27 ユキ・デスノス『ユキの回想 エコル・ド・パリへの招待』、四一頁
28 André Salmon, *Souvenirs sans fin 1903-1940*、六二頁
29 Fernande Olivier, *Picasso et ses amis*、四八頁
30 ユキ・デスノス『ユキの回想 エコル・ド・パリへの招待』、四二頁
31 マルク・ソーテ『ソクラテスのカフェ』、一四頁
32 アンドレ・ブルトン『シュールレアリスム運動の歴史』、六五〜六六頁
33 シモーヌ・ド・ボーヴォワール『娘時代—ある女の回想』、一六六頁

34 シモーヌ・ド・ボーヴォワール『娘時代―ある女の回想』、一六七～一六八頁
35 ミッシェル・サヌイエ『パリのダダ』、一三二頁
36 ジャニーヌ・ヴァルノー『ピカソからシャガールへ―洗濯船から蜂の巣へ―』、一六二頁
37 シュテファン・ツヴァイク『ツヴァイク全集（一九）昨日の世界Ⅰ』、一七六頁
38 シモーヌ・ド・ボーヴォワール『娘時代―ある女の回想』、三二四～三二五頁
39 シモーヌ・ド・ボーヴォワール『娘時代―ある女の回想』、三二五頁
40 藤田嗣治『腕一本・巴里の横顔』、二〇頁
41 藤田嗣治『在佛十七年―自伝風に語る 藤田嗣治画集』、二〇頁
42 藤田嗣治『腕一本・巴里の横顔』、一六頁
43 藤田嗣治『腕一本・巴里の横顔』、三六～三八頁
44 藤田嗣治『巴里の昼と夜』、四〇～四一頁
45 富永茂樹『理性の使用 ひとはいかにして市民となるのか』、一六二頁
46 シュテファン・ツヴァイク『ツヴァイク全集（一九）昨日の世界Ⅰ』、七〇頁
47 シュテファン・ツヴァイク『ツヴァイク全集（一九）昨日の世界Ⅰ』、七〇頁
48 アンドレ・ブルトン『シュールレアリスム運動の歴史』、一〇一～一〇二頁
49 アンドレ・ブルトン『シュールレアリスム運動の歴史』、一〇二頁
50 シモーヌ・ド・ボーヴォワール『女ざかり―ある女の回想（上）』、一一九頁
51 シモーヌ・ド・ボーヴォワール『女ざかり―ある女の回想（下）』、一八四～一八五頁
52 シモーヌ・ド・ボーヴォワール『女ざかり―ある女の回想（下）』、一八五頁
53 藤田嗣治『巴里の昼と夜』、四一頁
54 藤田嗣治『在佛十七年―自伝風に語る 藤田嗣治画集』、一四頁
55 藤田嗣治『腕一本・巴里の横顔』、五九頁
56 藤田嗣治『藤田嗣治書簡―妻とみ宛（二）』、資料番号四一

57 シモーヌ・ド・ボーヴォワール『娘時代―ある女の回想』、二五三頁
58 シモーヌ・ド・ボーヴォワール『娘時代―ある女の回想』、二八八～二八九頁
59 シモーヌ・ド・ボーヴォワール『女ざかり―ある女の回想(上)』、二六三頁
60 平田達治『ウィーンのカフェ』、一八頁
61 平田達治『ウィーンのカフェ』、一八頁
62 シモーヌ・ド・ボーヴォワール『女ざかり―ある女の回想(下)』、八二～八三頁
63 André Salmon, *Souvenirs sans fin 1903-1940*、一二二頁
64 『ユリイカ 詩と批評 一九七九年一月号 特集 アポリネール』、七七～七八頁
65 シモーヌ・ド・ボーヴォワール『娘時代―ある女の回想』、二五一頁
66 アーネスト・ヘミングウェイ『移動祝祭日』、五～六頁
67 シモーヌ・ド・ボーヴォワール『女性と知的創造』、五九頁
68 Gérard-Georges Lemaire, *Cafés d'autrefois*、六八頁
69 シュテファン・ツヴァイク『ツヴァイク全集(二一)時代と世界』、二八頁
70 アンドレ・ブルトン『アンドレ・ブルトン集成(五)』、九四頁
71 シュテファン・ツヴァイク『ツヴァイク全集(二一)時代と世界』、二二二頁
72 ルイ・アラゴン『冒頭の一句または小説の誕生』、九六～九七頁
73 シュテファン・ツヴァイク『ツヴァイク全集(二一)時代と世界』、二二二頁
74 アンドレ・ブルトン『アンドレ・ブルトン集成(五)』、九四～九五頁
75 Gérard-Georges Lemaire, *Les Cafés littéraires*、二二二頁
76 アンドレ・ブルトン『アンドレ・ブルトン集成(五)』、二九二～二九三頁
77 アンドレ・ブルトン『アンドレ・ブルトン集成(五)』、四一頁
78 アンドレ・ブルトン『アンドレ・ブルトン集成(五)』、四二～四三頁
79 アンドレ・ブルトン『シュールレアリスム運動の歴史』、一一三～一一四頁

80 アーネスト・ヘミングウェイ『移動祝祭日』、一四頁
81 藤田嗣治『腕一本・巴里の横顔』、八五頁
82 シュテファン・ツヴァイク『ツヴァイク全集(二一)時代と世界』、二八頁
83 アンドレ・ブルトン『アンドレ・ブルトン集成(五)』、二五頁
84 アンドレ・ブルトン『アンドレ・ブルトン集成(五)』、四四~四五頁
85 野中郁次郎/恩田彰ほか『創造する組織の研究』、七三~七四頁
86 シモーヌ・ド・ボーヴォワール『娘時代―ある女の回想』、二五二頁
87 夏堀全弘『藤田嗣治芸術試論』、一七四頁
88 藤田嗣治『腕一本・巴里の横顔』、三三頁
89 夏堀全弘『藤田嗣治芸術試論』、二七頁
90 藤田嗣治『巴里の横顔』、一二三頁(著者要約)
91 イリヤ・エレンブルグ『芸術家の運命』、三六頁
92 ガートルード・スタイン『パリ フランス 個人的回想』、四頁
93 ジャン・ジャック・ルソー『告白(中)』、一九九~二〇〇頁
94 ジャン・ジャック・ルソー『告白(上)』、二四五頁
95 アーネスト・ヘミングウェイ『移動祝祭日』、八頁
96 塚原史『記号と反抗 二十世紀文化論のために』、四七頁
97 塚原史『記号と反抗 二十世紀文化論のために』、五一~五二頁
98 エドワード・W・サイード『知識人とは何か』、九三頁
99 エドワード・W・サイード『知識人とは何か』、一〇四頁
100 エドワード・W・サイード『知識人とは何か』、一〇五頁
101 ジャン=ポール・サルトル『文学とは何か』、二七六~二七七頁
102 シュテファン・ツヴァイク『ツヴァイク全集(一九)昨日の世界Ⅰ』、七四頁

103 イヴォンヌ・デュプレシ『シュールレアリスム』、九九頁
104 シモーヌ・ド・ボーヴォワール『或る戦後（上）』、一五頁
105 シュテファン・ツヴァイク『ツヴァイク全集（二一）時代と世界』、一七〜一八頁
106 シュテファン・ツヴァイク『ツヴァイク全集（二一）時代と世界』、二八頁
107 アンドレ・ブルトン『シュールレアリスム運動の歴史』、一四一〜一四二頁
108 藤田嗣治『腕一本・巴里の横顔』、一九三〜一九四頁
109 イリヤ・エレンブルグ『芸術家の運命』、一一七頁
110 アンドレ・ブルトン『ナジャ』、一七三頁
111 ジャニーヌ・ヴァルノー『ピカソからシャガールへ ―洗濯船から蜂の巣へ―』、一五五頁
112 藤田嗣治『腕一本・巴里の横顔』、一九五頁
113 エルンスト・クレッチュマー『天才の心理学』、四七〜四八頁
114 クリストフ・デュラン＝ブバル『カフェ・ド・フロールの黄金時代 よみがえるパリの一世紀』、四八頁
115 エルンスト・クレッチュマー『天才の心理学』、四八〜四九頁
116 シュテファン・ツヴァイク『ツヴァイク全集（二一）時代と世界』、二八頁
117 シルバーノ・アリエティ『創造力 原初からの統合』、二六四〜二七二頁
118 ジャン＝ポール・サルトル『文学とは何か』、一六四〜一六五頁
119 エマニュエル・ローゼン『クチコミはこうしてつくられる おもしろさが伝染するバズ・マーケティング』、九八頁
120 エマニュエル・ローゼン『クチコミはこうしてつくられる おもしろさが伝染するバズ・マーケティング』、九九頁
121 藤田嗣治『巴里の昼と夜』、四四頁
122 藤田嗣治『藤田嗣治書簡 ―妻とみ宛（二）』、資料番号九九
123 ユキ・デスノス『ユキの回想 エコル・ド・パリへの招待』、一五七頁
124 夏堀全弘『藤田嗣治芸術試論』、七八頁
125 ユキ・デスノス『ユキの回想 エコル・ド・パリへの招待』、一三〜一四頁

column

パリのビストロとカフェのテラスを世界遺産に

パリのカフェテラスは自由な人生の象徴のよう

パリにオープンカフェやビストロがなかったら一体どうなってしまうだろう？

美しいアパルトマンと巨大な並木道が残っても、高級住宅街のように部外者を寄せ付けない雰囲気になってしまうだろう。ビストロやカフェのテラスはパリの住民だけでなく、一見の客にもオープンに開かれている場所である。一歩店の中に入れば外国人も地元の人も、学生も社長も関係なく、そこで隣り合った人との出会いや会話の機会がある。カフェには気軽に入れるカウンターや、通りに面して張り出された開放的なテラスがあり、ちょっとしたことが会話のきっかけになる。そんなパリはいつの時代も芸術家や映画監督、作家たちを魅了し、カフェのテーブルでは本が書かれ、デッサンがなされ、数々の映画の舞台となってきた。しかし、現在のパリではカフェやビストロも減りつつあるという。こうした状況に危機感を抱いた人たちが、パリのビストロとテラスをユネスコの無形文化遺産にしようと動き始めた。その代表者が、パリ二区にあるビストロ、ムストゥレの主人のアラン・フォンテーヌ氏である。以下は Paris-Bistro.

Bistros et Terrasses de Paris

com を通じて、筆者が二〇一九年六月にパリで行ったインタビューである。

＊

一〇年くらい前、パリのビストロが減っていき、ファーストフードやサンドイッチ屋が増えていることに危機感を抱いた者たちで集まって、ビストロを守らなければという話をしていたんです。二〇一七年末に再びこのメンバーで集まって何かしないとと話した時に、皆とても関心を持ち、この動きが本格化しました。ビストロが打撃を受けているのは、特に二〇一五年のパリのテロを境に始まった「帰宅主義」と関係しています。仕事が終わったらすぐ家に帰って、テレビやパソコンの前で自宅に配送されるご飯を食べるというスタイルです。近年は自転車による配送サービスが非常に増加しており、我々はこうした動きに立ち向かわないといけない、と。

　ビストロは十九世紀半ばに誕生しました。ナポレオン三世とオスマン男爵のもとでパリの大改造を行っている時、大量の労働者が必要だったんです。今もパリは工事だらけとはいえ、当時の工事は比べものにならないくらい大規模でした。そこでアヴェイロンやオーヴェルニュなど、中央山岳地帯を中心とする貧しい土地からたくさんの人々がパリに流れ、労働者として働きました。彼らは家賃が安かったパリの境界部に住み、そこで自分たちの家族や仲間のための食堂としてビストロを開くようになったのです。ビストロは一九七〇年頃までは労働者の食堂として成り立っていました。そこではパリの庶民が出会い、共にワインと食事を囲んで楽しい時を過ごしていました。ビストロはブルジョワ向けの高級レストランではなかったのです。

　しかし、一九七〇年代を機にこうしたビストロの姿が変わっていきました。というのも、大企業が社員食堂を作るようになったからです。そのため、ビストロは生きるために必要な場から、余裕があるときに行くレストランへと変化していきました。また、かつてはカフェで出勤前にエスプレッソを一杯という習慣があったのですが、それも多くの企業にネスプレッソが導入されたことで、ほとんどなくなってしまいました。

　こうした顧客側の状況の変化だけでなく、店側にも大きな問題があります。一つ目は後継者問題です。特に若者はビストロを継ぎたいと思っていません。というのもビストロで働くと、人生すべてがそこを中心に回らざるをえないからです。早朝から夜まで営業するので一日十五時間ほど働き、友人というのはお客さんです。今の若い人たちのように、仕事とは別の趣味を楽しみたいという考えだと、ビストロの仕事には向きません。パリでもうまく次世代に継承されたビストロもあるとはいえ、それらは圧倒的に少数派です。二つ目に家賃の問題です。パリの家賃は高い上、ビストロは利益率が低く、稼げる仕事ではないのです。労働時間は長いのにあまり稼げないとなると、たいていの人は継ごうとせず、店は売られ、サンドイッチ屋になってしまうのです。

　とはいえパリのビストロは世界に誇れるソーシャル・ミックスの場なのです。ビストロは朝から晩まで開いていて、すべての人に開かれています。労働者にも著名人にも、外国人にも、男性にも、女性にも、誰にでも開かれています。エスプレッソ一杯からコース料理に至るまで様々な選択肢が存在するので、お金がない人も、お金がある人も注文できます。パリのカフェやビストロは、他国の大都市のように移民が移民同士のコミュニティに閉じこもることを防いできました。また、パリのビストロやカフェがフランスの他都市と違うのは、文字通り世界中の人々が訪れること。ここでは世界の人が混ざり合い、出会い、会話することが可能なのです。イギリスのパブとは違い、パリのカフェは基本的には常連向けの内向的な飲食店ではありません。パリのカフェの素晴らしい点は、テラスの椅子が歩道に向かって並んでおり、そこがまさに世界に向かって開かれていることなのです。そこでは一人で居ながらも一人ぼっちではない感覚、まるで劇場にいるように、自分もその世界に参加している感覚が味わえるのです。目の前には世界一美しい人や口論中のカップル、走っているこどもたちというように、次々と光景が移り変わってきます。自分の眼前にあるのは様々な人の人生劇場なのです。ピカソやウッディ・アレン、サルトルやボーヴォワールなど、どれほどの芸術家や作家、映画監督がパリのカフェに魅了されたことでしょう。ビストロでは人々が飾らない姿で過ごしており、真の人生模様を目の当たりにすることで、インスピレーションが起こるのです。私たちが守りたいのはこうしたパリならではのライフスタイルなのです。

今でこそソーシャル・ネットワークと言われますが、フェイスブックの登場以前から、真のソーシャル・ネットワークを生み出していたのはパリのカフェやビストロでした。バーチャルな世界ですべてが代替できるわけではなく、実際に人と出会って話ができる、物理的な場やコンタクトは非常に大切です。黄色いベスト運動※が盛り上がった背景には、もうビストロのなくなってしまった田舎で、人々が交差点にバーベキューセットなどを持ち寄って出会い、語り合い、そこがかつてのビストロのような出会いの場となったからというのもあるのです。バルザックはカフェのことを庶民の議会と呼んでいましたが、カフェやビストロが存在し、人々が語り合い、自分たちの意見を交換することができれば、社会は地道に改善されていき、ある日突然大規模な暴動が勃発するということもないでしょう。

「パリのビストロとカフェのテラスを世界遺産に」の代表、アラン・フォンテーヌ氏

＊

パリのビストロは二〇一五年のテロで打撃を受け、黄色いベスト運動や翌年冬の交通機関の大規模スト、そして新型コロナウイルス対策としての都市封鎖などの影響でかなりの痛手をこうむってきた。しかし、テロの後、

カフェで亡くなった人がいるにも関わらず、テロの脅しには屈しないというパリジャンたちの誇りと連帯感を示すため、あえてテラスに向かった人々もいる。新型コロナウイルスで人々が自宅待機を余儀なくされた今も、彼らはあって当たり前だったカフェの重要性を痛感したようである。ロックダウンによって人と出会えなくなってしまったからこそ、人々が出会い、気軽に語り合える場の重要性は、世界的にもこの時期を通じて再認識されている。ユネスコの文化遺産にという運動が成功する頃には、パリのカフェのテラスやビストロの社会的意義が強く認識され、数々の困難を乗り越え、不死鳥のようにテラスが生き生きし出すだろう。

(本コラムは二〇二〇年八月、世界が新型コロナウイルスと戦う中で執筆したものです。)

※**黄色いベスト運動**：二〇一八年秋から、車の燃料税の値上げを発端として主に地方を中心に始まった、政府や、格差社会に対するフランス全土でのデモ

バスチーユのオープンカフェ。皆がリラックスして思い思いの時を過ごしている

歴史的カフェだけでなく、現在のフランスのカフェ、ビストロを知りたい方は、筆者が日本版代表をつとめるParis-Bistro.comを是非ご覧ください。

おわりに

これまで見てきたように、二十世紀前半のパリのカフェは、そこに集った人と場との絶妙な相互作用によって、様々な運動や思想、芸術などが生み出されてゆく場であった。それほどまでにカフェは力強いものを生み出す場であるはずにもかかわらず、残念ながら多くのカフェ研究書や研究者たちはその歴史の探究をサン＝ジェルマン・デ・プレで止めてしまう。実際筆者が出会ってインタビューをしたような人たちも、現在の世界の中心地はどこかと問うてみると、皆「はたしてそんなところはあるのだろうか？」と答えていた。

とはいえ、どこが世界の中心地だと思うかは現実的な細かいデータよりもイメージの方が重要である。パリという場は多くの先人たちの屍の上で輝いていると言われることもあるように、ルソーも、パリの中心部に美術館が建っているピカソも、アポリネール、モディリアーニ、藤田も、実は皆パリに集った外国人である。また、現在でこそ名の知られているマネやブルトン、ボーヴォワールらフランス人にしてみたところで、彼らがその思想を表現した当時はパリ社会から猛反発を受けていた。現実のパリのブルジョワ社会がどんなに閉鎖的で、アカデミスムに満ちていたとしても、「天才」たちの屍の上に輝いているイメージとしての「自由なパリ」は、今にいたるまで存在している。そうしてそのイメージに憧れた者たちが実際にパリのカフェに行き、戦後のフロールに集った実存主義者たちのように、自由気ままに生きていこうとするのである。イメージというのは、現実とかけ離れていればいるほど危険な存在ではあるものの、イメージや思い込みから現実がつくられていく面もある。パリに集った無名の天才予備軍は、具体的現実としてのパリを熟知して住んだわけではなく、頭に強いイメージを抱いて来た。そこで彼らは失望することもある一方で、ときにイメージ通りのパリを見つけては、「やはりパリだ!」と確信を強めていくことになる。このようにして、パリで生まれ育ったボーヴォワールが生きてきた世界にはなかった自由なパリを藤田は存分に堪能し、彼が色眼鏡をかけて見ていたパリを、「これこそがパリだ」と多くの人に伝えていくことになるのである。

こうして事前にあるイメージを抱いた者たちの眼で見られ、語られたパリは、特にパリを知らない者たちにとって伝説の場所となってゆく。実際戦後のフロールはその名を世界中に轟かし、ここ日本やメキシコなどでも「カフェ・ド・フロール」という名のカフェがオープンしていたほどである。

ところが二十一世紀前半の現代には、そんなイメージとして語られる場所さえないようである。現在のパリはどうかと問われてみれば、筆者が尋ねた多くの人は「もはや文学カフェは存在しない」と言う。実際、筆者も憧れてパリに留学してみたものの、ダイナミックな動きを感じられたかといえば当時はそんな気がしなかった。パリには店側が朗読会などのイベントを開催しているカフェや、ライブを開催しているカフェ、また哲学カフェなどが存在する。しかしそれらの多くは客が自主的に開催しているというよりは、店が開催している場合も多く、サルモンのいうように「客によって選ばれた」店かというと疑問が残る。筆者は哲学カフェの未来には大いに期待を寄せてはいるものの、今後パリのカフェの時代が来るのかといわれれば、まだわからないとしか言えないだろう。

それでは何故サン＝ジェルマン・デ・プレを最後にカフェの時代は終わってしまったのだろうか？それにはいくつかの要因が考えられる。

第一に、カフェに行く必要性の低下である。カフェに多くの人が集った理由としては、住環境が悪く、家に居続けられなかったことが挙げられる。たとえばヘミングウェイやボーヴォワールも、暖かさを求めてカフェに来ていたわけである。しかし住環境が改善されればその理由はなくなってしまう。

第二に、コーヒーをはじめとする飲み物が手軽に自宅で飲めるようになったこともあるだろう。現代ではフランスでも日本でも、レギュラーコーヒーはもちろん、こだわりたければ自宅でエスプレッソマシーンを使うことも可能であり、実際にフランスのカフェ好きの多くは家庭用のマシーンを持っている。自宅の方が安く済み、しかもよりくつろげるのであれば、ただコーヒーを飲みにカフェに行っていた者は行く理由を失うだろう。

第三に、通信手段の発達である。インターネットや電話が使われていなかったような時代に、誰かの家までわざわざ足を伸ばさなくても目的の人物に会える可能性のあるカフェは非常に便利な場であった。サン＝ジェルマン・デ・プレのカフェ、ドゥ・マゴの常連であるアンリ・フィリポンが中心になって、ドゥ・マゴの文学賞を創設しようという話が盛り上がり、十三人の評議員を集めるために速達便を出したところ、速達便が届くよりも早くに十三人はドゥ・マゴに集まっていたという話がある。しかし、カフェでの出会いは予測不可能なため、忙しい世の中で確実な出会いを求めたければ、ピンポイントで約束を取った方が効率がよい。こうしてカフェは指定された待ち合わせ場所にはなっても、予測不可能な出会いを楽しむ場所ではなくなってゆく。

第四に、カフェ側のプロ意識の低下である。二十世紀前半のパリのカフェの八割以上はアヴェイロネたちが経営していた。彼らはまずギャルソンとしての修行から始め、ギャルソン長となり、店の経営を任され、その後自分の店を持って独立するというように明確なカフェ店主としての道程とヒエラルキーが存在していた。

彼らの仕事は一時のアルバイトのようなものではなく一生の仕事であったため、彼らのやる気が将来の自分の成功を左右していた。こうして彼らはオンザジョブトレーニングで鍛えられ、スマートな給仕の仕方やさりげない会話の仕方を身に付けていったのである。彼らの立ち振る舞いのスマートさや素早さというのは日本では想像しにくいかもしれないが、筆者はこれが日本の寿司屋の板前に似ていることに気がついた。寿司屋の板前も十代の頃は皿洗いから始め、お茶を運び、何年かしてからようやくカウンターの内側に立たせてもらえるようである。ここで彼らはただ寿司を握るだけでなく、お客さんとの早いテンポの会話術も身につけていく。彼らは一生の仕事としての責任と誇りを持ってカウンターに立つわけであり、気持ちも立ち振る舞いも時給制で働くアルバイトスタッフとは異なっている。だからこそ寿司屋のカウンターには常連さんが心地よく集い、お寿司だけでなく会話を楽しむわけである。このようなプロ意識を持った心地よいサービスが、寿司屋よりも格段に安い値段で誰しもが受けられるカフェというのは客にとっては本当にありがたく、通いやすい。またチップ文化が盛んな頃は、彼らの提供するサービスに対するお礼がきちんと返ってきたため、ギャルソンたちも自分の行為を即評価されることで、反省し、改善に活かしやすかった。彼らは主人とは違って自分で店を経営しているわけではないものの、自分の行為がお金として自分に跳ね返ってくるために、主人同様、小さなお金を介在させて客を愛することが可能となったのである。このような状況こそが、カフェで働く者たちすべてのプロ意識を育てていったと考えられる。

しかし、現在はこのようなシステムもかなり崩れ、アヴェイロネたちが経営するカフェは六割程度に減ってしまった。また、パリで育った彼らの子孫は、もはやこのようなきつく、休みのない仕事につこうとは思わず、違う職業を志向するようになってゆく。「カフェしかなかった」時代から、パリジャンたちと同じように職を選べる時代になれば、彼らはあえてカフェというきつい仕事を選びたいとは思わない。現代ではかつてのアヴェイロネのかわりにアラブ人や中国人経営のカフェが増えており、カフェやビストロの数は減る一方である。

第五に、カフェ店内の環境の変化である。先述したように、現代のカフェではほとんどどこへ行っても、録音された音楽がかけっぱなしになっている。それらは集中して物事を成し遂げたい人々の思考を大いに邪魔するものである。しかし、多くの店主は電気をつけるのと同程度の感覚で音楽のスイッチを入れているため、それが客たちの不快感を引き起こす原因になりうるとは考えもしないようである。なぜ多くの「天才」たちが夕方や夜ではなく朝早い時間からカフェに通ったかといえば、朝が一番ノイズが少なく集中しやすいからである。それなのに誰もいないカフェにわざわざ来て何かをしようと思った際に、大音量の音で邪魔をされたら客たちはどんな気分になるだろう？ カフェでしかやれない大変な作業をなんとかいいコンディションでやろうと思って、お金も払って来た客たちからすれば、たまたま横にいた客にそれを邪魔されるのは仕方ないことだとしても、店側にそれをあえてされたら腹が立ちもするだろう。客たちはお金を払って不快な思いをしに来るのではない。快適さが保証された空間のためになけなしのお金を払って来るのである。カフェ側がノイズとなる音について考え直さない限り、「哲学書が十冊も書かれた」というフロールのようなカフェが出現することはないだろう。ピカソが真夜中に制作をし、「秩序のいい勉強部屋のような」フロールに作家たちが集ったのは、創作活動をするにあたっては、その世界に入り込み、誰にも邪魔されないことが非常に重要だからである。

第六に、通えるような値段のカフェが減っていることである。特に現在のパリのカフェの値段は他国から比べても高い方である。たとえばブリュッセルでは三ユーロ以下で飲めるカフェ・クレームが、パリのカフェ店内やテラスでは四ユーロ以上する。フランの時代にはまだましだったカフェの値段も、ユーロへの移行とともに上昇した。筆者はちょうどフランからユーロへ移行する年に留学していたのだが、フラン時代には何度か行けた、フロールの向かいにあるブラッスリー・リップにも、ユーロになってからは行けなくなってしまったのを覚えている。カフェで一番安いエスプレッソは現在でも二ユーロから三ユーロくらいであるが、濃いエスプレッソが苦手な者は、その倍以上する飲み物を選択するより仕方なく、彼らにとってカフェは決して通いやすいものではない。

第七に、長居できるカフェがあまりないことである。筆者にとっては、パリのカフェは日本のカフェより長居できるように思われるが、クリストフ・デュラン゠ブバルは『カフェ・ド・フロールの黄金時代』の中で、「文無したちにとって、カフェというのがもはや本当に有益な出会いやもてなしの場所でなくなってしまったのは、どれほどこの手の愚行のせいであろうか」と述べている。[1]

このように、客側の視点からしてもカフェに行く必要性やメリットが以前に比べて低下しており、しかも店側は客を大切に扱おうとしてくれないようであれば、人々がカフェという場に集まらなくなるのも当然だといえる。現代に生きる者にとって、カフェは必然性を持つ場ではなく、行くことでお金がかかり、タバコやサービスの悪さによって、自分の部屋にいるよりも不快な思いをする可能性のある場となっている。それならばわざわざそんな場所には出向かず、家で美味しいコーヒーを飲んでいればいいではないか?というのが合理的な選択になってしまう。

二十世紀前半のパリの場合は、住環境が悪い分だけ、カフェには通うべきメリットがたくさんあった。だからこそのちに天才となった者たちだけでなく、パリのカフェは常連客で溢れていた。こうして多くの人がカフェという場を使用することでこそ、カフェの可能性を知らなかった者もカフェに連れられ、自分で魅力を発見し、通うことになりえたのだろう。

とはいえ、カフェは現代でさえ、家にいては決して得られないものが山ほど内包されうる場所なのである。かつてはおそらく、「カフェに行くためにカフェに行く」ことのメリットを、先輩たちが後輩世代に口で伝えていたのだろう。カフェの使用法を熟知し、使えるカフェが存在したとき、カフェははかりしれない力を持つ場になってくる。

現在パリはもとより日本にもカフェという場は溢れているが、残念なことにそのポテンシャルは活かされていないようである。それは経営者側も客側も、カフェが持つ可能性を知らないことと、どうすればその可能性を現実にすることができるのかを知らないからではないだろうか。「文学カフェ」の存在を知った文学に興味のあるカフェ店主は、「ここを文学カフェにしてみよう」と思うかもしれない。しかし大切なのは文学カフェの存在を知ることだけでなく、いかにしてそこが文学カフェとなりえたのかを詳しく追っていくことでもある。なぜなら多くの場には一見しただけではわからない逆説的な必然が含まれており、ただ文学談義をしようと思って客たちに干渉する行為が、結果的にそこを文学カフェにさせない可能性を含むからである。

本書は約一〇年間、様々な場づくりと運動に関わってきた筆者が、実際に新しい時代を創っていったパリのカフェ文化を研究し、いかにして時代を変える場が生まれていったのかを分析したものである。現実を作り出すのが細かいデータの羅列よりも実際には人々のイメージや夢であるように、認識の変化は世界を変える力を持っている。場と人さえそろえば、後はそこに関わる人たちの認識とイメージが変わることでカフェは力を持つだろう。時代が変わり、相対的にみてカフェに行くメリットが減ったとはいえ、カフェに内在する力自体は変わらぬはずである。そしてそれが発揮されるためには、客側と店側とのカフェという場に対する認識の変化が必要である。

カフェはただコーヒーを飲み、ケーキを食べに行く場所ではない。カフェから世界は変えられる。カフェから時代は創られるのだ。だから私はこう言いたい。サルモンの先輩詩人が彼に忠告したように。

閉塞感の漂う時代だからこそ、«Va au café !»《カフェに行くんだ！》

1 クリストフ・デュラン＝ブバル『カフェ・ド・フロールの黄金時代』、五十二頁

あとがき

この本は未来の私に対する手紙のようなものだった。私は母になるためだけに生まれてきたわけじゃない。そう思って号泣した翌朝、私はカフェに通い始めた。こどもが生まれたら何もできない、自分の時間は存在しない。こども先輩ママたちの苦言を胸に、こどもが生まれる前になんとかして研究を形にすべき時だった。それから私は来る日も来る日も鴨川沿いのスターバックスでパソコンを打ち続けた。そして原稿を提出し終えた同じ月、私は母になったのだ。

二〇〇八年六月に、私は二人のこどもを産んだと思っていた。一人は息子で、もう一人がこの本だった。この本には私の様々な想いが詰まっていたはずだ。でもだからこそ、この本は急速に私の人生から離れていった。何故なら私が独身時代に研究をしながら思い描いていた人生と、現実に歩んだ人生は悲しい程真逆だったからである。現実の私が歩んだ道は、京都郊外の団地で専業主婦となり、息子をおぶって洗濯物を干し、夕暮れを眺め、夕飯をつくることだった。モンパルナスに集った天才たちの姿に強く憧れ、研究をしながらその世界に没頭していた私は、可能なことなら自分もそんな世界に居たかった。しかし現実はあまりに異なり、この本が評価されるたび、私はこれを書いた自分がこんな状態で、もはやほとんど語る言葉を持っていないことに強い負い目を感じていた。情熱的なこの本は私自身にあまりに訴えかけるものがあり、私はこれに触れると火傷をし、涙が出そうで読めないでいた。そういうわけでこの本は数年間にわたって私自身の目からほとんど封印されていた。時折評価してくれる人がいても再販にまで至らなかったのは、何よりも私自身がこの本の熱い世界から目を背けていたからだろう。

ようやくまともにこの本に向き合い、やはり再販すべきだと思えるようになったのは、二冊目の本の執筆を始めてからのことである。私は再び書くことを決め、苦しくても稼げなくても、自分の道を追求することにした。この本に登場する芸術家たちが他の人々と違っていたこと、それはただ諦めなかったことなのだ。歴史に名を残した彼らは苦しくても自分を信じ、未来を夢見て前へと進んでいった。その中核にはカフェがあり、彼らを受け入れてくれる人たちがいた。彼らは貧しかったといえ、未来をともに夢見ていられる仲間たちが存在した。印象派からエコール・ド・パリ、実存主義に至るまで、どれほどの才能ある人々が未来への希望を胸にパリのカフェで語り続けたことだろう。創作を続けていくには道具さえあればいいのではなく、それを促し、共感し、精神的、金銭的にも支援してくれる人々や仲間が必要なのだ。

執筆を続ける中で、この本の登場人物たちのセリフがどれほど励みになったことだろう。そして、この本の再販が日の目を見るようになったのは何よりも、この本を評価し続け、応援し続けてくれたクルミドコーヒーの影山さんと今田さんのおかげである。また、素晴らしい表紙とレイアウトを担当して下さったデザイナーの山口さん、編集チームに加わったクルミドコーヒーのスタッフたちの多くの協力によって、再販が本当に現実化する工程を目の当たりにするのは不思議な感覚だった。私の人生を応援し続けてくれたパリ・ビストロのローランはじめ、生き様の格好いいパリのジャーナリストたちとの会話はいつも私に勇気をくれた。この本に登場する、かつてもがき苦しんでいた芸術家たち、そして裏で支えてくれた家族にもあらためて感謝の意を表したい。

私がこの研究を始めた頃は、「大学院でカフェの研究ができるなんて、大学も自由になったわね」と呆れたように言われたものだ。しかし今では大学の卒業論文でカフェをテーマにする人も増え、本書が参考文献になることもあるという。出版から一〇年以上の歳月がたち、今では日本でもカフェという場の重要性や社会的役割が認識されつつあるようだ。同調圧力の強い日本社会で、カフェやサードプレイスのような避難所がなければ、まわりに馴染めない人々の運命は悲惨である。カフェは歴史的に逸脱者たちの避難場所であり、そういった場が充実している都市ほど彼らは飛躍をとげ、結果として優れた芸術作品が生み出されてきた。カフェはただコーヒーを飲みに、ケーキセットを食べに行くための場ではない。そこで出会った誰かと有意義な会話が生まれ、その会話が発展していったとき、予期せぬ何かが生まれ、人生が変わる場なのである。

この本をきっかけに、日本に一軒でも素晴らしいカフェが増え、一人でも救われる人がいることを願ってやまない。

解説

飯田さんに初めてお会いしたのは二〇一〇年三月。クルミドコーヒーを始めて一年半が経った頃だった。彼女の本『caféから時代は創られる』は、知人からのすすめでその二か月前に読んでいて、お会いした際にもらったサインが、その本の見返しに今も残っている。

ぼくは元々、カフェをやりたくて始めたタイプの人間ではなかった。空き家になってしまった実家を放っておくわけにいかず、建て替えるとなった際に気がつけば自分でやることになっていたというくらい、流されて始めたクチだった。ただ、やっているうちにカフェのことはどんどん好きになっていった。その可能性を感じるようになっていった。その気持ちを確信に変えてくれたのが、飯田さんのこの本だった。

カフェは、飲食店であるとともに一つの「場」でもある。場とは、「参加者相互に影響を与え合う空間」と定義できる。飯田さんの同書によると、カフェが場としてその参加者と絶妙な相互作用を起こしたとき、それはきわめて大きな力を持つという。そこから人が育ち、文化が生まれ、時代が創られる舞台となることがあるという。偉大な人がカフェに集うわけではなく、そこにカフェがあることで、そこに集う人々が後の時代に名を残すような偉大な人物へと育つことがあるというのだ。それはカフェの店主にとって、大きな励ましとなるメッセージだった。

つまりこういうことだ。クルミドコーヒーは西国分寺というまちにあるが、お店を続けていった先、三〇年後か五〇年後か、はたまた一〇〇年後かもしれないが、後の時代に生きる人がこう言ってくれる可能性があるということだ。「誰もが知っているあの人もこの人も、みんな西国分寺出身だよね」と。そしてそのことを不思議がる。なんであれだけの偉大な人たちがみな、こぞって西国分寺に集まっていたんだろうねと。そしてぼくは草葉の陰からこうほくそ笑む。「いやいや、それはそこにあるカフェがあったからなんだよ。あの人もこの人も、最初から『偉大な人』なわけではなかった。さまざまな出会いや切磋琢磨を経て育っていったんだよ」と。つまり、ぼくらが日々の営業を通じて出会う一人一人が、実は未来のピカソやヘミングウェイ、ボーヴォワールかもしれないということだ。

　ただ、今日の現実のカフェと、本書の描き出す二十世紀前半のカフェとでは少し様相が違っている。それは社会環境そのものが違うのだから当然のことだろう。インターネットが普及して以降、新聞・雑誌などメディアの情報を求めてカフェに行く必要性は減ったし、今や多くの自宅には暖房器具があるから、暖を求めてカフェに行く必要もない。そうした今日、それでもカフェに行く人たちの動機のうち大きなものは「一人になること」になっている。

　多くの現代人は人間関係に疲れている。職場でのそれ、家庭でのそれ、友人間のそれに。スマートフォンの普及の影響も大きいだろう。SNS（ソーシャル・ネットワーキング・サービス）を通じて、いつでもどこにいても誰かと「つながっている」状態に人は置かれている。そこから抜け出して、誰からも干渉されない、わずらわされない「一人になる」ことへの切望は、今いつになく大きい。これはこれで、現代ならではの「避難所」としてのカフェの役割といえる。そしてもちろんその状況だからこそ湧くインスピレーションもあるだろうし、進む創作活動もあるだろう。ただ一方で、一人が個としてあり続けた場合の創造性の限界もまたあるのではなかろうか。

　本書でも繰り返し紹介されているように、かつてパリのカフェでは、世代や国籍や信条を超えた多種多様な人々の間での交流や刺激のし合いがあり、その結果として多くの人が殻を破っていった。才能の開花のためには、他者の介在が必要不可欠なのである。

　クルミドコーヒーでも、お客さんは来てくれているものの、お客さん同士の交流が起こるわけでもない日々を見て、どうしたらいいのかと考えあぐねた時期もある。それはそれで現代的なカフェの役割なのかと受け入れつつも、人にしても作品にしても、何かが創造される手ごたえがあるわけでもない日々に残念な気持ちは抱いていた。ただ、少しずつお店を活用してのイベントなどを重ねるうちに状況は変わっていった。まずスタッフや自分（店主）と一部のお客さんとの間に対角線が結ばれ、そのうちそれはお客さん同士にも波及していく。そこに本書でも述べられるような「アトラクター」や「媒介者」が現れることで、それら対角線はより網目状となっていく。ただそれらの関係性も、かつての「サロン」がその陥穽に落ちたように、振る舞いや思想に対してある種の枠（不自由）を与えるようなものであったならば、人の中に眠る、ときに常識を超えるような創造性を引き出すことはないだろう。いやそれ以前に、それこそ現代人の忌避する疲れる人間関係となり、来店の足を遠のかせてしまうことになるだろう。だから自分も、店を訪ねてくれる一人一人にとってカフェが自由な場であれるよう、できるだけルールや禁止事項をつくることを避け、必要以上の干渉をせず、フラットな場の空気を保つことに苦心してきた。かつて、ブバルやリビオンがパリにおいてそうしていたように。

そうした甲斐あってか、開店以来十一年半、お店を舞台とした様々な創造に立ち会ってくることができた。文学（出版）、音楽、演劇、哲学といった本書で描かれる分野と重なるものから、新しい通貨をデザインすること、都市農業（米づくり）の新しい形、地域に根ざした新しい食文化など。そしてこれらのうちの何か一つでも、誰か一人でも、一〇〇年単位の時間という厳しい荒波を乗り越えて後世へと残ることがあったなら、これほど店主冥利に尽きるものはない。

もっとも、ここまでの内容は、物事の半面を強調し過ぎている気持ちもしている。人間の才能やいのちに対する鼓舞や励ましがここまでの主たる内容であるとするなら、カフェの果たし得るもう半面の役割は、同じく人間の才能やいのちに対する癒しであり慰めなのだと考えている。

本書でも語られている通り、何かがうまくいかず、傷つき、絶望した者にとって、カフェはシェルターであり、病院であり、オアシスであることがある。カフェにおいて羽を休め、傷を癒し、渇きに潤いを取り戻す。そうした営為はあまり表沙汰になることもなく注目もされにくいが、カフェを経営する者の実感としては、ここここそカフェの真骨頂という気もしている。なぜなら、元気で創造意欲にあふれる人々が行ける世の場所は多様にあるからだ。反面、傷つき絶望した者を、傷ついたまま、絶望したままに受け入れてくれる場所は、あるようで意外にない。そして、そうした絶望と希望、破壊と創造、喪失と獲得とは地続きのものでもある。それらは陰と陽のように入り交じりながら、混然一体と存在する。その両者に対して、カフェという場は大きな役割を果たし得るのだ。

また、カフェに集う人々がすべて『偉大な人』になるわけではない。みながそれを志向するわけではないし、志向する必要があるわけでもない。大半は歴史に名を残すことなく、生まれ、死んでいく。ただそれでも、そのすべて、一人一人に唯一無二の物語があり、他者と織りなす関係性がある。カフェの日常はそうした一つ一つのエピソードに彩られており、それらが時空を超えて語られることはなかったとしても現にそこにはあって、本書のタイトルたる「時代」の主たる実体を構成していく。そこが強調されることはまずないが、本来はそれらをも包含しての「カフェから時代は創られる」なのであろう。

チェーン店を別とすれば、日本のカフェ・喫茶店の数は減少の一途をたどっている。それは時代の流れの中での自然な新陳代謝ともいえるのだろうが、それとともに失われていく見えにくい価値があるとも思えてならない。今こそその役割であり価値を再定義し、次なる時代へと引き継ぐ。そのために本書が、一人でも多くの人に読まれることを願ってやまないし、またその現実の実践例として、ぼくらのお店が、ともにありたいと思っている。

影山知明（クルミドコーヒー／胡桃堂喫茶店 店主）

Le Dome

時代を創ったカフェマップ

本書中に登場するカフェや創造の拠点となった歴史的な場所の位置関係を、地図で見てみよう。パリはセーヌ川とともに歴史を刻んできた。東から西へと流れるセーヌ川をはさんで、右岸から左岸へと、交流と創造の中心地が移動していった変遷が確認できる。またカフェが単体でなく、複数集まり、影響し合うことで創造の舞台となっていった様子が見て取れる。今となっては失われてしまった場所もあるが、この地図を片手にパリの街をめぐることで、かつてそこにあった天才たちの姿や声を今に感じることもできるだろう。

Paris

パリ

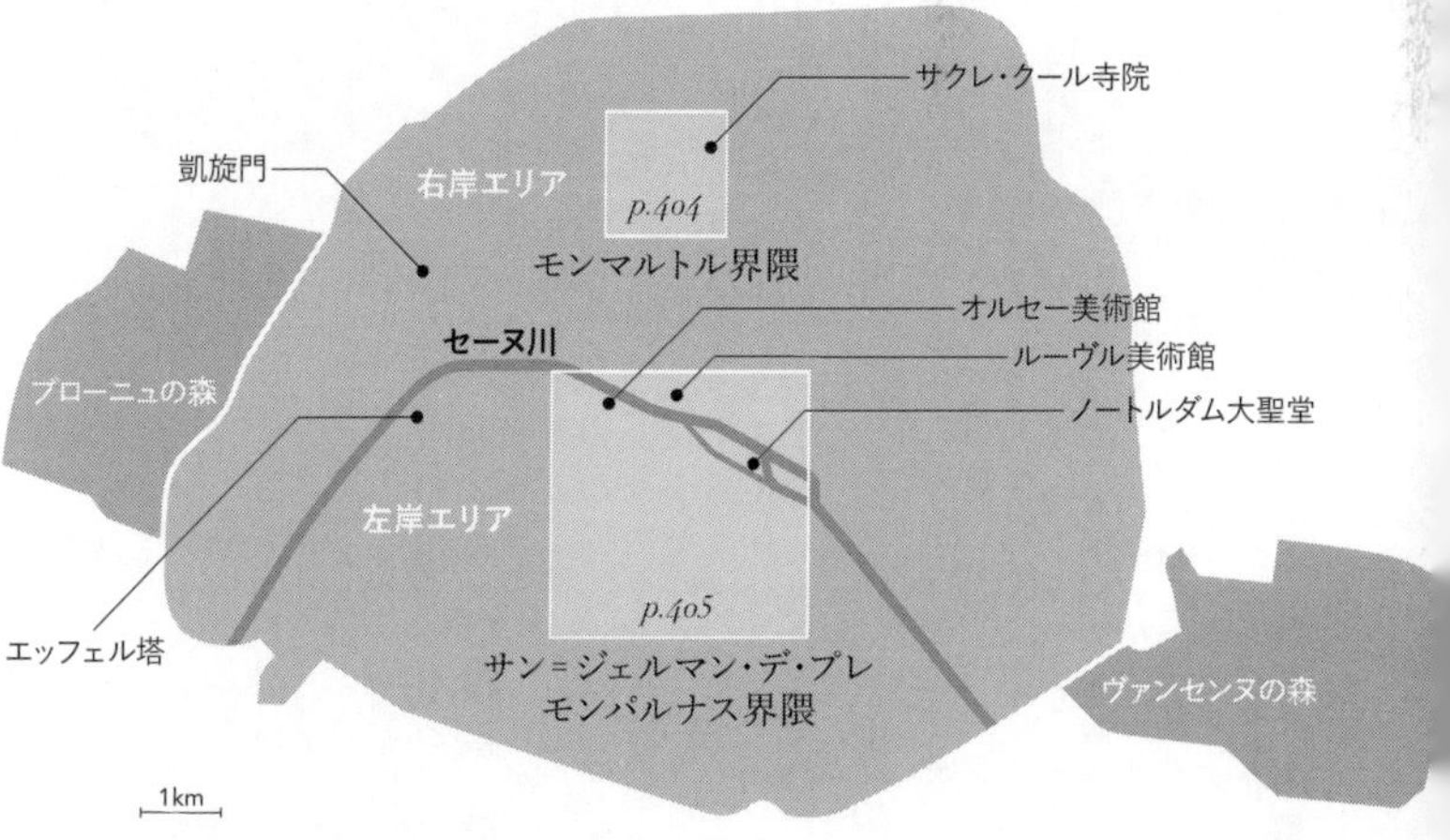

Montmartre

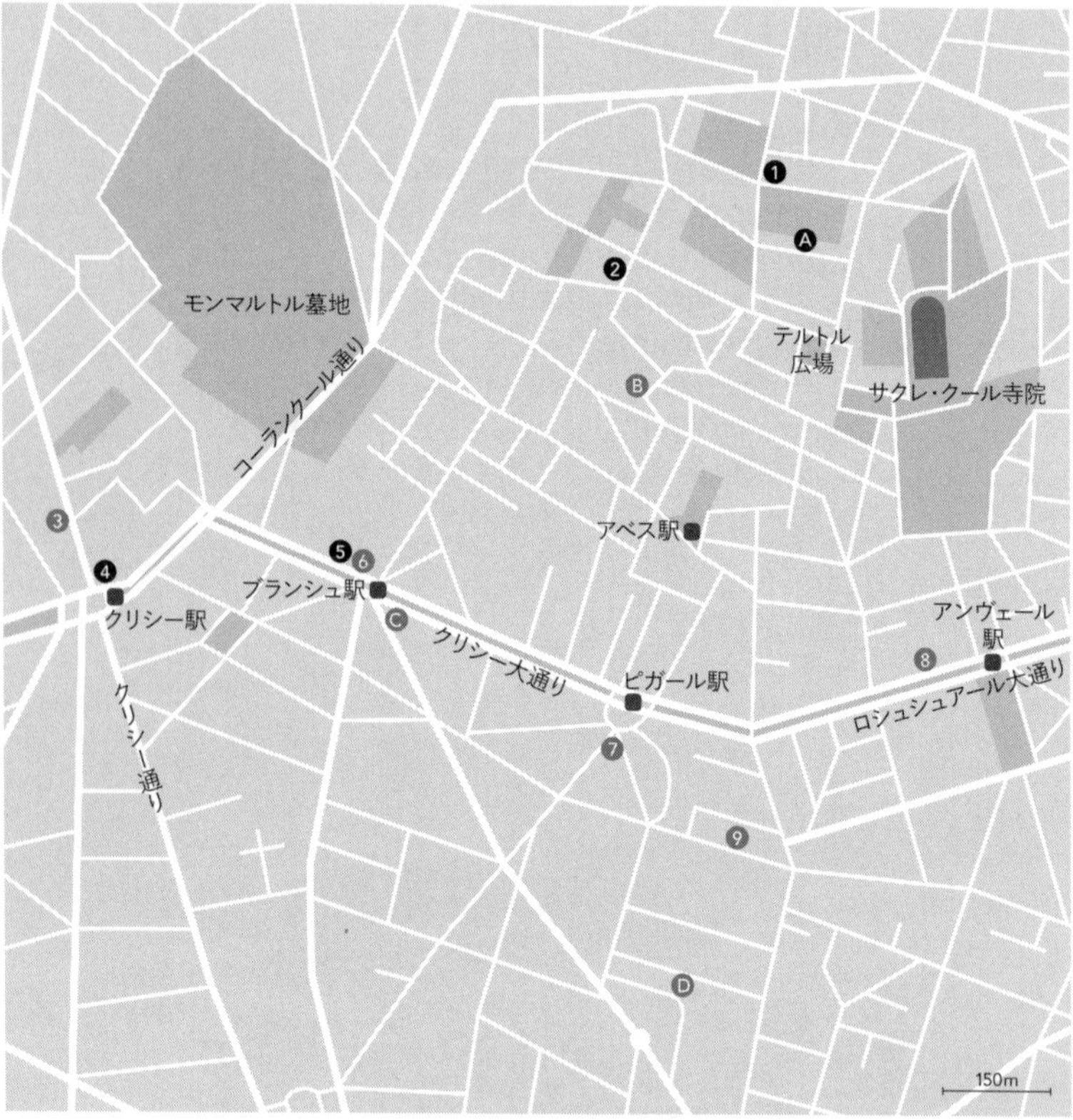

モンマルトル界隈

カフェ・飲食店

❶ ラパン・アジル
❷ ムーラン・ド・ラ・ギャレット
③ カフェ・ゲルボワ
❹ ブラッスリー・ウェプレール
❺ ムーラン・ルージュ
⑥ カフェ・ル・シラノ
⑦ カフェ・ド・ラ・ヌーベル・アテヌ
⑧ シャ・ノワール（移転前）
⑨ シャ・ノワール（移転後）

その他

Ⓐ モンマルトル美術館
Ⓑ 洗濯船
Ⓒ アンドレ・ブルトンのアトリエ
Ⓓ タンギー爺さんの画材屋（印象派の画家たちが絵の具を購入していた）

Saint-Germain-des-Prés Montparnasse

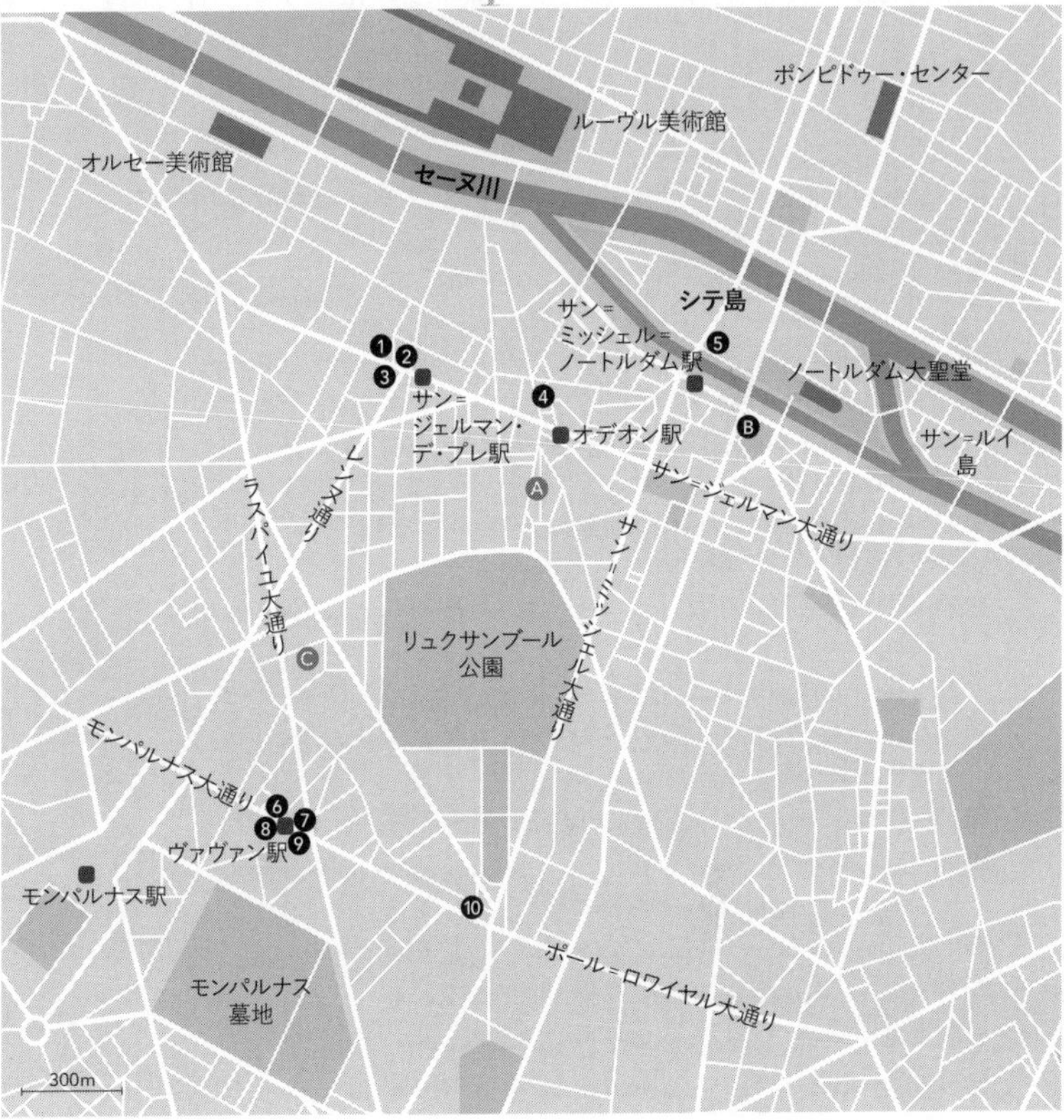

サン=ジェルマン・デ・プレ モンパルナス界隈

カフェ・飲食店

1. カフェ・ド・フロール
2. ドゥ・マゴ
3. ブラッスリー・リップ
4. プロコープ
5. ソレイユ・ドール
6. セレクト
7. ロトンド
8. クーポール
9. ドーム
10. クロズリー・デ・リラ

その他

- A シェイクスピア・アンド・カンパニー書店（初代）
- B シェイクスピア・アンド・カンパニー書店（二代目）
- C ガートルード・スタインのサロン

※●は跡地です　※店名の冠詞は省略しています

主要参考文献

- André Salmon, 2003, *Montparnasse*, Arcadia Editions
- André Salmon, 2004, *Souvenirs sans fin 1903-1940*, Gallimard
- Arnaud Hofmarcher, 1994, *Les Deux Magots chronique d'un café littéraire*, Le Cherche Midi éditeur
- Billy Klüver / Julie Martin, 1989, *Kiki et Montparnasse 1900-1930*, Flammarion
- Christophe Boubal, 2004, *Café de Flore, l'esprit d'un siècle*, Editions Lanore
- Delphine Christophe / Georgina Letourmy, 2004, *Paris et ses cafés*, Action artistique de la ville de Paris
- François Thomazeau / Sylvain Ageorges, 2004, *Au vrai ZINC parisien*, Parigramme
- Fernande Olivier, 1933, *Picasso et ses amis*, Librarie Stock
- Gérard-Georges Lemaire, 1997, *Les Cafés littéraires*, Editions de la difference
- Gérard-Georges Lemaire, 2000, *Cafes d'autrefois*, Plume
- Gertrude Stein, 1934, *Autobiographie d'Alice Toklas*, Gallimard
- Gertrude Stein / Pablo Picasso, 2005, *Correspondance*, Gallimard
- Jean Emile-Bayard, 1927, *Montparnasse hier et aujourd'hui Ses artistes et écrivains : étrangers et français, les plus célèbres*, éd.Jouve & Cie
- Jean-Jacques Jouffreau, 2005, *L'Aveyron 1900-1920*, De Borée
- Jean-Marie Drot, 1999, *Les heures chaudes de Montparnasse*, Hazan
- Jean-Paul Crespelle, 1962, *Montparnasse Vivant*, Hachette
- Jean-Paul Caracalla, 1993, *Saint-Germain-des-Prés*, Flammarion
- Jean-Paul Caracalla, 1997, *Montparnasse L'âge d'or*, Denoël
- Kiki, 1928, *Les souvenirs de KIKI*, Henri Broca
- Léon-Paul Fargue, 1964, *Le Piéton de Paris*, Garllimard
- Marc Chagall, 1931, *Ma vie*, Librarie stock
- Olivier Renault, 2015, *Montmartre : les lieux de légende : ateliers, bals & cabarets, cités d'artistes, cafés*, Parigramme
- Pablo Picasso / Guillaume Apollinaire, 1992, *Correspondance*, Gallimard
- Peter Read, 1995, *Picasso et Apollinaire : les métamorphoses de la mémoire*, Jean-Michel Place
- Roger Girard, 1979, *Quand les Auvergnats partaient conquérir Paris*, Fayard

- Simone de Beauvoir, 1960, *La force de l'age*, Gallimard
- Sylvie Buisson / Christian Parisot, 2004, *Paris-Montmartre : la naissance de l'art moderne 1860-1920*, Terrail
- Ulla Heise, 1988, *Histoire du café et des cafés les plus célèbres,* Belfond
- Valérie Bougailt, 1997, *Paris Montparnasse à l' heure de l'art moderne 1910-1940*, Terrail
- Yannis Vlamos, 2004, *Brasseries de Paris*, Acanthe
- アーネスト・ヘミングウェイ著 谷口陸男訳 1958『日はまた昇る』岩波書店
- アーネスト・ヘミングウェイ著 福田陸太郎訳 1990『移動祝祭日』岩波書店
- アニータ・ブラウン／デイビッド・アイザックス著 香取一昭／川口大輔訳 2007『ワールド・カフェ カフェ的会話が未来を創る』ヒューマンバリュー
- アルバート＝ラズロ・バラバシ著 青木薫訳 2002『新ネットワーク思考 ～世界のしくみを読み解く～』日本放送出版協会（現・NHK出版）
- アントナン・プルースト著 野村太郎訳 1983『マネの想い出』美術公論社
- アンドレ・ブルトン著 大槻鉄男訳 1966『シュールレアリスム運動の歴史』昭森社
- アンドレ・ブルトン著 生田耕作／田淵晋也訳 1970『アンドレ・ブルトン集成（5）』人文書院
- アンドレ・ブルトン著 巖谷國士訳 1992『シュルレアリスム宣言 溶ける魚』岩波書店
- アンドレ・ブルトン著 巖谷國士訳 2003『ナジャ』岩波書店
- イヴォンヌ・デュプレシ著 稲田三吉訳 1992『シュールレアリスム』白水社
- イリヤ・エレンブルグ著 小笠原豊樹訳 1964『芸術家の運命』美術出版社
- イリヤ・エレンブルグ著 木村浩訳 1968『わが回想（1）』朝日新聞社
- ウィリアム・ワイザー著 岩崎力訳 1986『祝祭と狂乱の日々 1920年代パリ』河出書房新社
- ヴェレーナ・フォン・デア・ハイデン＝リンシュ著 石丸昭二訳 1998『ヨーロッパのサロン 消滅した女性文化の頂点』法政大学出版局
- ヴォルフガング・ユンガー著 小川悟訳 1993『カフェハウスの文化史』関西大学出版部
- エーリッヒ・フロム著 日高六郎訳 1951『自由からの逃走』東京創元社
- エドワード・W・サイード著 大橋洋一訳 1998『知識人とは何か』平凡社
- エマニュエル・ローゼン著 濱岡豊訳 2002『クチコミはこうしてつくられる おもしろさが伝染するバズ・マーケティング』日本経済新聞社
- エルンスト・クリス／オットー・クルツ著 大西広／越川倫明ほか訳 1989『芸術家伝説』ぺりかん社
- エルンスト・クレッチュマー著 内村祐之訳 1982『天才の心理学』岩波書店

- ガートルード・スタイン著 和田旦／本間満男訳 1977
『パリ フランス 個人的回想』みすず書房
- ギョーム・アポリネール著 窪田般彌訳 1992『アポリネール詩集』小沢書店
- クラウス・ティーレ＝ドールマン著 平田達治／友田和秀訳 2000
『ヨーロッパのカフェ文化』大修館書店
- クリストフ・デュラン＝ブバル著 大村真理子訳 1998
『カフェ・ド・フロールの黄金時代 よみがえるパリの一世紀』中央公論社
- クローディーヌ・セール＝モンテーユ著 門田眞知子／南知子訳 2005
『世紀の恋人 ボーヴォワールとサルトル』藤原書店
- シモーヌ・ド・ボーヴォワール著 朝吹登水子訳 1961
『娘時代 —ある女の回想』紀伊国屋書店
- シモーヌ・ド・ボーヴォワール著 朝吹登水子／二宮フサ訳 1963
『女ざかり —ある女の回想（上・下）』紀伊国屋書店
- シモーヌ・ド・ボーヴォワール著 朝吹登水子／二宮フサ訳 1965
『或る戦後（上・下）』紀伊国屋書店
- シモーヌ・ド・ボーヴォワール著 朝吹登水子／朝吹三吉訳 1967
『女性と知的創造』人文書院
- シモーヌ・ド・ボーヴォワール著 川口篤／笹森猛正訳 1967
『ボーヴォワール著作集（1）招かれた女』人文書院
- ジャニーヌ・ヴァルノー著 紋田廣子／後藤田修子訳 1994
『ピカソからシャガールへ —洗濯船から蜂の巣へ—』清春白樺美術館
- ジャン・ジャック・ルソー著 桑原武夫訳 1965『告白（上・中・下）』岩波書店
- ジャン＝ポール・サルトル著 二宮フサ／西永良成ほか訳 1988
『ボーヴォワールへの手紙 サルトル書簡集II』人文書院
- ジャン＝ポール・サルトル著 伊吹武彦／海老坂武ほか訳 1996
『実存主義とは何か』人文書院
- ジャン＝ポール・サルトル著 加藤周一／白井健三郎ほか訳 1998
『文学とは何か』人文書院
- シュテファン・ツヴァイク著 原田義人訳 1973
『ツヴァイク全集（19）昨日の世界I』みすず書房
- シュテファン・ツヴァイク著 猿田悳訳 1974
『ツヴァイク全集（21）時代と世界』みすず書房
- シルバーノ・アリエティ著 加藤正明／清水博之共訳 1980
『創造力 原初からの統合』新曜社
- シルヴィア・ビーチ著 中山末喜訳 1974
『シェイクスピア・アンド・カンパニイ書店』河出書房新社
- ハーバード・R・ロットマン著 木下哲夫訳 2003
『マン・レイ 写真と恋とカフェの日々』白水社

- ベネット・アラン・ワインバーグ／ボニー・K・ビーラー著
  真崎美恵子／亀田幸子ほか訳 2006
  『カフェイン大全 コーヒー・茶・チョコレートの歴史から、
  ダイエット・ドーピング・依存症の現状まで』八坂書房
- ボリス・ヴィアン著 浜本正文訳 1995『サン＝ジェルマン＝デ＝プレ入門』
  リブロポート
- マーク・ペンダーグラスト著 樋口幸子訳 2002『コーヒーの歴史』河出書房新社
- マシュー・ゲール著 巖谷國士／塚原史訳 2000
  『ダダとシュルレアリスム 岩波世界の美術』岩波書店
- マルク・ソーテ著 堀内ゆかり訳 1996『ソクラテスのカフェ』紀伊国屋書店
- マルク・シャガール著 三輪福松／村上陽通訳 1985『シャガール わが回想』
  朝日新聞社
- マン・レイ著 千葉成夫訳 1981『マン・レイ自伝 セルフポートレイト』
  美術公論社
- ミシェル・フーコー著 田村俶訳 1975『古典主義時代における 狂気の歴史』
  新潮社
- ミッシェル・サヌイエ著 安堂信也／浜田明ほか訳 1979『パリのダダ』白水社
- モーリス・ナドー著 稲田三吉／大沢寛三訳 1995『シュールレアリスムの歴史』
  思潮社
- ユキ・デスノス著 河盛好蔵訳 1979『ユキの回想 エコル・ド・パリへの招待』
  美術公論社
- ユルゲン・ハーバーマス著 細谷貞雄訳 1973『公共性の構造転換』未来社
- ラビンドラナート・タゴール著 片山敏彦訳 1961『タゴール著作集（5）』
  アポロン社
- ルイ・アラゴン著 渡辺広士訳 1975『冒頭の一句または小説の誕生』新潮社
- ルイ・アラゴン著 佐藤朔訳 1988『パリの農夫』思潮社
- ルイ＝セバスチャン・メルシエ著 原宏訳 1989
  『十八世紀パリ生活誌 タブロー・ド・パリ（下）』岩波書店
- 赤木昭三／赤木富美子著 2003『サロンの思想史』名古屋大学出版会
- 飯島耕一著 1966『アポリネール』美術出版社
- 伊藤勝彦編 1993『世の終わりにうたう歌 世紀末ウィーンの天才たち』新曜社
- 今橋映子著 1993『異都憧憬 日本人のパリ』柏書房
- 臼井隆一郎著 1992『コーヒーが廻り世界史が廻る 近代市民社会の黒い血液』
  中公新書
- 太田博昭著 1991『パリ症候群』トラベルジャーナル
- 菊盛英夫著 1980『文学カフェ ブルジョワ文化の社交場』中公新書

- 熊倉敬聡著 2003『美学特殊C —「芸術」をひらく、「教育」をひらく』慶応義塾大学出版会
- 小林章夫著 1984『コーヒー・ハウス 都市の生活史 —18世紀ロンドン』駸々堂出版
- 近藤史人著 2006『藤田嗣治「異邦人」の生涯』講談社
- 玉村豊男著 1983『パリ 旅の雑学ノート —カフェ・舗道・メトロ』新潮社
- 玉村豊男著 1997『パリのカフェをつくった人々』中央公論社
- 塚原史著 1998『記号と反抗 二十世紀文化論のために』人文書院
- 富永茂樹著 2005『理性の使用 ひとはいかにして市民となるのか』みすず書房
- 夏堀全弘著 2004『藤田嗣治芸術試論』三好企画
- 野中郁次郎／恩田彰ほか著 1989『創造する組織の研究』講談社
- 平田達治著 1996『ウィーンのカフェ』大修館書店
- 藤田嗣治著 1929『巴里の横顔』実業之日本社
- 藤田嗣治著 1929『在佛仏十七年 —自伝風に語る 藤田嗣治画集』東京朝日新聞社
- 藤田嗣治著 1942『地を泳ぐ 随筆集』書物展望社
- 藤田嗣治著 1948『巴里の昼と夜』世界の日本社
- 藤田嗣治著 2003『藤田嗣治書簡 —妻とみ宛(1・2・3)』「パリ留学初期の藤田嗣治」研究会
- 藤田嗣治著 2005『腕一本・巴里の横顔』講談社
- 湯原かの子著 2006『藤田嗣治 パリからの恋文』新潮社
- 渡辺淳著 1995『カフェ ユニークな文化の場所』丸善

《カタログ》

- 1978『モンパルナスのエコール・ド・パリ展 “ラ・リュッシュ”(蜂の巣)の画家たち1910-1930』カタログ 毎日新聞社
- 1999『パリのカフェと画家たち展 モンマルトル、モンパルナス、サン=ジェルマン=デ=プレ』カタログ 読売新聞社
- 2006『生誕120年 パリを魅了した異邦人 藤田嗣治展』カタログ NHKプロモーション
- 2006『エコール・ド・パリ プリミティヴィスムとノスタルジー』カタログ「エコール・ド・パリ プリミティヴィスムとノスタルジー」展カタログ委員会

《雑誌》

- 『美術手帖 1975年5月号 特集 キスリング デラシネの芸術』美術出版社
- 『ユリイカ 詩と批評 1979年1月号 特集 アポリネール』青土社
- 『ユリイカ 詩と批評 1987年4月号 特集 喫茶店 滅びゆくメディア装置』青土社
- 『ユリイカ 詩と批評 1987年7月号 特集 ウィーンの光と影』青土社

図版目録

図19 François Thomazeau / Sylvain Ageorges, 2004, *Au vrai ZINC parisien*, Parigramme, p.24

図20 Delphine Christophe / Georgina Letourmy, 2004, *Paris et ses cafés*, Action artistique de la ville de Paris, p.171

図21 Billy Klüver / Julie Martin, 1989, *Kiki et Montparnasse 1900-1930*, Flammarion, p.63

図22 Christophe Boubal, 2004, *Café de Flore, l'esprit d'un siècle*, Editions Lanore, p.57

図23 藤田嗣治著 2003『藤田嗣治書簡 一妻とみ宛（3）』「パリ留学初期の藤田嗣治」研究会 p.16

図24 Billy Klüver / Julie Martin, 1989, *Kiki et Montparnasse 1900-1930*, Flammarion, p.75

図25 Jean-Paul Caracalla, 1997, *Montparnasse L'âge d'or*, Denoël, p.71

図26 Billy Klüver / Julie Martin, 1989, *Kiki et Montparnasse 1900-1930*, Flammarion, p.92

図27 Gérard-Georges Lemaire, 2000, *Cafes d'autrefois*, Plume, p.60

図28 Delphine Christophe / Georgina Letourmy, 2004, *Paris et ses cafés*, Action artistique de la ville de Paris

図29 Gérard-Georges Lemaire, 2000, *Cafes d'autrefois*, Plume, p.65

図30 Giacometti, 2003, *Paris sans fin*, Buchet Chastel

図31 Giacometti, 2003, *Paris sans fin*, Buchet Chastel

図32 Billy Klüver / Julie Martin, 1989, *Kiki et Montparnasse 1900-1930*, Flammarion, p.57

図33 Jean-Paul Caracalla, 1997, *Montparnasse L'âge d'or, Denoël*, p.63

飯田美樹 いいだ みき

カフェ文化、パブリック・ライフ研究家

早稲田大学在学中に、環境問題に関心のある若者が集う場づくりを通じて、社会変革の場とは何かに関心を抱く。交換留学でパリ政治学院に行ったものの、世界のエリートたちとの圧倒的な差を感じ、避難所としてのカフェに1日3回通う。その頃、パリのカフェはフランス革命をはじめ、社会変革の発端の場であったと知り、研究を開始。帰国後、京都大学の大学院で研究をすすめ、「天才がカフェに集ったのではなく、カフェという場が天才を育んだのでは」という視点で2008年に『caféから時代は創られる』を出版。その後、ニュータウンでの孤独な子育て経験から、街なかでリラックスし、誰かや何かと出会える場の重要性を痛感して研究をすすめ、『インフォーマル・パブリック・ライフ〜人が惹かれる街のルール〜』を2024年に出版。現在はリュミエール代表として、「カフェ文化、インフォーマル・パブリック・ライフの研究・発信」「世界の知に触れる語学講座」「国際教養講座」を軸に活動中。

https://www.la-terrasse-de-cafe.com/
Paris-Bistro.com 日本版代表　https://jp.paris-bistro.com
World News Café　https://www.worldnewscafe.net
全国通訳案内士（フランス語・英語）

カフェから時代は創られる

2020年8月30日　第1刷発行
2024年10月1日　第3刷発行

著者　飯田美樹
発行人　影山知明
発行者　クルミド出版
〒185-0024
東京都国分寺市泉町3-37-34 マージュ西国分寺1F
電話　042-401-0321
メール　hon@kurumed.jp
ウェブ　https://www.kurumed-publishing.jp/
装幀　atelier yamaguchi（山口桂子、山口吉郎）
印刷　藤原印刷株式会社
表紙加工　株式会社プロセスコバヤシ
製本　加藤製本株式会社

落丁乱丁などの場合はお問合せください。本の修理、製本し直しのご相談、応じます。

Printed in Japan
ISBN 978-4-99075835-6 C0070

Cover photo by Bettmann / Getty Images
Endpaper map by A. Leconte

○この本は、2008年にいなほ書房より発刊された『caféから時代は創られる』の増補改訂版である。かつてこの本を世に生み出し、今回もその再販をご快諾くださった同社の星田宏司氏に、この場を借りて感謝申し上げたい。
○100年前のパリを舞台とした本書ではあるが、その当時の時代の息吹を伝えつつも、一方懐古ではなく、現代にも新鮮に生きるものとして本書を制作することを心がけた。
○判型は四六判より幅を10㎜狭くし、フランスを代表する歴史ある出版社「ガリマール」のペーパーバックとほぼ同型とした。同社からは、ヘミングウェイやボーヴォワール等、本書にも登場する数多くの作家が本を出している。また当時のアンカット本の雰囲気にならい、天アンカットを採用。厚みはありながらコンパクトな設計で、是非持ち歩いて、カフェで読んでもらえる本になったらと思う。
○表紙は、1930年代のドーム。ただし帽子に赤い差し色を入れることで、現代のシーンとの結びつきをねらった。また背へと風景が折り込まれるように配置することで、手に取る人にパリの街角を立体的に感じてもらえたらと考えた。
○見返しは、1928年のパリの観光マップ。紙も少しレトロな風合いのもの(ビオトープ GA-FS ナチュラルホワイト 120kg)を選び、表紙をめくり、100年前のカフェへと自然に遡っていく過程の演出を目指した。
○扉のデザインでは、本全体のトーンとの調和を保ちつつも、当時活字を使って縦横無尽にタイポグラフィを遊んだであろう前衛詩人たちへのオマージュをそこに込めた。版面はカフェ空間、周辺の余白はカフェ周辺のオープンスペースと捉え、余白部分にややノイジーな柱とノンブルを配して、カフェ空間のざわめきを意識した。
○書体は、本文が游明朝体+Adobe Garamond(13級)。引用部分は、游ゴシック体+Avenir。章の数字やノンブルはLinotype Didot。和文はあえて現代的な印象をもつ書体を選び、欧文はすべて舞台となるフランスらしさの演出を目指して書体を選択した。
○本文用紙はOKアドニスラフ80(59.5kg)。あえて経年変化しやすい紙を選び、見本とした古書のように100年後、黄褐色にヤケるまで愛されて欲しいという期待を込めた。表紙用紙はヴァンヌーボVスノーホワイト(235kg)。手に持った際の自然な感触と、写真が鮮明に出ることとの両立とをねらった。表紙は全面をマットニス加工。赤い箇所だけUV厚盛とし、当時のカフェに集った芸術家や作家の絵の具やインキの生々しさを想起させ、また「まだ何者でもない」者たちの情熱の表現を目指した。
○スピンの色は赤。パリの老舗カフェの内装の色をイメージして選んだ。彼らは、それぞれに色味のニュアンスは違いながらも赤を印象的に使っている店が多い。
○クルミド出版内に本書発行のためのチームを組成した。デザイナーの山口桂子、山口吉郎(atelier yamaguchi)の他に、今田順、大畑純一、柏岡紗季、坂本里菜、鈴木弘樹、吉田奈都子。随所でそれぞれに、それぞれらしい持ち味を発揮してくれた。
○印刷は、藤原印刷。制作は本作で5冊目となるが、変わらず、用紙選択や印刷方式等、親身かつ創造的に相談に乗っていただいた。

(発行人)

クルミド出版の本

10年後、ともに会いに

寺井暁子

それは17歳の自分との約束——「いつか、友を訪ねに世界を旅する」。思春期を一緒に過ごした仲間たちは今、世界のどこかで、揺れながら生きているのだろうか。旅はヨーロッパ、北米を経てイスラエル・パレスチナへ。そしてエジプトで革命に出会う。「迷ったときはどうやって決めるの?」「それは教えないよ。だって君は答えを知っている」
トンネルの向こうに見えたものは、なに?

やがて森になる

小谷ふみ

追伸／「あなたの中に『あなた』はいますか?」／「私の中に『わたし』はいません」／最後にそえられた問いにそう答えながら／あの時確かに、／わたしの深く奥の方で、「はいっ」と小さく、／でも、力強く、殻を弾くような声がしたのです。／『はじめに』より
日々のささやかな幸福やおかしみ、痛みや切なさを60編の詩のようなエッセイに包み込んで。

作品集「月の光」

フランス語詩
ポール・ヴェルレーヌ
『艶なる宴』より
音楽譜
クロード・ドビュッシー
『ベルガマスク組曲』より

小谷ふみ ほか

「月の光」——は、いつだって人類を魅了してきた。ポール・ヴェルレーヌ(12行詩)、クロード・ドビュッシー(ピアノ曲)。そして140年の時を経て、小谷ふみが訳詩に挑む。それは逐語訳ではなく、19世紀に彼らが見たであろう景色を想像し、その絵を現代の絵へ、そして現代の言葉へと置き直す道程。
嘉瑞工房、髙岡昌生の手による活版印刷で、「芸術の連鎖」の記憶をここに。

りんどう珈琲

古川誠

海岸沿いの国道から路地を入った坂道の上に「りんどう珈琲」はあった。店にやってくる人、去っていく人との日々の中で、17歳の柊はそれまでに味わったことのない感情を経験する。実現できない夢もあること、届かない気持ちを抱えていくこと、すれ違うこと、誰かを傷つけてしまうこと。
それでも、世界は美しいということを教えてくれたのは、いつもマスターだった。

クルミド出版の本

こどもの時間
–Childhood–

Emily R.Grosholz
翻訳 早川敦子

言葉で世界を語り尽くすことはできないけれど／わたしたちが語り続ける限りそこに世界はとどまるだろう／ただ言葉だけが、再び地上に楽園を築くことができるから／『耳を澄ます / Listening』より
「いのち」「こども」「平和」—— 硬質ながら読み手の想像力を刺激し、飛翔させ、安心感へと着地させる珠玉の18編（日英併記）。翻訳は早川敦子。絵はいわさきちひろ。村治佳織、谷川公子による楽譜も収録。

草原からの手紙

寺井暁子

「穏やかに進む者は安全に進む。安全に進む者は遠くまで行く」
土と草で覆われるマサイの大地を歩く6日間。その道はかつて130年前、一人のスコットランド人が歩いた道だった。空間と時間を超えて届く、草原からの手紙。読み終えるあなたの胸に去来するのは、愛する人への想い？それとも冒険心？

雑誌 そういえば さぁ、

「そういえば さぁ、昨日……」「そういえば最近……」。日常のところどころにふと現れる「そういえば さぁ、」から始まる会話。おせっかいにもつかまえて続けてみると、その先にどんなことが見えてくるだろう。
「最近あの本屋さん、なくなったよね」、「西国分寺ってどこまでだっけ？」、「あそこ行っちゃったよ、こないだの夜」—— これは、つぶやきをつぶやきとして放っておけなかった、まちのドキュメンタリーだ。

続・ゆっくり、いそげ
～植物が育つように、
いのちの形をした
経済・社会をつくる～
（査読版）

影山知明

会社も、学校も、政治も、まちも、今の社会は成果を先に定義して、そこへと最短距離で行こうとしている。人は規格化され、利用価値ではかられる。今の生きづらさの正体はそこにある。
それを180度、ひっくり返してみたらどうだろう。一つ一つのいのちを大事にし、それらがのびのびと、それぞれの可能性を最大化するように関わり合ってみたら。新レーベルcalls第一弾。

Porte de la Chapelle
Simplon
Marcadet
Château Rouge
Barbès
Rochechouart
Torcy
Rue
Chapelle
Villette
Pont de Flandre
Crimée
Riquet
Abattoirs
Généraux
Pantin
P. de Pantin
Jean Jaurès
Louis-Blanc
Aubervilliers
Gare du Nord
Lafayette
Poissonnière
Gare de l'Est
Combat
Paradis
Château d'Eau
Bd. Nouvelle
Sentier
Strasbourg
St Denis
St Martin
Lancry
Belleville
Couronnes
Pyrénées
Jourdain
Télégraphe
Pré-St-Gervais
Les Lilas
Porte des Lilas
Romainville
St Fargeau
Pelleport
Bagnolet
Ménilmontant
St Maur
Père Lachaise
Parmentier
République
Place de la République
Temple
Arts-et-Métiers
St Nicolas-des-Champs
Etienne-Marcel
Halles
Châtelet
Hôtel de Ville
Rambuteau
Filles du Calvaire
Oberkampf
Richard-Lenoir
St Ambroise
St Sébastien
Voltaire
Philippe-Auguste
Bagnolet
Ch. Vert
Bréguet-Sabin
Charonne
St Paul
Pont Notre Dame
Hôtel-de-Ville
Notre-Dame
St Michel
Cluny
Pl. Maubert Mut.
Pont Marie
Pont Sully
Bastille
Ledru-Rollin
Chaligny
Rue des Boulets
R. de Montreuil
Avron
Buzenval
Maraîchers
Nation
Cours de Vincennes
Reuilly
Diderot
St Mandé
Arsenal
Quai de la Rapée
Gare de Lyon
Montgallet
Bel-Air
Daumesnil
Michel-Bizot
Pte Dorée
Pte de Charenton
Bercy
Charenton
Seine
Jardin des Plantes
Gare d'Orléans
R. du Card. Lemoine
Jussieu
Monge
Censier Daubenton
Gobelins
Port-Royal
Panthéon
Val-de-Grâce
Quai de la Gare
St Marcel
Chevaleret
Campo Formio
Nationale
Italie
Glacière
Corvisart
Tolbiac
Pte d'Ivry
Pte de Choisy
Pte d'Italie
Ivry
Bois de Vincennes
Conflans
Les Carrières
Kellermann

ASNIERES
CLICHY
FLEUVE
LEVALLOIS-PERRET
COURCELLES
St Ouen
Championnet
Pl. Jules Joffrin
Marcadet Balagny
Lamarck
Abbesses
Porte de Clichy
Brochant
La Fourche
Blanche
Pigalle
Clichy
Rome
Liège
Trinité
St Lazare
Havre Caumartin
Opéra
Villiers
Malesherbes
Wagram
Monceau
Courcelles
Pte Champerret
Ternes
Miromesnil
St Augustin
St Ph. du Roule
La Madeleine
Madeleine
Pyramides
Richelieu Drouot
Bourse
Porte Maillot
Étoile
Arc de Triomphe
Place de l'Étoile
Obligado
George V
Marbœuf
Champs Élysées Clemenceau
Concorde
Tuileries
Palais Royal
Jardin des Tuileries
Dauphine
Kléber
Victor Hugo
Boissière
Grand Palais
Petit Palais
Place de la Concorde
Obélisque
Seine
Pt Alexandre III
Quai d'Orsay
Chambre des Députés
Ch. des Députés
Gare d'Orsay
Solférino
Bac
St Germain des Prés
Mabillon
Trocadéro
Iéna
Alma
Invalides
Esplanade des Invalides
Varenne
Tour Eiffel
Champ de Mars
École Militaire
La Tour Maubourg
Sèvres Babylone
Rennes
St Sulpice
Croix Rouge
Passy
Grenelle
Dupleix
St François Xavier
Duroc
Vaneau
St Placide
N.D. des Champs
Gare Montparnasse
Ségur
Sèvres Lecourbe
Cambronne
Falguière
Pasteur
Emile Zola
Javel
Commerce
Félix Faure
Boucicaut
Lourmel
Balard
Volontaires
Pl. Vaugirard
Convention
Edgar Quinet
Vavin
Port Royal
Raspail
Gaité
Pernety
Plaisance
Porte de Versailles
Pte Vanves
Petits Ménages
Mairie d'Yssy
ISSY
VANVES
MALAKOFF
Porte d'Orléans
Alésia
Institut Pasteur
Parc des Expositions
Champ de Manœuvres
Luxembourg